# Oriana Fallaci

# Viaggio in America

BUR
Rizzoli

Pubblicato per

da Mondadori Libri S.p.A.
Proprietà letteraria riservata
© 2014 RCS Libri S.p.A., Milano
© 2016 Rizzoli Libri S.p.A. / BUR Rizzoli, Milano
© 2018 Mondadori Libri S.p.A., Milano

ISBN 978-88-17-08336-2

Prima edizione Rizzoli: 2014
Prima edizione BUR: 2015
Seconda edizione Best BUR: febbraio 2019

Gli articoli contenuti nel volume sono stati pubblicati da «L'Europeo» nelle date che seguono: *È severamente proibito dar fuoco all'albergo*, 22 novembre 1959; *L'America vista da un'italiana*, 25 luglio 1965; *Operazione acqua*, 1 agosto 1965; *Ucciderò Jack Jackson*, 8 agosto 1965; *Permette? Il mio nome è John*, 15 agosto 1965; *Il meteorite di papà*, 29 agosto 1965; *Ecco l'ultimo sì di Vadim*, 29 agosto 1965; *I dannati di Hollywood*, 12 settembre 1965; *Conversazione in piscina*, 26 settembre 1965; *Anche i divi hanno una mamma*, 3 ottobre 1965; *Principesse in passerella*, 10 ottobre 1965; *Partiamo alla conquista del West*, 7 novembre 1965; *Il sentiero dei Navajo*, 21 novembre 1965; *L'ultimo cowboy*, 28 novembre 1965; *Paura a Mosca*, 5 dicembre 1965; *Oltrarno in Alabama*, 19 dicembre 1965; *Gli americani sono matti*, 24 febbraio 1966; *Un marxista a New York*, 13 ottobre 1966; *I minorenni terribili*, 10 febbraio 1966; *Vitamine e capelloni*, 17 febbraio 1967; *L'AFTRA mi protegge*, 16 marzo 1967; *La CIA starnutisce nel mio telefono*, 23 marzo 1967; *Mi hanno chiesto un uovo*, 6 aprile 1967; *Come si fuma una banana*, 13 aprile 1967; *Visita medica all'americana*, 29 giugno 1967.

*Seguici su:*

www.rizzolilibri.it        /RizzoliLibri        @BUR_Rizzoli        @rizzolilibri

# Viaggio in America

# Nota dell'Editore

Nel 1965 Oriana Fallaci è una celebrità. Gli articoli che firma sull'«Europeo» sono seguiti e attesi da un numero crescente di lettori e vengono tradotti dalle maggiori testate internazionali. I suoi libri diventano bestseller. Le interviste ai divi del cinema impongono il suo stile irriverente. Sono ancora lontani i coraggiosi reportage dal Vietnam, ma Oriana già rivela la sua formidabile capacità di arrivare al centro delle cose e di saperne svelare il mistero.

Lo dimostra l'inchiesta sulla NASA: affascinata dai programmi per la conquista dello spazio, fra il 1963 e il 1964 la Fallaci vive settimane e settimane al fianco degli astronauti, interroga i tecnici della base missilistica, intervista gli scienziati. Rielaborando il materiale giornalistico, nel 1965 pubblica *Se il Sole muore*, il suo quinto libro, che ha un immediato successo e di cui Rizzoli vende i diritti di traduzione in diversi Paesi stranieri: «Nessuno prima di lei ha descritto gli astronauti in quel modo, con un misto di cameratismo, ammirazione e ironia» commenta Cristina De Stefano nella sua biografia *Oriana. Una donna* (2013). Per lei, instancabile lettrice fin da bambina dei romanzi di Jules Verne, quegli uomini in tuta che si sottopongono a strenui allenamenti per arrivare dalla Terra alla Luna sono le star del momento.

Oriana e il Sogno Americano: la New York di Giò, indimenticabile protagonista del suo primo romanzo, *Penelope alla guerra*, uscito nel 1962 dopo una lunga gestazione, non le basta; la vastità e la complessità degli Stati Uniti la spingono a raccontare il Paese andandolo a osservare più da vicino, percorrendolo in viaggio. Nasce così una serie di reportage per «L'Europeo», l'America vista da un'italiana, raccolti per la prima volta in questo libro. Un periodo che si rivelerà cruciale per la sua scrittura, una sorta di punto di svolta che la porterà dallo stile ironico e caustico con cui ha descritto lo star system all'approfondimento dei temi che più la coinvolgono e che riguarderanno negli anni immediatamente successivi gli equilibri geopolitici planetari, la condanna di ogni forma di potere, il desiderio di capire il mondo e gli uomini.

Le prime tre parti del volume, a cui sono stati dati i titoli «Cartoline da New York», «Tra le stelle» e «In viaggio con Shirley», coprono i mesi tra il luglio e il dicembre 1965. È passato mezzo secolo da allora ma la libertà di pensiero e il senso dell'umorismo di Oriana rimangono intatti. Letti in forma unitaria, questi testi sono una vera e propria narrazione di viaggio. Il racconto prende avvio da un'esilarante rappresentazione delle tante facce di New York: le dimensioni minuscole degli appartamenti; la facilità con cui ci si può procurare un'arma da fuoco; i rischi a cui sono esposte in particolare le donne, anche nelle loro case (con un sarcasmo che oggi sembrerebbe inappropriato Oriana anticipa il fenomeno dello stalking); l'attivismo della campagna elettorale di John Lindsay, aspirante sindaco (una graffiante Oriana ne riporta le dichiarazioni mentre lui stringe instancabile le mani dei cittadini per strada: «Qualunque sia il vostro problema, una fermata d'autobus, una fermata di subway, un dolore, ditelo a John»).

Straordinari i ritratti di attori e divi, come Richard Burton e Liz Taylor, e il suo precedente marito, l'inconsolabile Eddie Fisher; irresistibile l'incontro con la spumeggiante Shirley MacLaine che, prima di intraprendere con Oriana un viaggio on the road, in auto, si prepara per il lancio del suo libro, che inaugurerà una carriera di autrice di bestseller: il volume uscirà nel 1970, col titolo *Don't Fall Off the Mountain*, ma qui è raccontato e presentato col titolo di lavoro *È meglio andar senza scarpe.*

E poi il leggendario Xavier Cugat, animatore negli anni Sessanta dei varietà italiani tv del sabato sera insieme alla sensualissima consorte Abbe Lane e ai loro cagnolini chihuahua, o i più sofisticati Roger Vadim e Jane Fonda, sposi a Las Vegas. Oriana è tra i dodici invitati all'esclusivo matrimonio, nessuno poteva ancora sapere che l'amicizia tra le due donne si sarebbe frantumata su posizioni inconciliabili ai tempi della guerra del Vietnam, una frattura mai superata, come la stessa Fallaci ricorda ne *La Rabbia e l'Orgoglio* (2001).

Per contemplare le stelle non mancano una tappa a Houston, «anticamera del viaggio alla Luna, anticipazione del nostro futuro», tra i retroscena della vita in famiglia degli astronauti, l'atmosfera delle città che non sono New York, il provincialismo del Paese («Lei ha litigato col papa?» domanda la moglie dell'astronauta Dick Gordon a un'Oriana restia a unirsi alla preghiera prima di sedersi a tavola e mangiare); un incontro a Los Angeles con l'amato scrittore Ray Bradbury, maestro di fantascienza, che usa la bicicletta come mezzo di trasporto; e un soggiorno a Hollywood, travolta dalla noia delle chiacchiere ai bordi delle piscine, stremata dalle ore di ozio sotto il sole (quanto palpabile è nelle descrizioni della Fallaci la temperatura del racconto di John Cheever, *Il nuotatore*, 1964).

Ben altro ritmo ed energia nel viaggio in auto con Shirley MacLaine, per ripercorrere all'inverso la strada degli antichi pionieri che si mossero dalla Virginia alla California. Il deserto rappresenta agli occhi di questa pioniera fiorentina la conquista del West, ma anche l'irrimediabile scoperta che «l'America è vuota, almeno per un terzo della superficie, disabitata. E immersa nel silenzio». Le luci lungo la strada annunciano false promesse quando brillano sulle facciate dei grandi alberghi di Las Vegas, «una calamita che attrae gli irresponsabili, i pazzi». Ma la vera sorpresa è trovare un po' di casa propria in luoghi così remoti, grazie ai nomi che gli emigrati europei diedero ai nuovi insediamenti: da Parigi in Arkansas, passando per Mosca in Tennessee si arriva fino a Firenze in Alabama. Restano la cupezza del Sud nonostante la sconfinata bellezza dei paesaggi, lo sconforto di fronte alla segregazione razziale, l'arretratezza culturale che convive con l'innovazione e il progresso: «Che strano Paese è l'America, che sfinge incomprensibile. Siamo giunte quasi alla fine del nostro viaggio e io non ci ho capito un bel nulla» dichiara Oriana mentre ammira la passione di Shirley, la sua capacità di disubbidire alle regole.

Nel racconto dell'America di Oriana non potevano mancare, nella quarta parte del volume, le visite a New York di due viaggiatori d'eccezione: Cesare Zavattini nel febbraio 1966 e Pier Paolo Pasolini nell'ottobre 1966, ritratti con superbo acume e vero senso dell'amicizia.

Nella quinta parte la straordinaria inchiesta sugli adolescenti americani, che appare in due puntate sull'«Europeo» nel febbraio 1966: Oriana percepisce il cambiamento in arrivo e intuisce che per capire la società bisogna parlare con i giovani. Ne registra gli stati d'animo e commenta il loro comportamento, una testimonianza davvero significativa poco prima dell'esplosione dei movimenti studenteschi, del femminismo e della rivoluzione sessuale.

Completa il volume, nella sesta parte, una selezione della rubrica «Lettere dall'America», qui intitolata «Lettere al direttore», che la Fallaci pubblica tra il marzo e il giugno del 1967, sempre sull'«Europeo». Ritorna il tono lieve, incline al paradosso, della cronista brillante: Oriana ci regala momenti di buon umore e ci fa sorridere, anche se il suo carteggio si conclude con una nota personale, come sempre profetica.

Nel novembre di quello stesso anno sbarcherà a Saigon, dopo aver ottenuto dalla direzione del giornale l'incarico di seguire il conflitto in Vietnam: ha inizio la sua avventura di corrispondente di guerra dal Sudest asiatico, per un periodo che dura complessivamente otto anni, interrotto da interviste, amori e dolori che la consegneranno alla Storia.

Scrive Gianni Riotta nella prefazione del 2009 a una nuova edizione di *Insciallah* (1990): «C'era l'Oriana italiana, ma ce n'era anche una americana... non dimenticate nessuna delle Oriane, nessuna».

Parte prima

# Cartoline da New York
## (1965)

# L'America vista da un'italiana

## Per un taxi si può anche sparare

All'aeroporto John F. Kennedy, appena superata la dogana, trovo Shirley MacLaine che viene da Hollywood e sta litigando con un taxista. C'è lo sciopero dei taxisti, a New York, i pochi crumiri vengono presi a revolverate o a sassate, e un taxi ha lo stesso valore che aveva una bicicletta in Europa durante la guerra: un taxista, la medesima grinta di chi ti prestava la bicicletta. «O te o la valigia» egli dice indicando il baule con cui Shirley è arrivata, e una fila di gente che spera di portarle via il posto assiste alla scena con volti di pietra, in silenzio: neanche guardasse un film alla tv. «Ma la valigia è con me e io sono con la valigia» ribatte Shirley MacLaine, indignata. «O te o la valigia» ripete il taxista, ostinato. O te o la valigia. O me o te. O vivo io o vivi te. O prendo il taxi io o prendi il taxi te. Se resti a piedi, se perdi la valigia, se crepi, non so che farci, mio caro: Cristo è morto duemila anni fa. Tesa nella sua lotta per la sopravvivenza, Shirley vibra come un cavo d'acciaio, sputa fiamme dagli occhi, non cede: quando la chiamo per offrirle un passaggio non mi sente neanche. È necessario agguantarla di peso, metterle in mano un mazzo di rose, per convincerla che Cristo non è morto, ogni tanto provvisoriamente risorge: Duilio, il mio collega fotografo, è venuto a prendermi con un mazzo di rose. «Tieni, Shirley. Prendile tu.» Shirley ha le lacrime agli occhi, ci guarda come se fossimo angeli, fate, fantasmi, infine esplode: «Che diavolo ci fai qui in America?

Pazza incosciente, non sai che questo è l'inferno? Torna indietro, perbacco!».

Shirley non è affatto cambiata dal giorno in cui la conobbi, in Italia, e diventammo amiche. I capelli ora rossi e ora biondi, attualmente li ha neri, tre delle sue celebri unghie ad artiglio son rotte, ma il suo ribellarsi è inalterato e così il suo odio verso New York. Non bisogna dimenticare, essa dice, che in questa città, due anni or sono, una donna fu pugnalata per oltre mezz'ora dinanzi a trentacinque persone che dalle finestre assistevano senza muovere un dito, né cacciare un urlo, né chiamare la polizia. «Assistevano immobili, zitte, neanche guardassero un film alla tv: lo stesso inverno a me accadde qualcosa del genere. Camminavo lungo Park Avenue, era nevicato e il marciapiede era una lastra di ghiaccio. All'incrocio con la Sessantadue scivolai, mi ruppi un piede e rimasi distesa sul ghiaccio. Please, dicevo, please, aiutatemi, please, tiratemi su, chiamate un'ambulanza, un dottore, please! Ma loro mi passavano accanto e non facevano nulla, non dicevano nulla. Per non perdere tempo, capisci, per non compromettersi, per non cadere con me. O me o te, o me o te. O vivo io o vivi te. Rimasi venti minuti senza che nessuno mi porgesse una mano, uno sguardo: alla fine dovetti trascinarmi da sola, a forza di braccia, verso un portone, e qui ci vollero altri venti minuti, ogni minuto era un secolo, per dimostrare al portiere che non ero ubriaca, drogata, ero solo una donna con un piede rotto. Insomma, che diavolo sei venuta a fare quaggiù?» Poi si rivolge a Duilio: «E tu? Eh? Che diavolo sei venuto a fare quaggiù?». «A me l'America piace» risponde Duilio. «E mi piace anche New York. L'America, ecco, è come il servizio militare: va fatta. Tutti dovrebbero fare l'America, dopo i ventun anni, o almeno New York. Per uno che vive a Parigi o a Roma o a Milano, New York ha lo stesso effetto che su un soldatino della Calabria hanno Parigi o Roma o Milano. Impegnato a difenderti, a sopravvivere, ecco, divieni più intelligente.» «E più magro,» rispondo «sei dimagrito che è uno spavento. Stai facendo la dieta?» «Macché dieta,» sospira Duilio «qui un soldatino perde mezzo chilo la settimana. Sono qui da sei mesi e fa' il calcolo: ho perso dodici chili. Se sopravvivo altri sei mesi, ne perdo altri dodici.»

Senza scosse, senza sobbalzi, la nostra automobile corre lungo la parkway di Manhattan e ora costeggia il cimitero municipale che è lungo sei miglia, sei miglia di steli di croci di lapidi l'una attaccata all'altra, l'una sopra all'altra, senza una pausa, senza un'interruzione, non esiste al mondo un cimitero più lungo di questo, l'umanità intera sembra sepolta là sotto, ogni volta che torno all'inferno e costeggio quel cimitero chiudo gli occhi e vorrei urlare, scappare: forse Shirley ha ragione, ammazzeranno anche me se rimango. Ma io mi faccio coraggio e rimango: sono sul mio. Amerigo Vespucci era fiorentino, Giovanni da Verrazzano era di Greve in Chianti. Ho il diritto di starci, vedere quel che le hanno fatto, come me l'hanno sciupata. Ho il diritto di sapere chi sono, se sono felici o infelici, mascalzoni o perbene. Ho il diritto di ascoltarli osservarli spiarli. Se non mi fanno fuori, o fino a quel giorno, vi racconto tutto con questo mio diario.


*Un posto all'inferno di cinque per quattro*

Di solito, quando vengo all'inferno, abito in albergo o in motel. Solo una volta, anni addietro, mi capitò di avere una casa in comune con una ragazza in Greenwich Village: ma la ragazza era francese, il Village ha un tono europeo, e quindi non conta. In un appartamento vero e proprio, un appartamento americano tutto per me, non ci sono mai stata: di qui il nervosismo mentre sto per entrare, scortata da Shirley e Duilio, al 220 della Cinquantasettesima Est.

Tale appartamento io non l'ho mai visto, nemmeno in fotografia: me l'ha procurato un amico della NBC e so soltanto che costa duecentocinquanta dollari al mese, esclusi i servizi. Un'inezia se penso che è situato nella zona Est, vale a dire a est della Fifth Avenue. Come sanno anche i bambini, la Fifth Avenue è un invisibile muro che politicamente mondanamente economicamente divide New York in zona Est e in zona Ovest: sicché, allo stesso modo in cui c'è una Berlino Est e una Berlino Ovest, c'è una New York Est e una New York Ovest. Però mentre a Berlino la zona Est è più progressista e più povera, la zona Ovest più reazionaria e più ricca, a New York la zona Ovest è più progressista e più povera, la zona Est più reazionaria e più ricca. Questo, però, solo nell'area compresa fra la Novantesima e la Quarantesima strada: al di là di quelle, infatti, la zona Est diventa (come a Berlino) più progressista e più povera, la zona Ovest più reazionaria e più ricca. E ora attenzione. Nell'area compresa fra la Novantesima e la Quarantesima, uno non può mica stare dove gli pare: deve stare nel quartiere compreso fra la Cinquantesima e la Settantesima, al massimo l'Ottantesima. Naturalmente nessuno obbliga nessuno a stare tra la Cinquantesima e la Settantesima, questo è un Paese libero, democratico, sano, però chi non sta tra la Cinquantesima e la Settantesima fa la figura di miserabile o avaro. Se poi uno è una, vale a dire una donna, stare fra la Cinquantesima e la Settantesima non è più una questione di miseria o avarizia, è una questione di vita o di morte in quanto solo fra la Cinquantesima e la Settantesima esistono edifici protetti da un portiere armato il quale interroga e perquisisce tutti quelli che entrano onde impedire lo sport più in voga a New York: penetrare nell'appartamento di una donna e strangolarla mentre dorme o anche sveglia, chissà perché. Tal privilegio d'esser difese da un portiere armato si paga, appunto, duecentocinquanta dollari al mese: un'inezia, d'accordo, ma anche una cifra per la quale mi aspetto un alloggio spazioso, elegante, fornito di ogni comfort. Dopodiché spalanco la porta e vengo a sapere che il mio alloggio consiste in una stanza di cinque per quattro.

In fondo alla stanza c'è una grande finestra, sotto la finestra c'è un letto ricavato da un grande divano, alla destra del letto-divano c'è un cassettone in stile svedese, alla sinistra c'è una libreria, davanti c'è un tavolo da giardino, in ferro laccato di bianco, sul tavolo c'è un televisore e sotto il tavolo ci sono due sedie. Nient'altro. Una porta rivela un armadio a muro: minuscolo. Un'altra porta rivela un bagno: minuscolo. Un'altra porta ancora rivela una cucina: minuscola. Armadio bagno cucina occupano insieme non più di sei metri quadrati e da ciò consegue che la vita di un normale cittadino americano si svolge entro ventisei metri quadrati: la grandezza della stanza da bagno che ho nella mia casa in campagna. Piangente mi accascio fra le braccia di Duilio e di Shirley. Ma subito dopo mi scuoto, ricordo Giovanni da Verrazzano e Amerigo Vespucci, miei avi, e dichiaro la inequivocabile necessità di navigare gli spazi, approdar sulla Luna, emigrare in altri pianeti: onde sistemarci i miei vestiti, i miei libri, e magari lì gli affitti son bassi.


## La padrona di Hong Kong

La proprietaria del mio appartamento si trova a Hong Kong e il suo ritratto appeso al muro mi informa che è una brunetta fra i trentacinque e i quaranta, con gli occhi tondi e le labbra sottili, maligne. Mi ha lasciato una lettera, ben in vista sul letto, e con quella mi dice che ignora quanto resterà a Hong Kong: forse due mesi, forse tre, forse quattro: di sicuro c'è solo che prima della partenza mi manderà un telegramma onde faccia fagotto nel giro di ventiquattr'ore. Intanto le paghi immediatamente l'affitto e le spedisca la posta, ogni giorno, giornali compresi, via aerea, presso l'American Express di Hong Kong. Che inoltre non rompa il televisore, non usi il grammofono, non infesti la sua casa di cimici, blatte, zanzare: New York è piena di cimici, blatte, zanzare ma in questo appartamento non ci son mai state cimici, blatte, zanzare in quanto lei vuota due volte al giorno la pattumiera nell'inceneritore e se tornando lei trova una cimice, una blatta, una zanzara vuol dire che non ho vuotato due volte al giorno la pattumiera.

New York, aggiunge la ragazza di Hong Kong, è anche piena di maniaci sessuali, ladri, assassini: non apra dunque la porta se prima non me lo dice il portiere. La notte mi chiuda a chiave due volte, se ho i soldi mi compri una rivoltella. La rivoltella si compra per posta, non abbia scrupoli a usarla in quanto se ammazzo per legittima difesa mi assolvono senza processo. La ragazza di Hong Kong è spiacente di non potermi affittare anche la rivoltella ma l'ha prestata (dietro compenso) a un'amica. La ragazza di Hong Kong è una ragazza romantica: dappertutto ci sono fiori di carta, di stoffa, di plastica, rose di velluto, gelsomini di raso, girasoli di nailon, fiocchi di seta, e numerosissimi oggetti a forma di cuore. Le cornici sono a forma di cuore, gli specchi sono a forma di cuore, i piatti sono a forma di cuore, le saponette sono a forma di cuore: dipinto di rosso. Nel bagno una saponetta a forma di cuore mi casca e si rompe. «Oh, non preoccuparti» dice Shirley. «Giù al drugstore ne hanno tante così. Quel che c'è di buono in America è che quando un cuore si rompe si va al drugstore e se ne compra uno nuovo.»

*Un brunetto gentile che si chiama Eddie*

Lui no, lui non la pensa così. Lui è Eddie Fisher, ex marito di Elizabeth Taylor: lo incontro alla NBC dove sono andata per ringraziare l'amico d'avermi trovato un appartamento così comodo, così simpatico, così a buon prezzo. Alla NBC stanno per registrare il programma più popolare d'America, il *Tonight Show*, che va in onda ogni sera alle dieci e mezzo in tutti e cinquanta gli Stati, il cerimoniere è un divo di nome Johnny Carson. Attori scrittori politici gangster celebrità di passaggio sconosciuti vengono intervistati ogni sera da quel Johnny Carson che l'anno scorso, per l'uscita di un mio libro in inglese, intervistò anche me e fu un vero disastro. Non gli piacque infatti il mio punto di vista sulle donne americane, il cui cibo preferito, sostengo, è l'uomo americano: puntualmente divorato dalla legittima moglie o dalla legittima madre che con le ossa del caro defunto costruiscono poi grattacieli. Tantomeno gli piacque il mio punto di vista sugli uomini americani: agnelli indifesi, sostengo, che in attesa di offrirsi in pasto alle mogli o alle madri vivono in una schiavitù paragonabile solo a quella delle musulmane velate da capo a piedi col *purdah*. «Mia cara, non mi vedo alcun velo» si inalberò Johnny Carson. «Lei non se lo vede ma io glielo vedo» risposi. Qualcuno tra il pubblico rise, qualcuno gridò: «Come ti sta bene, Johnny, quel velo» e così diventammo nemici. Passandomi accanto, dietro le quinte del *Tonight Show*, il divo non mi saluta e finge di non vedere la mano che tendo per un armistizio. «Sembra arrabbiato» commenta un bel ragazzino con una gran testa di riccioli neri, elegante, magrissimo, poco più alto di me. Infatti posso guardarlo negli occhi senza muovere il collo. I suoi occhi son neri, anche quelli, e brillano insieme tristi e vivaci. Nel mezzo c'è un naso importante, leggermente arcuato, da ebreo, ed è strano che non lo riconosca, che pensi invece quanto assomiglia al personaggio di *L'ultimo dei Giusti*, il romanzo di André Schwarz-Bart. «Sì, è arrabbiato» confermo. «Perché?» Glielo spiego, sorride. «Già, questo è quello che gli altri pensan di noi: che siamo uomini deboli, agnelli indifesi. Incredibile come la gentilezza venga spesso scambiata per debolezza. Uno cerca d'esser buono, gentile, ad esempio con la donna che ama, cerca di capirla, di assolverla, e costei è la prima a dire: sei un debole, un debole. Io lo so perché a me è successo proprio così. Volevo che si dicesse ecco un gentiluomo e invece si dice ecco un debole.» Il ragazzino è simpatico: tutto in lui, la stessa voce che è bassa, lontana, suscita tenerezza, rispetto. «Come ha detto che si chiama?» gli chiedo. «Non l'ho detto» risponde. «Mi chiamo Eddie Fisher.» Seguitiamo a parlare un bel po', nello show lui arriva per ultimo, e così ha tempo di dire che domani sera canta a Long Beach: perché non vado a sentirlo cantare? Ceneremo insieme e discuteremo sui miei punti di vista: se voglio mi manda a prendere nel pomeriggio. Ok? Ok. Sottobraccio ho una copia dell'«Europeo», me la prende. «E questo cos'è?» «Il giornale per cui lavoro.» Lo sfoglia, a metà c'è una grande fotografia di Elizabeth Taylor, in costume da bagno. «La conosco,» sorride «questa la conosco un po'.» E di colpo i suoi occhi annegano in tante piccole rughe, la sua mascella si chiude, non è più un ragazzino ma un uomo di trentasei anni cui hanno rotto un cuore che non si ricompra al drugstore. Vorrei dirgli qualcosa, ad esempio che non ho accettato di attaccare discorso per questo, non lo avevo riconosciuto nemmeno, ma il regista lo chiama: «Eddie, tocca a te». «Ok, vengo. Allora a domani,» mi dice «lasci il suo indirizzo al Waldorf Astoria, la mando a prendere nel pomeriggio.» Poi entra in scena, sparisce. Elizabeth Taylor è partita stamani con Burton, diretta a Los Angeles. Dovrò pure portarlo il discorso su Elizabeth Taylor, domani. Ma come? Io al posto suo manderei all'inferno chiunque ci si provasse.

## Parla di Liz nella confusione di Long Beach

Long Beach dista un'ora e tre quarti di automobile dal centro di Manhattan ed è qualcosa di mezzo fra Ostia e Viareggio: una spiaggia lunga con tante cabine. Il mare vi si abbatte grigio e rabbioso, d'estate è colmo di squali e il bagno bisogna farlo in piscina. Di solito è pieno di gente, oggi piove però e non ci sarà nessuno fino a stasera quando canta Eddie Fisher. Sulla spiaggia ci siamo solo noi che parliamo di Elizabeth Taylor. «Molti hanno imbarazzo a farmi il suo nome» egli dice «e pensano che voglia dimenticare. Ma non si può dimenticare qualcosa che è stato, esistito. È come buttare un legno nell'acqua, così. Prima o poi torna a galla.» Si china, raccatta un legno, lo butta nell'acqua e il legno è lì che galleggia. «Elizabeth esiste, è esistita, e io non posso dimenticarla, io non la dimentico. Non la dimenticherò mai: dopotutto è stata il grande amore della mia vita.» Fissa a lungo il legno sull'acqua. «Ora non l'amo più, ho smesso completamente di amarla. I nostri incontri, rari del resto, non sono mai amichevoli, mai: e tuttavia non mi turbano affatto. Semplicemente la guardo e mi chiedo come abbia fatto ad amarla, è proprio vero che l'amore ci rende ciechi.» «È molto bella» gli dico. «Sì, è molto bella,» risponde «ma non è una donna, è una bambina. Una bambina viziata dall'eccessiva fortuna. Ha avuto tutto e pretende sempre di più: pretende il mondo ai suoi piedi, vorrebbe che tutti le si inginocchiassero ai piedi, vorrebbe la luna e guai se non le danno la luna. Proprio come i bambini: non è intelligente. La sua intelligenza, quando esiste, è infantile: e a lungo andare questo ti stanca, uccide in lei perfin la bellezza. Ti stanca talmente, mi spiego, che non ti accorgi più quanto è bella, se te ne accorgi è per dire quanto conti poco in lei la bellezza. No, non poteva durare fra me ed Elizabeth. È accaduto quel che doveva accadere, mi dispiace solo che sia accaduto co-

23

sì. In modo così volgare, banale.» «E allora perché non le ha concesso il divorzio? Mi hanno detto che il divorzio di Mexico City non è valido negli Stati Uniti.» «No, non lo è. È un divorzio unilaterale, io non ho dato il consenso, e legalmente siamo ancora moglie e marito. Ma non perché ci tenga a essere suo marito. Per...» «Per ragioni finanziarie?» «No, quelle son regolabili anche dopo il divorzio. La percentuale sugli incassi di *Cleopatra* mi spetta, il contratto fu fatto dalla casa di produzione che ho in comune con lei: prima o poi dovrà darmelo, quel cinque per cento. Del resto al denaro non ci tengo: ce l'ho. Ce l'ho finché campo e posso farne benissimo a meno: mio padre era un valigiaio, io ho trascorso l'infanzia facendo l'ortolano, la povertà non mi ha mai fatto paura. La ragione è un'altra.» «Quale?» «Liza. La bambina che Elizabeth ebbe da Todd. L'ho adottata, le voglio bene come se fosse mia, mi manca come se fosse mia: e lei non vuol farmela nemmeno rivedere. Non solo: vuol cambiarle il cognome, vuol chiamarla Liza Burton. Insomma le pare umano, le pare possibile che a ogni marito di Elizabeth quella bambina cambi il cognome? Era Liza Todd, diventò Liza Fisher, ora dovrebbe diventare Liza Burton. E al nuovo capriccio di sua madre come si chiamerà la povera Liza? Io non concedo il divorzio fino a quando non sono certo che Liza resta mia figlia. Liza Fisher, figlia adottiva di Eddie Fisher.»

Ora le rughe intorno agli occhi son fonde e ciascuna è un piccolo pozzo di amarezza stagnante. Glielo dico, alza un sopracciglio. «Certo, non sono più ingenuo come una volta, ho finalmente capito che il mondo non è rosa ma nero, che non si può sempre dare, bisogna anche ricevere: sennò la sorgente si secca. Però non sono amaro, al contrario. Amo la vita come non l'ho mai amata, mi diverto a vivere come non mi sono mai divertito, non so più cos'è la paura. Io ho sempre vissuto nella paura, suppongo dipenda dal fatto che sono ebreo: e all'improvviso non ho più paura, mi sento forte e tranquillo.» «Non ha nemmeno rimorsi, rimpianti?» «No. Se tornassi indietro rifarei esattamente quello che ho fatto. Compreso sposare Debbie, compreso sposare Elizabeth. Con Debbie, nemmeno con lei andava bene: ma se non mi fossi sposato con Debbie non avrei due stupendi bambini, non avrei forse sposato Elizabeth. Se non avessi sposato Elizabeth non sarei finalmente cresciuto fino a dimenticar la paura. Tutto accade perché deve accadere, tutto ha una ragione. E pazienza se tutto ha anche un prezzo.» Una pausa. «Voglio risposarmi. Lo voglio come nient'altro al mondo: il lavoro non basta, il successo non basta, e non posso continuare a saltare da una a un'altra così. Non ha senso, ho bisogno di vivere con un'altra persona, di esserle fedele. Sono stato fedele a Debbie finché il matrimonio è durato, sono stato fedele a Elizabeth finché il matrimonio è durato. Gli americani son così puritani e poi hanno sempre l'amante, io non ho mai avuto l'amante. Sono nato, io, per fare il marito: ah, se riuscissi a innamorarmi. Il guaio è che non riesco più a innamorarmi.»

Dopo cena, è ormai mezzanotte, Fisher sale sul palcoscenico del Malibu Beach Club a Long Beach. Gli danno sei milioni per cantare novanta minuti e da Long Island, New York, son venute millecinquecento persone: il parcheggio delle automobili è un gran lago di ferro. La voce di Fisher è potente, educata, bellissima: i millecinquecento impazziscono e lo fanno cantare fino alle due del mattino. Alle due, quando dice basta vi prego sono sfinito, si toglie la giacca, e la sua camicia è fradicia di sudore, i suoi riccioli neri sembran bagnati da un acquazzone. I millecinquecento vorrebbero portarlo in trionfo ma sei poliziotti gli son subito addosso a proteggerlo. I poliziotti sono alti e robusti, lo cingono stretto in una gabbia di braccia di muscoli, e lì dentro non è più un adulto che guadagna sei milioni per sera, è di nuovo un ragazzino sconfitto. D'un tratto fra le sbarre di quella gabbia di braccia di muscoli, il ragazzino mi vede, tende una mano piccola piccola, grida: «Ciao, Little Italy, ciao!». E sembra davvero l'ultimo dei Giusti quando lo portano via e lui piange non perché lo portano via ma perché ha visto strappare le ali a una farfalla.

## Questione d'affitto

C'è gente quaggiù che non si rassegna: ma strapparsi reciprocamente le ali qui è un altro sport molto in voga, cui bisogna far l'abitudine. Tanto più che non è affatto difficile: basta avere controllo dei nervi, mancanza di pietà, sgarbatezza. Al Malibu Beach qualcuno mi presenta a qualcuno, il secondo qualcuno mi chiede: «Lei che è italiana, mi dica: perché a Roma ci son tutte quelle prostitute per strada?». «Perché» gli rispondo «non hanno i soldi per comprarsi un appartamento come le prostitute di New York.»

## Un cocktail per Shirley che non ama le scarpe

La risposta piace alla MacLaine con la quale passo le ultime ventiquattr'ore del suo soggiorno a New York: «Brava e ricorda che la nostra legge è Spacca-Il-Muso-Prima-Che-Lo-Spacchino-A-Te». Shirley, non l'ho ancora detto, è venuta a lanciare un libro che sta scrivendo: *È meglio andar senza scarpe*. All'apice della sua carriera di attrice e di diva, proprio ora che guadagna cifre così ciclopiche da definirle immorali, s'è accorta che il cinema non la diverte e vuol diventare giornalista e scrittrice. Marguerite Higgins, la grande reporter cui toccò il premio Pulitzer per le sue corrispondenze dalla guerra in Corea, le sta dando lezioni di giornalismo; Sam Shaw, il famoso fotografo, le insegna come usare la Leica e la Nikon. Quando sarà pronta pel nuovo mestiere, mi dice Shirley, attraverseremo insieme gli Stati Uniti e faremo un gran reportage a quattro mani. Intanto scrive *È meglio andar senza scarpe* e questa è la ragione per cui tre delle sue celebri unghie son rotte: «Me le son rotte su quei dannatissimi tasti di quella dannatissima Olivetti». Il libro è più o meno la storia di un'americana cui piace viaggiare, una matta che va in giro pel mondo, Africa Russia Europa Asia, e si trova coinvolta nelle situazioni più incredibili, assurde: ora arrestata con la sua guida sui monti dell'Himalaya da un gruppo di ribelli che la voglion fucilare, ora ospite per ben sette giorni in un bordello di Parigi per veder come funziona, ora chiusa per tre giorni e tre notti in una università di Mosca a discutere di filosofia e religione con gli studenti. «Ma queste cose le sono successe davvero?» chiede il giornalista del «New York World Telegram» che la sta intervistando. «Sicuro» esclama Shirley. «Ma succedono tutte a lei?» chiede il giornalista. «Boh!» dice Shirley. Il giornalista non sembra convinto. Non sa che le cose succedono a chi le cerca e a chi se le merita, come Malaparte diceva. O forse le cose, in sostanza, succedono a tutti: però alcuni se ne accorgono e altri no. «E come le è venuta l'idea di far questo libro?» insiste il giornalista. «Le dirò,» dice Shirley «ero a colazione da Margaret…» «Margaret chi?» «Margaret d'Inghilterra, quale altra Margaret?» «Frequenta Margaret d'Inghilterra?» «Non sono io che frequento lei, è lei che frequenta me.» «E come?!» «Bè, quando sono a Londra lei mi invita a mangiare e io ci vado: è così bellino quel Buckingham Palace-o-come-si-chiama, e il cuoco è bravissimo.» «Lei scherza.» «Perché? Sono stata anche quindici giorni nel castello di Lord Mountbatten: m'ha invitato e ho risposto sì grazie. Volevo vedere se sarei riuscita a cavarmela con un tipo così.» «E se l'è cavata?» «Oh, non è mica difficile, sa? Basta rizzare il collo, stringer le labbra e tirar fuori ogni tanto una frase così: trecent'anni fa un mio bisavolo… Bè, tutti hanno un bisavolo: no?»

27

Il cocktail che il suo editore dà per *È meglio andar senza scarpe* si svolge da Arthur, un club nuovo, *à la page*. Nel salone accanto al nostro si dà un altro cocktail: in onore di un fabbricante di scarpe. Saputo che la bella donna cui tutti chiedono autografi è Shirley MacLaine, il fabbricante di scarpe si leva le scarpe e viene a renderle omaggio. È gonfio e grasso, con la faccia paonazza per il troppo bere. Dice che i libri, a lui, piacciono tanto perché sono decorativi e quest'anno ha sistemato ben duemila dollari di libri nella sua libreria. Anzi, duemilacinquecento. I cinquecento dollari li ha spesi per far segare i libri a metà. Gli scaffali erano poco profondi, i libri sporgevano troppo; posto fra il dilemma di comprare altri scaffali o tagliare i libri a metà, preferì tagliare i libri a metà. Con la sega elettrica.

# Operazione acqua

New York, luglio

Questo soggiorno a New York è pieno di insidie, tranelli. Non tanto perché Ava Gardner sta per arrivare e «Newsweek», il solo settimanale che legge, ha riportato la rissa cui ci abbandonammo a Madrid quando scoprimmo di avere fondamentali divergenze sul problema della verginità femminile. Non tanto perché Robert Kennedy s'è pentito di quel che mi disse a dicembre quando gli chiesi se era nei suoi programmi diventar presidente degli Stati Uniti e ora Rockefeller glielo rinfaccia, Johnson gli tiene il muso, Bobby va in giro dicendo che non so tenere un segreto e finché campa non darà più interviste. Non tanto perché si sono resi conto che li sto osservando come oggetti di studio e si sentono un po' come cavie da laboratorio quanto perché il portiere mi spia e s'è accorto che fo il bagno anziché la doccia, bevo acqua anziché whisky, annaffio sempre una graziosa azalea che m'ha mandato Eddie Fisher. Il fatto è che non piove da marzo, lo scorso inverno ha nevicato pochissimo, e New York è senz'acqua. I serbatoi delle montagne Catskill dispongono appena di duecentoquarantasette miliardi di galloni di acqua, la città consuma ogni giorno un miliardo di galloni di acqua: se non piove, non nevica, tra otto mesi e sette giorni la riserva dell'acqua sarà esaurita. Otto mesi e sette giorni, lo so, a voi sembrano tanti e vi sembrano tanti anche duecentoquarantasette miliardi di galloni di acqua, ma agli americani sembrano pochi, pochissimi: se le loro provviste non son sufficienti per almeno dieci anni, vent'anni, gli americani si sentono come i contadini cinesi in tempo di carestia e l'atmosfera è di conseguenza drammatica. Nelle chiese cattoliche, presbiteriane, luterane, episcopali, congregazionaliste, metodiste, battiste, quacchere, nei templi buddisti, nelle sinagoghe, nelle moschee, nelle cappelle di ogni setta religiosa, e le sette religiose in America sono ben duecentosessantadue, si prega affinché cada la pioggia. Nelle università, nei laboratori scientifici, nei centri meteorologici si studia il modo di far cadere la pioggia. Il municipio sta esaminando la opportunità di ricorrere come nel 1950 al "Fabbricante di pioggia", un pilota che semina in cielo scaglie di ghiaccio, il ghiaccio si mischia alle nubi, le nubi si sciolgono e viene giù il finimondo. Nel 1950 il temporale fabbricato dal Fabbricante di pioggia sradicò alberi, allagò case, distrusse poderi, e il municipio citato in giudizio dovette pagare le spese.

In tale atmosfera è evidente che ai cittadini e anche agli ospiti si chieda di non sprecar l'acqua e così appelli accorati, minacce vengon rivolti a tutti noi affinché invece del bagno si faccia la doccia, anzi niente, invece dell'acqua si beva whisky, ma puro, soprattutto non si annaffino piante, giardini. I newyorkesi, disciplinati, ubbidiscono: costi quel che costi, cattivi odori, ubriacature, la morte; a Brooklyn un vecchio s'è sparato lasciando il seguente biglietto: «Il giardino era l'unica cosa che avessi: lo annaffiavo da quarant'anni, ogni giorno. In quarant'anni non ho mai ricevuto una multa, non sono mai stato in prigione. Preferisco morire col mio giardino anziché andare in prigione, goodbye». Ma io non sono disciplinata e nemmeno newyorkese, perciò faccio il bagno, bevo acqua e annaffio l'azalea di Eddie Fisher: il portiere ha già detto che se continuo così mi denuncia, mi sbatte in quel posticino che è all'angolo tra la Nona strada e la Sesta.

In galera. Davvero questo soggiorno a New York è pieno di insidie, tranelli. E l'insidia più atroce sapete qual è? La NASA ha offerto al sindaco Robert Wagner il brevetto per trasformare in acqua pura l'urina. Già, il sistema che adoprano nei voli spaziali per evitare a bordo della cosmonave il peso dell'acqua da bere. Dice che l'hanno esperimentato gli astronauti Edward H. White e James McDivitt. Dice che simile acqua è eccellente.

## Vai in convento, Gordon

Non ci credo e telefono a Gordon Cooper e Pete Conrad, i due astronauti che partiranno in agosto col prossimo Gemini. Gordon e Pete sono due carissimi amici: diventarono tali quando l'anno scorso ero sempre con loro per scrivere un libro e insieme a Jim Lovell, un altro astronauta, fondammo la Oriana-Pietro-Giacomo-Rootbeer-Corporation-Limited per lo smercio di *rootbeer* sulla Luna e su Marte. La *rootbeer* è una schifosa bevanda che piace agli americani e, siccome piace anche ai russi che la chiamano *tivo*, intendiamo smerciarla sulla Luna e su Marte onde diventar ricchi e comprarci il potere: miriamo al Portogallo, Paese pieno di vino di mare di sole. Io, Gordo, come lo chiamano tutti, e Pete non facciamo che scriverci cartoline di affari, per questo tra un affare e l'altro ci scambiamo notizie e dall'ultima cartolina risulta che i due sono a Cape Kennedy dove passano il tempo nei simulatori e ingrassano. Pete specialmente: ha guadagnato ben quindici libbre, sette chili all'incirca, ora supera il peso limite per stare nella cosmonave e alla NASA non si parla d'altro. Con tutta quella zavorra come si fa? Tanto vale caricare acqua pura. Telefono dunque a Cape Kennedy e i due non sono per niente nei simulatori, sono nella piscina dell'Holiday Inn: dice Jim. Jim (James Lovell) è il grande amico di Pete ed è un altro astronauta. Lui andrà negli spazi insieme a Frank Borman. Mezzanotte è passata da un pezzo, sono quasi le due del mattino, e a me sembra un po' strano che a una simile ora Pete e Gordo non siano a dormire, ma d'un tratto Jim cambia voce e infatti non è più Jim, è Pete che urla come un dannato: sta in piscina perché in piscina si nuota, urla, a nuotare lui dimagrisce, urla, per dimagrire lui ha solo la notte, tutto il giorno lo tengono chiuso in quel dannatissimo simulatore, bè, che succede a New York? Succede che non c'è acqua, gli dico, e la NASA ha offerto al sindaco Wagner il famoso brevetto: «Pete, ma è davvero buona quell'acqua?». «Buona un corno!» urla Pete e in quell'urlo v'è tutta la disperazione del mondo: fra un mese, per una settimana, tanto dura il suo volo, non berrà altro, povero Pete. Dopo Pete parlo a Gordo che mi sembra depresso: a fine luglio li chiuderanno in convento, così chiamano il ritiro tecnico-spirituale che li accoglie prima della partenza. Il convento si trova a Merritt Island, il cosmoporto da cui partiranno nel 1970 i tre uomini destinati alla Luna.

Merritt Island è una città segreta dove solo gli spaziali possono entrare e la clausura lì dentro è completa, la disciplina assai rigida. Il cibo v'è regolato come le ore del sonno, di studio, i divertimenti son casti come divertimenti di monache. Gli astronauti giocano a carte, a pallone, scrivono lettere ai parenti, agli amici: i ritiri cui Herrera costringe i giocatori dell'Inter, al confronto, son orge. «Qui non si beve più, non si fuma più, si ingrassa e basta» mormora Gordo. Sì, è senza dubbio depresso: forse pensa anche lui al famoso brevetto per trasformare in acqua pura l'urina. Povero Gordo. Appena sveglia, stamani, sono andata in un negozio di alcolici, ho comprato una cassetta di champagne Piper-Heidsieck e gliel'ho mandata. A Pete invece ho mandato un regalo e un biglietto di mia sorella. Il regalo è un posacenere di Montecatini e il biglietto dice: «Affinché si convinca quanto è più comodo vivere su questa vecchia Terra». Mi metterò contro la NASA ma sento che devo fare qualcosa per loro. Costa così caro essere eroi.


## Il chihuahua resta

Costa caro anche essere buoni: la storia d'amore della settimana, su questo incredibile palcoscenico che è la città di New York, me la fornisce Xavier Cugat che abita proprio accanto a me: il grattacielo adiacente. Dopo il divorzio da Abbe Lane, Cugat non è più il personaggio vivace che ci intratteneva con quel sorrisino pieno di ironia: la pelle del volto gli cade come stoffa grinzosa, le sue spalle sembran diventate più strette, più curve, i suoi piedi più pesi. A sessantacinque anni, il padre di sé stesso. Lo incontro per strada, mentre sta rientrando, lo saluto e mi invita da lui a bere un Porto: «Non faccia caso al mio appartamento, però». Penso che alluda al disordine, trovar domestici è impossibile qui, e lo rincuoro: vedesse il mio. No, no, replica Cugat, disordine non ce n'è mica, poi spalanca la porta di un attico per cui calcolo paghi un milione al mese d'affitto e capisco quello che intende: tutte le stanze son vuote fuorché la cucina con tre sedie e un tavolo. Nel salone, accatastati contro una parete, ci sono moltissimi quadri: «Abbe s'è portata via anche le lampade, è già molto se ho potuto salvare quei quadri. I Modigliani, sa, costano trenta milioni ciascuno». «Capisco.» «S'è presa la stanza da pranzo, la camera da letto, il soggiorno, ogni cosa.» «Capisco.» «Dopo quattordici anni, all'improvviso, senza ragione.» «Capisco.» «Cosa hanno detto in Italia del mio divorzio da Abbe?» «Se n'è parlato, così.»

Lui raccatta il solito cagnolino chihuahua, lo accarezza, si abbandona a un lungo monologo che direste rivolto a sé stesso anziché a me. «La motivazione del divorzio è pazzesca: crudeltà mentale causata da troppo amore e gentilezze eccessive. Al giudice ha dichiarato che la soffocavo con le mie premure e non ho potuto neanche difendermi: tutte le prove erano contro di me. È vero che ogni mattina, ogni mattina dei nostri quattordici anni, le preparavo la colazione e gliela portavo a letto insieme a una rosa rossa. È vero che una volta le feci trovare, sul piattino del burro, quel brillante da un etto: lo aveva visto il giorno avanti in Fifth Avenue, aveva detto che bello e m'era sembrato gentile comprarlo. Anche se costava duecentoventi milioni di lire. Incredibile, sembrava così contenta. Non mi ha mai detto nulla, non si è mai lamentata, m'è sempre stata fedele. Poi, all'improvviso, senza ragione... Lei la sera doveva cantare a Hot Springs, nell'Arkansas, e all'alba sono partito per andare ad arrangiarle le cose: facevo sempre così perché non si strapazzasse. Quando sono uscito, dormiva. Dall'aeroporto le ho telefonato per dire allora t'aspetto alle cinque, ti ho prenotato l'aereo, e tutto sembrava normale. Sì, caro. Ciao, cara. Ciao, caro. Invece aveva preparato la fuga da tempo, con cura: come lo sbarco in Normandia. Alle cinque infatti non è venuta e la sera non c'è stato spettacolo: ho dovuto pagar la penale. Sono tornato a casa e i suoi vestiti non c'erano, non c'erano neanche i gioielli: armadi e cassetti eran vuoti. E non un biglietto, una lettera. I suoi parenti, ha centinaia di parenti, dicevano non lo so dov'è Abbe, non lo so. Era da sua madre, a Brooklyn, quando l'ho rintracciata. Non ho fatto commenti: si può forse obbligare ad amarti chi non ti ama più? Al processo ha detto che ero troppo vecchio per lei, più di trent'anni di differenza d'età: bè, non lo sapeva quando mi sposò? Il tempo è passato anche per lei.» Accarezza di nuovo il chihuahua. «Che sciocca! Il fatto che fossi vecchio era una grossa fortuna per lei: d'ora innanzi ogni giorno che vivo è un affare, tutti i miei amici coetanei son morti, se avesse avuto pazienza, se avesse aspettato un anno, due anni, sei anni, si sarebbe presa l'eredità diventando una delle donne più ricche d'America. Che sciocca! Ma scusi, ammettiamo che mi vada bene, che campi fino a settant'anni: non le meritava aspettare? Non ho figli, non ho nessuno fuorché due fratelli già ricchi, ho accumulato un patrimonio enorme e a chi lo lascio? A qualche istituto? Se almeno Abbe m'avesse dato un figliolo. Ma non lo voleva, diceva se mi metti incinta mi paghi un milione di dollari. Lei voleva soltanto fare l'attrice, ha sposato quel tale per fare l'attrice, e non capisce che non sfonderà mai perché il mondo è pieno di Abbe Lane, perché senza di me non è un tipo. Sciocca! Sciocca! Sciocca! Ora a chi lascio tutto quello che ho?» «Alla prossima moglie: dicono che stia per risposarsi con la ragazzina spagnola» rispondo. Si stringe dentro le spalle: «Charo? Ha solo vent'anni, la differenza d'età stavolta è davvero eccessiva. Quarantacinque anni, ci pensa? Potrei essere abbondantemente suo nonno». «Però ci sta insieme.» «Voglio lanciarla. Abbe ha detto che non lancio nessuno e allora voglio lanciare Charo. Fosse l'ultima cosa che faccio nella mia vita, mi costasse un milione di dollari, Charo ha da diventare una diva.»

## Una sposa sui trenta, quaranta

Quarantacinque chili di peso distribuiti con insolenza su un metro e cinquantacinque di altezza, un musino né bello né brutto sotto un cesto di capelli ossigenati e lunghissimi, un paio di stivali che arrivano fino a metà coscia, pantaloni più stretti di un vestito da torero, una chitarra: ecco Charo. Cugat l'ha trovata a Siviglia dove recitava in teatro *La notte dell'iguana*. «Cercavo una sposa sui trentacinque, quaranta,» sospira «magari una vedova con molti figlioli, e invece capitò Charo. Capitano tutte a me. E come se ciò non bastasse non vivon mai sole: anche questa ha un mucchio di parenti alle spalle, un padre, una madre, una sorella, un fratello. Non volevano farla partire, i parenti. Hanno preteso che fosse scortata dalla sorella, da Carmen. Vero, Charo?» «Hola! Olé!» strilla Charo. Poi batte i tacchi in un approssimativo flamenco, chiude le palpebre orlate da ciglia di visone, unisce i denti e conclude: «Zrrr! Zzzrrr!». Senza dubbio il tipo che piace a Cugat: Pigmalione in perpetua ricerca di guai. «Charo, non far versacci. Charo, racconta di quando stavi in convento» mormora Cugat. «Bueno. El convento. Yo sono stata dieci anni in convento. Yes. Perché ero cattiva, yes. Mi hanno messa a quattr'anni e mi hanno tolto a quattordici. Perché mi sposassi. Yes. I don't want to marry! Non voglio sposarmi! Yo soy ambiziosa, muchissimo ambiziosa. Yo voglio conquistar America. I love America. Me gusta todo de America. Los grattacielos, la televisión, las mujeres con los pantalones. Zrrr! Zzzrrr!» Un momento di dubbio: «Xavier, la conquisterò?». «La conquisterai» dice Cugat «perché io lo voglio.» «Lo sai davvero, Xavier, come si fa a conquistare l'America?» «Sì che lo so: perché so cosa è l'America.» «Cosa è l'America, Xavier?» «L'America è un posto dove arrivai a dodici anni con un violino dentro un fagotto. Arrivai a New York e non avevo un centavo, non sapevo una parola d'inglese. Il mio solo amico, Enrico Caruso, era morto. Era stato Caruso a dirmi di venire a New York. M'aveva sentito suonare a Cuba, quand'ero il primo violino dell'Opera di Cuba, un bimbo prodigio, m'aveva detto vieni e io ero venuto e lui era morto. Per settimane e settimane fui costretto a dormire su una panchina del Central Park. Ora, dinanzi a quella panchina, ci passo con la mia Rolls-Royce. Questa è l'America.» «Zrrr!» dice Charo. «Zzzrrr! I love America!» «Già: ma a chi la lascio la mia Rolls-Royce? Ho tre Rolls-Royce: una qui, una a Madrid, una a Parigi: a chi lascio le mie tre Rolls-Royce?» «Zrrr!» commenta Charo. «Zzzrrr!» Non sa che farsene, lei, delle Rolls-Royce. Suo padre è ricco, lei non vuole Rolls-Royce: vuole l'America. «Xavier, quieres que canto?» «Canta, canta» mormora Cugat, distratto dal suo tremendo problema: l'eredità delle Rolls-Royce. Charo accorda la chitarra, agita come impazzita le gambe e i capelli, perde una delle sue ciglia di visone che cade dentro lo stivale sinistro ma non se ne accorge, canta con un filo di voce: «Ahi, ahi, ahi! El mi amor! Ahi, ahi, ahi, el tu amor.» «Forse non ha troppa voce» dico all'orecchio di Cugat. E lo dico in inglese: «Maybe she hasn't too much voice». Lui capisce Rolls-Royce. «Come? La prende lei una Rolls-Royce? La vuole lei una Rolls-Royce?» «No, no, signor Cugat, per carità.» «Ma sì, la prenda, gliela do volentieri.» «Ci credo, signor Cugat, ci credo. Ma io non so guidare e poi le tasse, capisce...» «But you said I take a Rolls-Royce. Ha detto la prendo io una Rolls-Royce.» «No, I said she hasn't too much voice. Ho detto che non ha troppa voce.» «Oh!» Sembra deluso. «Oh! Che se ne fa della voce un tipo così? E poi neanche Abbe aveva un filo di voce: fui io a darle una voce. Sapeva solo sgambettare, era una *chorus girl* quando la trovai. Era niente, non sapeva far niente, nemmen camminare: dovetti insegnarle perfino a camminare. Charo in confronto ha talento, esperienza. Vero, Charo?» «Zrrr! Zzzrrr!» commenta, acutissima, Charo. E già vedo il suo nome a grandi lettere luminose in Times Square, i cartelloni col suo corpicino impudico appesi dinanzi al Chinese Theatre di Hollywood. L'Universal Pictures vuol farle un contratto, Danny Kaye l'ha già inclusa nel suo show a Las Vegas, Dean Martin l'ha scritturata per un programma televisivo a settembre. «Signor Cugat, lei crede che Charo le sarà grata al momento opportuno?» «Nient'affatto» risponde. «Rita Cansino, pardon, Rita Hayworth me ne fu forse grata? Carmen Miranda me ne fu forse grata? Abbe Lane me ne fu forse grata? Le donne non sono mai grate e dalle donne io non mi aspetto mai gratitudine, mai.» «E dagli uomini?» «Dagli uomini, sì:

Frank Sinatra, Dean Martin, Jerry Lewis mi sono gratissimi infatti. Le donne...» Si avvicina a Charo, le posa un lievissimo bacio sopra la fronte, si accorge che le ciglia di visone son cadute nello stivale sinistro, si china sullo stivale, estrae le ciglia di visone, le riconduce alle palpebre: Charo si scosta, annoiata. «Signor Cugat,» gli chiedo «ma lei le donne ha mai provato a bastonarle?» «Bastonarle?!?» dice Cugat. «Sì, bastonarle.» «Oh!» dice Cugat. E di nuovo riconduce le ciglia di visone dove devono stare, di nuovo Charo si scosta, annoiata, mentre la commedia continua su questo incredibile palcoscenico che è la città di New York.

## Le terribili vecchiette

Del resto vi son tante forme di ingratitudine, no? Nel drugstore del Rockefeller Center mi imbatto in tre vecchine. Bianche bianche, pulite, compunte: un profumo di spigo, di torta di mele, un ricordo dolce d'infanzia. In testa hanno bei cappellini adorni di fiori e di frutta, i loro vestiti son rosa, celeste, giallo limone. Mi incanto a guardarle. A me i vecchi piacciono tanto, mi fanno sentire più buona e infatti son di colpo più buona: suvvia, c'è anche gente garbata quaggiù, c'è anche gente perbene, guardatele mentre si muovono nel reparto balocchi e con fragili mani scelgono pupazzi e trenini; per i loro nipoti, evidente. Guardatele mentre comprano le cartoline con l'Empire State Building e la Statua della Libertà: per spedirle ai parenti, evidente. «How do you like it, Jane? How do you like it, Mary? How do you like it, Priscilla?» «Wonderful! Marvellous! Beautiful!» Nonna Jane, nonna Mary, nonna Priscilla trovan tutto squisito, meraviglioso, bellissimo: il mio pessimismo le farebbe piangere, ne sono sicura. «Oh, cara!» esclamerebbero. «Cara! Perché?» Ora le tre vecchine son giunte nel reparto dei libri. Li prendono in mano, li sfogliano, li consultano per sceglierne uno. Tra i libri c'è un libro con la fotografia di John Kennedy, le tre vecchine si ferman di colpo: un profumo di spigo, di torta di mele, un ricordo dolce d'infanzia. Zittiscono, certo sono commosse: suvvia, c'è anche gente garbata, quaggiù, c'è anche gente perbene. Poi Jane sputa per terra, Mary fa una pernacchia, Priscilla alza un dito rugoso, lo punta verso la fotografia di John Kennedy, dice: «Che tu possa bruciare per sempre in fondo all'inferno».

## Jack Daniel con Sinatra

Non c'è che dire: New York è un bel posticino, un posto affettuoso, gentile, e io son molto contenta di vivere qua. Ieri sera, dopo teatro, avevo appuntamento da Jilly's. Jilly's è un piccolo bar come ce ne son tanti, sulla Cinquantaduesima strada, e la sola ragione per cui non lo si considera un piccolo bar come ce ne son tanti è che ci va Frank Sinatra: ognequalvolta è in città. Questa settimana Sinatra è in città: come tutti sanno ha cantato a Newport e a Forest Hills, c'è chi dice a circa sedici milioni per sera, chi dice a quasi ventotto milioni per sera. Una cosa indimenticabile: Sinatra arrivava con l'elicottero, personale sapete, e l'elicottero si calava quasi sul palcoscenico, un'immensa mannaia per tagliare la testa alla gente. La gente gridava: di paura, di gioia. Poi Sinatra scendeva, accompagnato dalla guardia del corpo che è un italiano di nome Frank Pucci, ex boxeur, e pesa centoquaranta chili spogliato, diceva alla gente: «Ciao, gente», cantava. E la gente gridava: di paura, di gioia. Poi Sinatra risaliva sul suo elicottero, personale sapete, e si levava in cielo, come in certi dipinti del Ghirlandaio, *Assunzione di Maria Vergine in Cielo*, e si allontanava, spariva, andava da Jilly's. Per andare da Jilly's atterrava sul tetto del Pan American Building che non è lontano. Da Jilly's c'è un'orchestra e ci sono tante poltrone rosse. Le poltrone di Frank Sinatra sono blu. Nessuno può sedersi sulle poltrone blu però tutti le possono toccare, come si tocca il pollicione della statua di san Pietro in Vaticano. Il pollicione di san Pietro vale tre indulgenze ma le poltrone blu di Sinatra valgono sette indulgenze. Oltre alle poltrone, da Jilly's, c'è ovviamente una porta: che serve a entrare e uscire. Però solo se Sinatra non c'è. Se Sinatra c'è... Dunque avevo un appuntamento da Jilly's. Sono arrivata con un pochino di anticipo e subito è giunto Sinatra che è un omino assai secco e assai calvo, con una pancetta rotonda davanti e un brillante sulla cravatta. Con Sinatra c'era Frank Pucci che fa davvero impressione e a guardarlo capisci perché nessuno fin oggi ha mai picchiato Sinatra che, siamo onesti, ogni tanto se lo meriterebbe. Frank Sinatra e Frank Pucci si sono seduti sulle poltrone blu, poi Sinatra ha chiesto un Jack Daniel che non è un uomo ma un whisky e ha detto: «Sprangate le porte». Subito i camerieri son corsi e hanno sprangato le porte: come facevano i servi al castello quando arrivava il castellano e diceva: «Levate il ponte levatoio». Una sensazione bellissima, restare lì chiusi insieme a Frank Sinatra e Frank Pucci: solo che il mio amico non era arrivato quando i camerieri di Jilly's hanno tolto il ponte levatoio. È arrivato due secondi dopo ma ormai non c'era più nulla da fare. Lo potevo vedere, il mio amico, solo al di là del vetro mentre si agitava come un forsennato, suppongo per dire: «Fammi entrare oppure esci fuori». Ma io non potevo farlo entrare e neanche potevo uscir fuori. Allora il mio amico è andato al telephone box che è proprio di fronte a Jilly's, e mi ha telefonato da Jilly's. Mi ha detto che se non lo facevano entrare o non mi facevano uscire lui chiamava la polizia: che lo dicessi a Frank Pucci e anche a Frank Sinatra. Non l'ho detto a Frank Pucci perché avevo paura, non l'ho detto a Sinatra perché avrebbe sentito Frank Pucci, però l'ho detto a Jilly

Rizzo. Rizzo non credeva ai suoi orecchi, andarmene mentre lì c'è Sinatra, ha voluto che gli ripetessi la mia richiesta due volte e poi m'ha guardato come se fossi pazza. Ha anche aggiunto che se me ne andavo non potevo tornarmene indietro, ha insistito insomma sulla gravità della decisione. La decisione era grave, d'accordo, ma io l'ho presa lo stesso. Sono stata irremovibile e i camerieri hanno abbassato perciò il ponte levatoio, son potuta scappare dal mio amico che bestemmiava.

*Una pistola per posta*

No, non mi piace come funziona questa città. Questa città è piena di insidie, tranelli. Mi sta venendo paura. Per superar la paura ho comprato una rivoltella per posta. L'ho comprata a Chicago. Una Smith & Wesson calibro .38. Il porto d'armi io ce l'ho per il fucile, non per la rivoltella, ed è un porto d'armi che vale solo per andare a caccia nel Chianti. Ma la ditta fornitrice ha detto che non mi preoccupi, il porto d'armi in America non serve, in America chiunque può comprare una Smith Weston calibro .38 e tenerla. Speriamo che sia vero. Speriamo che arrivi presto.

# Ucciderò Jack Jackson

La rivoltella è arrivata. Stava dentro un bel pacco color giallo limone, con su scritto Chicago Smith & Wesson Company, e il portiere me l'ha consegnata guardandomi con occhi nuovi. Possedere una rivoltella qui è come avere la macchina per lavare i piatti, la televisione, il telefono, l'automobile, il frigorifero: ogni cittadino che si rispetti ha la sua rivoltella per difendersi dagli aggressori eccetera. Con occhi nuovi il portiere ha anche fatto alcune considerazioni sul tempo, si capiva benissimo che voleva fare amicizia ora che posseggo una Smith & Wesson calibro 38, ma io non gli ho risposto e son subito corsa nel mio appartamento a guardarmi questo gioiello che è lucido, nero, impreziosito da duecento pallottole chiuse in scatoline di cinquanta ciascuna, e oltre alle scatoline c'è anche un libretto con le istruzioni per caricare e sparare al cuore, al basso ventre, alle gambe, ai polsi dell'aggressore. Poi ho trascorso la sera a esercitarmi puntando al cuore, al basso ventre, alle gambe e ai polsi di tale Jack Jackson. Il problema di Jack Jackson infatti sta diventando serio per me. Non a caso decido di raccontarlo ma prima c'è un prologo. Il prologo è che a New York io ho, anzi avevo, un'amica il cui nome era Judy Hall. Lo fu fino alla crisi di Cuba quando lei si sposò con un tale chiamato Jack Jackson, divenne perciò Judy Jackson e andò ad abitare al 309 della Ottantunesima East. Così diceva la lettera, aggiungendo che li andassi a trovare quando capitavo a New York. E così ripeteva il biglietto che mi giunse lo scorso Natale e annunciava la nascita di una bambina, Priscilla. Fine del prologo. Incomincia la storia.

## *Le telefoniste ti chiamano «cavolino mio»*

Incomincia sette giorni fa quando all'improvviso mi viene una gran voglia di veder Judy e conoscer Priscilla, penso di telefonarle e mi accorgo di non avere il suo numero, prendo la guida di Manhattan e quasi svengo: vi sono ben undici colonne di Jackson a Manhattan, ogni colonna riunisce centoventi Jackson, e ciò fa un totale di milletrecentoventi Jackson di cui ben due colonne sono Jack Jackson, vale a dire duecentoquaranta Jack Jackson. Non troppi in confronto agli Smith che a Manhattan sono tremilatrecentocinquantadue, i Brown che sono duemilaottocentotrentotto, gli Williams che sono duemilaquattrocentoquarantaquattro, e comunque se una cosa funziona in America questo è il telefono. Non c'è nulla in America che non si possa fare al telefono, esclusi i bambini malgrado sia mia convinzione che presto anche i bambini si potranno fare al telefono, componendo un numero e via. Il telefono sostituisce i baci, gli abbracci, le strette di mano, al telefono ci si fidanza, ci si sposa, si divorzia, al telefono si ascolta la messa, si comprano sigarette e gioielli, si rintracciano amici perduti: magari con l'aiuto delle telefoniste che qui non sono sgarbate come in Italia e ti risolvono tutto, con voci di flauto, chiamandoti amore, tesoro, dolcezza, cavolino mio. «Cavolino mio,» dice la telefonista «non c'è alcun Jack Jackson al 309 della Ottantunesima East e chiamare i duecentoquaranta Jack Jackson sarebbe spreco di tempo, il tempo è denaro. Questa Judy aveva parenti a New York?» «Sì, ch'io sappia aveva una madre: Penelope Hall.» «Ok, cavolino. Vi sono soltanto quattordici Pene-

43

lope Hall. Gliele passo?» «No, per carità.» «Ok, cavolino.
Perché allora non chiama le Judy Hall? Vi sono soltanto
cinque Judy Hall a Manhattan.» «Ma la mia Judy Hall è
maritata a Jack Jackson.» «Cavolino mio! Può aver divorziato e viver da sola.» «Ma se ha partorito Priscilla a
Natale!» «Può aver partorito Priscilla dopo il divorzio o
aver divorziato dopo aver partorito Priscilla. Cavolino, coraggio: ecco i numeri delle Judy Hall.» Prendo i numeri,
chiamo. Ma la prima Judy Hall non è la mia Judy Hall, e
neanche la seconda, la terza, la quarta. La quinta ha una
voce maschile. Abitava una Judy Hall, mi risponde, ma è
morta. Morta?! Sì, assassinata. Assassinata?! Sì, nel sonno,
ne parlarono tutti i giornali, non riuscì neanche a sparare.
Oddio, sa se era sposata o divorziata a Jack Jackson e madre di una bambina Priscilla? No, no: dall'autopsia risultò
che era vergine. Riattacco, respiro, decido di prendere un
taxi e recarmi al 309 della Ottantunesima East. Se Judy e
Jack Jackson hanno traslocato, saprò dove sono andati ad
abitare.

*La casa come il marito*

Il novantanove per cento dei newyorkesi, vale a dire nove
milioni meno novantamila, vive come me in grattacieli e
ciascun grattacielo ha centinaia di appartamenti. Al 309
della Ottantunesima East ve ne sono cinquecentosessanta. Completamente arredati di sedie tavoli letti lampadari
televisione moquette posacenere piatti bicchieri cucina a
gas aspirapolvere quadri alle pareti: e la ragione per cui
sono arredati è che si cambia casa, a New York, con la
stessa disinvoltura con cui si cambia il colore dei capelli o
la moglie o il marito. In una società alla ricerca di sé stessa,
in un mondo dove nulla è stabile e un matrimonio di otto
anni è considerato lunghissimo, un edificio di trent'anni

si abbatte perché ormai decrepito, una automobile non si tiene mai più di dodici mesi, un paio di scarpe bucate si getta via anziché portarle dal calzolaio, anche l'indirizzo è sottoposto a mutamenti continui: chi abita più di quattro stagioni nel medesimo posto è considerato uno stravagante, un eretico. Affezionarsi a un luogo, una persona, una casa, è imbecille: sicché vien sempre il giorno in cui si fa le valige e si trasloca in un'altra strada, un altro quartiere, un'altra isola, in cerca di altri amori, altri amici. Rintracciarti quindi diventa impossibile. Se un nemico ti insegue, se una colpa ti pesa, se vuoi nasconderti insomma non andare nella giungla: vieni a New York. Non v'è posto al mondo dove puoi nasconderti come a New York: ammesso che tu non diffonda indirizzo e telefono. «Judy e Jack Jackson?» grugna il portiere. «Mai conosciuti una Judy e Jack Jackson.» Apre il libro degli inquilini, lo scorre alla lettera J, lo richiude: «No, non c'è». «Non c'è, ma c'è stato.» «C'è stato, quindi non c'è più.» «Non può darmi qualche consiglio?» «Si arrangi.» «Forse se andassi alla polizia...» «Polizia? Qui nessuno ha da rendere conto alla polizia.» «Al municipio...» «Municipio? Hanno altro da fare.» «La prego...» «Si tolga dai piedi.» Io risalgo sul taxi, il taxi scivola via attraversando la Ottantunesima poi la Ottantesima poi la Settantanovesima, la Settantottesima, la Settantasettesima, la Settantaseiesima, la Settantacinquesima, decine, centinaia, migliaia di case, di appartamenti, l'una uguale all'altra, l'uno uguale all'altro, le solite porte, le solite scale, le solite finestre, e da qualche parte, chissà a quale porta, chissà a quale scala, chissà a quale finestra c'è Judy Jackson, sposata a Jack Jackson, madre di Priscilla Jackson. Ora scelgo un Jack Jackson, a casaccio, e gli telefono. E poi scelgo un altro Jack Jackson, a casaccio, telefono anche a lui. E poi ne scelgo un altro e poi un altro, finché...

## Qualcuno mi sta spiando

«Pronto? Parlo con Jack Jackson marito di Judy Jackson?»
«No.» «Pronto? Parlo con Jack Jackson marito di Judy
Jackson?» «No.» «Pronto? Parlo con Jack Jackson marito
di Judy Jackson?» «No.» No. No. No. Sì. «Sì?!» «Sì.»
«Signor Jackson! Che Dio la benedica, signor Jackson! Io
mi chiamo Oriana, sono un'amica di Judy.» «Ciao, Oriana.» «Senta, signor Jackson...» «Mi chiami Jack.» «Senta,
Jack...» Gli racconto ogni cosa, tanto sono eccitata. Lui
mi ascolta, mi interroga. Vuol saper dove abito, che numero di telefono ho, se vivo sola o insieme a qualcuno,
quando sono arrivata e quando ripartirò, cosa faccio, dove
lavoro, e ormai sa tutto di me, proprio tutto, quando vien
fuori che la Judy di cui parlavamo non è Judy Hall, è Judy
White, e la bambina di cui parlavamo non è Priscilla, è
Suzanne, a ogni modo lui vive separato da Judy e Suzanne, poiché vive separato da Judy e Suzanne lui si annoia,
poiché lui si annoia vorrebbe venire a cena con me e...
Riattacco il telefono, bianca. Il telefono suona di nuovo,
ed è lui. Suonerà molte volte nei giorni a venire, e sarà
sempre lui. Né telefona e basta: mi manda telegrammi, mi
scrive. Una volta è venuto perfino a cercarmi. Me l'ha detto il portiere. Voleva salire, il portiere glielo ha impedito.
Lui è rimasto ad aspettarmi sul marciapiede, un bel po'.
Vivo ormai nell'incubo di incontrarlo, vederlo. Cerco di
non uscire mai sola, di non rientrare mai sola. Se esco sola,
rientro sola, il portiere mi chiama un taxi e percorro più
veloce di un razzo i sei metri che separano la porta dal taxi.
È tremendo, non so più cosa fare. Ho chiamato la polizia
e gliel'ho detto. La polizia m'ha risposto chiedendo quale
Jackson dei duecentoquaranta Jackson era il Jackson con
cui ho parlato. Ho risposto non so, non ricordo, era scelto
a casaccio. La polizia ha commentato non possiamo metter
sotto accusa duecentotrentanove innocenti. Ha ragione.

Dio se almeno sapessi chi è, com'è fatto. Mi par d'essere continuamente seguita, spiata. Basta che uno mi guardi, mi urti a un semaforo, perché subito pensi forse è Jack Jackson. Uno di questi giorni gli rispondo, gli parlo, gli do un appuntamento. E poi, quando viene, gli sparo.

## Sommergibili al bar

Ecco, comincia a piacermi come funziona questa città. Se uno ti disturba gli spari. E se non gli spari gli fai sparare. Cosa pretendi di più. In un certo bar della Centosettesima, frequentato da sommergibili e pistolero, ho incontrato un sommergibile: vale a dire uno di quelli che lavoran sott'acqua, in silenzio, e comandano i pistolero. Parlava italiano, più o meno, e ha detto che mi legge da anni, mi stima, se ho bisogno lo cerchi. Un «servizio pulito» costa mille dollari, per me novecento. Ho risposto che ci penserò. Non è caro.

## Compra i broccoletti anche Liza Minnelli

Certo vorrei prima sapere come si comportan le altre ed è in un simile interrogativo che avvicino le donne, a New York. Stasera, Liza Minnelli, cantante e attrice, figlia di Judy Garland e Vincente Minnelli al quale assomiglia moltissimo. Nella misura, diciamo, in cui Geraldine Chaplin assomiglia a Charlie Chaplin, Jane Fonda a Henry Fonda, Nancy Sinatra a Frank Sinatra: straordinario quanto queste ragazze che debuttan col nome del padre si prendano anche i lineamenti del padre che oltretutto son lineamenti maschili. Liza vive nella mia strada, due blocchi più in là: la incontro sempre quando vado al drugstore per comprare i broccoli refrigerati. Qui i broccoli, qualsiasi verdura, si compran così: lavati, puliti, refrigerati e rinchiusi con il condimento in un sacchetto di plastica. Fai bollire l'acqua, ci butti il sacchetto di plastica, e in cinque minuti quel che è dentro è già cotto: non hai che toglierlo dal sacchetto e mangiarlo. Le cipolle fritte invece non hai che da gettarle nel forno perché si riscaldino. Come il pollo fritto, del resto. Me lo spiegò proprio Liza quando andai a vederla nel musical *Flora the Red Menace*, poi a trovarla nel suo camerino, e scoprimmo di servirci nello stesso drugstore. Liza stasera affoga nelle sue lacrime. Negli ultimi giorni *Flora the Red Menace* ha incassato un po' meno, una ventina di posti son rimasti quotidianamente invenduti perché molta gente è al mare o in campagna, e il produttore impaurito ha deciso di chiuder bottega: licenziar tutti. «Ma è impossibile, assurdo» le dico e non mento. Il musical non è un capolavoro, come storia è abbastanza cretina: la storia di una ragazza che si innamora di un comunista, diventa perciò comunista, vien licenziata dal magazzino dove lavora ma il capufficio che è democratico e buono la fa riassumere e lei abiurando il comunismo lo sposa. Liza però è bravissima, ha il talento della madre e del padre, una comicità straordinaria, quando canta e spalanca quella bocca e quegli occhi nient'altro interessa, si guarda si ascolta solo quella bocca, quegli occhi: non a caso è ormai una delle primedonne più applaudite a New York, più pubblicizzate, cercate. Al party che seguì da Sardi's dopo il debutto, presenti sua madre, suo padre, la nuova moglie di suo padre, Denise, c'era tutta Park Avenue. «Ma è impossibile, assurdo» ripeto. «Assurdo sì, impossibile no. Dal momento che siamo in questa città» piange Liza. «Oh, qui non conta come ti chiami chi sei cosa fai. Contano solo i soldi che rendi. Il giorno che rendi meno perché qualcuno va al mare o in campagna, sei morta. Avevo studiato tanto, lavorato tanto per raggiungere Broadway: quando il sipario si alza, credi, non c'è cognome che conti. E poi avere una mamma famosa, due genitori famosi è un impegno: la gente crede che anche tu sia bravo per forza. E devi esser bravo per forza. Mi ci eran voluti due anni per sviluppare la voce. Due anni sola a New York: avevo sedici anni quando arrivai.» «Sedici anni? E non avevi paura?» «New York non è un posto per chi ha paura. È un posto per chi combatte.» «E ora che fai, Liza? Resti a New York?» «Certo che resto. Vuoi che torni in California sconfitta? Perché eccola la dannazione di questa città: una volta che arrivi non puoi ripartire sconfitta.» Poi solleva il visetto bizzarro, infantile, dichiara: «Se quel produttore non riapre in autunno il mio musical...». Oh, sì: mi piace, mi piace, mi piace come funziona questa città. Soprattutto per una donna sola.

### Signora o signorina?

L'unica cosa che qui si rimprovera a una donna sola è quella d'essere sola. Che tu compri un biglietto d'aereo o i broccoli refrigerati, che tu faccia un telegramma o che tu venga invitata a un party, una domanda ti perseguita, cupa: «Signorina o signora?». Se dici signora, non succede nulla. Se dici signorina, ti guardano con accusa, sospetto, neanche tu fossi Saffo. Se dici come dicevo io: «Boh! Faccia lei!», si indignano al punto che son capaci di non venderti i broccoli né il biglietto d'aereo. Infatti io ho smesso di dirlo e taglio corto: «Signora!». Ciò va bene però per il biglietto d'aereo, i broccoli refrigerati; se sei invitata a un party non va bene per niente perché un'altra domanda ti perseguita, cupa: «Sposata, divorziata o vedova?». E, se dici d'esser sposata, voglion sapere chi è tuo marito, dove sta, cosa fa, perché non è con te; se dici vedova o divorziata vogliono subito darti un marito. L'operazione marito consiste nel presentarti, con la frode, a una quantità di scapoli vedovi divorziati che cercano moglie senza farlo capire e, nel giro di pochi giorni, ti trovi oppressa da telefonate, inviti a cena, a teatro, al baseball, da parte di vedovi scapoli divorziati che oltre a essere mortalmente noiosi parlano sempre di famiglia e bambini, assicurazioni e stipendio. Ciò è davvero terribile e poi si presentano sempre con orchidee grosse come cavolfiori, viola per giunta, appesantite da fiocchi di nailon, e non solo te le regalano, pretendono che tu le metta sulla spalla sinistra: poi, con quel cavolo addosso, ti esibisca per strada, nei posti. Mettilo solo una volta e ti succede come a Sybil Burton, ora signora Christopher, anzi Sybil Burton Christopher, padrona di Arthur.

*Il marito di Sybil ex Burton non dice «Ah»*

Arthur è il club alla moda di New York. Si trova al 154 della Cinquantaquattresima East e non ci si va mai prima di mezzanotte, non se ne esce mai prima delle tre del mattino. Da Arthur si beve si mangia si balla e non ci si veste mai in modo formale: sere fa Lauren Bacall ci andò vestita di nero, con i gioielli, e uscì dicendo la prossima volta ci vengo col mio pigiama di Pucci. Vi trionfano infatti i pantaloni-pigiama, gli stivali Courrèges, i vestiti pop art: a New York quest'estate ci si veste così, non si può più andare in un posto vestite in un modo decente, con l'abito nero e i gioielli. Vi trionfano anche gli Wild Ones che vorrebbe dire Selvaggi: un'orchestra alla Beatles. Vi trionfa il signor Jordan Christopher che sarebbe il capo di questi Selvaggi, ha ventiquattr'anni ed è il nuovo marito di Sybil. Vi trionfa infine Sybil che incontro per la prima volta stasera fremendo di curiosità, ed ecco Sybil: una testa di capelli bianchi come i capelli di un'ottuagenaria, così bianchi che Milton Greene il fotografo ci ha fatto su un reportage mettendole accanto altre dieci donne coi capelli bianchi ma nessuna che li avesse bianchi come li ha

Sybil. Mi sembra la cosa più importante da dire su Sybil, a parte il fatto che i capelli li ha così bianchi dall'età di dodici anni, i suoi fratelli e le sue sorelle lo stesso. Per il resto Sybil è una donnina sui trentasei, come ce ne son tante: con un volto rotondo, abbronzato, due gambe rotonde, abbronzate, un corpo rotondo che suppongo abbronzato. Dicono che sia intelligente e forse lo è, simpatica e forse lo è: i discorsi che facciamo stasera sono abbastanza banali, ovvio che vedendosi a un bar per la prima volta due non parlino di filosofia o di Elizabeth Taylor e Richard Burton. Scappa solo una frase simpatica: «Vi son due parole che non posso soffrire: carità e celebrità». Poi Sybil passa subito a parlare di Arthur, del tormento che la fondazione di Arthur le dette, dei settanta amici proprietari di Arthur: Danny Kaye, Julie Harris, Leonard Bernstein, Rex Harrison, Lee Remick, Sammy Davis jr., ciascuno dei quali ha versato mille dollari tondi. Dopo Arthur parla della vita a New York che a lei piace molto, i broccoli refrigerati ad esempio: «Io non sono il tipo che si diverte a scegliere le verdure dall'ortolano, a lavarle, non sono una casalinga», il telefono ad esempio: «Trovo così straordinario poter fare tutto al telefono, affari visite acquisti, io sono pigra, detesto correr qua e là», la vita notturna ad esempio: «Io adoro andare a letto alle cinque, svegliarmi nel pomeriggio».

Sybil parla con accento gallese, come Richard ripete ogni cinque minuti che lei non è inglese, è gallese, sembra gaia e si capisce perché lui abbia detto di lei: «Io e Liz l'abbiamo ammirata tremendamente per il modo in cui s'è comportata e siamo pieni di gratitudine per il suo stile, il suo elegante silenzio, la sua dignità». Quello che non si capisce è perché abbia rinunciato ai soldi che Richard le dava prendendosi un altro marito: come fu che si fece imbrogliare da un'orchidea a cavolfiore. «Ci sposammo una domenica,» dice «alle cinque del pomeriggio, nel mio appartamento in Central Park. A officiare le nozze fu un mio amico avvocato, i Selvaggi furono i soli ospiti ammessi, la cerimonia durò cinque minuti. Nella stanza accanto le mie bambine, Jessica e Kate, giocavano insieme a Liliana: la mia cameriera di Roma. Le sole persone cui chiesi consiglio per il matrimonio furono Kate e Liliana. Liliana disse ma sì, lo sposi, signora. Kate disse ma sì, sposalo, mamma. Kate è la mia migliore amica, ha sette anni.» D'accordo, mi dico, ma che tipo sarà questo Jordan?

Nello stesso momento irrompono da Arthur quattro ragazzacci, straordinariamente trasandati, straordinariamente brutti, e Sybil dichiara: «Ecco i Selvaggi». «Ahi» fa il primo Selvaggio, e mi tende la mano. «Ahi» fa il secondo Selvaggio, e mi tende la mano. «Ahi» fa il terzo Selvaggio, e mi tende la mano. Il quarto Selvaggio che è il più selvaggio di tutti non dice nulla, non mi tende nulla e resta lì, minaccioso, sprezzante, a fissarmi. Ha la barba lunga, la giacca a vento, i blue jeans molto sporchi, mastica e sputa chewingum, mi sembra impossibile che anche lui offra orchidee. Eppure le offre. Ecco Sybil che gli va incontro, innamorata. Ecco che me lo presenta: «Mio marito, Jordan Christopher». Oddio. M'è preso all'improvviso il sospetto che Jack Jackson sia Jordan Christopher. Peggio per lui. La rivoltella è arrivata.

### Lacrime e pioggia

La pioggia invece no. Un dirigibile argenteo con la scritta "Save Water", Risparmiate Acqua, vola sulla città e ormai non ci rimangono che duecentoventi miliardi di galloni di acqua. A Washington si sta studiando una legge per approvare la costruzione di un motore atomico a Riverhead, Long Island: trasformerà l'acqua del mare in acqua pura, da bere, e costerà oltre cento miliardi di lire. Il presidente Johnson lo ha annunciato alla tv, ieri sera. Poi ci ha guardato tutti negli occhi, ha alzato un dito e ci ha detto di tenere duro: continuare a non lavarci eccetera. Sembrava Churchill quando parlò agli inglesi e gli disse: «Io vi prometto lacrime e sangue». Sembrava commosso e anche noi eravamo commossi. È stato bello. È stato davvero bello.

# Permette? Il mio nome è John

New York, agosto

Subito dopo averci incoraggiato a tener duro con l'acqua, c'è stata anche una processione nel quartiere italiano ma la pioggia non viene, il presidente Johnson ci ha fornito alcune notizie preoccupanti. Ci ha detto che negli Stati Uniti avviene un assassinio all'ora, una violenza sessuale ogni ventisei minuti, una rapina a mano armata ogni cinque minuti e mezzo, un furto di automobile ogni minuto, nel 1964 sono stati compiuti duemilioniseicentomila delitti gravi di cui oltre seicentomila a New York: e perciò ha istituito una Commissione nazionale del crimine chiamandone a far parte l'attuale sindaco di New York, Robert Wagner. Subito dopo il discorso di Johnson è arrivato il postino e mi ha dato una lettera azzurra firmata dalla signora Gladys Forth: a nome di tutti gli americani. La signora Gladys Forth era molto addolorata per quello che scrivo. Diceva che New York è una meravigliosa città dove tutti conducono una meravigliosa esistenza e si chiedeva perché scrivo che New York è un inferno. Subito dopo la lettera della signora Gladys Forth è arrivato il signor James McLoughlin della McLoughlin Associated Incorporated. È entrato nel mio ufficio e m'ha chiesto se si poteva sedere. Gli ho risposto di sì, che si poteva sedere, e allora lui s'è seduto, s'è accomodato gli occhiali che ha doppi, s'è lisciato la testa che ha calva, e m'ha chiesto perché sono venuta in America. Gli ho risposto che sono venuta in America perché l'America mi è molto simpatica e allora lui ha chiesto in che modo simpatica. Gli ho risposto simpatica e allora lui ha detto si spieghi meglio per cortesia. Mi sono spiegata meglio ed ecco come mi son spiegata al signor James McLoughlin della McLoughlin Associated Incorporated: valevole anche per la signora Gladys Forth, per tutti gli americani, per tutti gli italiani, francesi, cinesi, groenlandesi, e che sia chiaro una volta per sempre. Anzitutto quando vengo in America nessuno, a parte il signor McLoughlin della McLoughlin Associated Incorporated, mi chiede cosa vengo a fare in America, come accade in Inghilterra ad esempio; in America mi augurano solo felice soggiorno: e ciò è molto simpatico. Poi quando sono in America e dico ci sono per scrivere sopra l'America nessuno mi chiede cosa scrivo sopra l'America, nessuno legge cosa telegrafo per censurarlo, come accade nell'Unione Sovietica ad esempio: e ciò è molto simpatico. Poi quando gli articoli sono pubblicati sul mio giornale, il mio giornale vien spedito in America e qui viene venduto insieme agli altri giornali, checché vi sia scritto, e nessuno, mai nessuno, ferma quei giornali nel porto o all'aeroporto o alla dogana, come accade in Spagna ad esempio: e ciò è molto simpatico. È simpatico inoltre che il presidente Johnson racconti che negli Stati Uniti avviene un assassinio all'ora, una violenza carnale ogni ventisei minuti, una rapina a mano armata ogni cinque minuti e mezzo, un furto di automobile ogni minuto: e io ci faccia commenti. È simpatico che al numero 23 della Ventiseiesima West vi sia la sezione del Partito comunista americano cui chiunque può iscriversi, ed è simpatico che un settimanale perbene come «Esquire» pubblichi un articolo di Romano Mussolini dove Romano Mussolini dichiara che suo padre era un angelo eccetera. È simpatico che la signora Gladys Forth si addolori senza ricordarmi che sono straniera e in fondo al cuore capisca come l'America non appartenga solo agli americani: di conseguenza ho il diritto di raccontare

ciò che va o che non va. È simpatico che il signor James
McLoughlin della McLoughlin Associated Incorporated
si prenda il disturbo di venire a trovarmi e con aria civile
mi ponga il suo larvato rimprovero, con aria ancor più civile mi ascolti, annuisca: son cose, queste, che vanno sotto
il nome generico di democrazia e la democrazia a me piace. Dopodiché il signor James McLoughlin della McLoughlin Associated Incorporated si alza, dichiara che non era
venuto per nessun rimprovero per carità, era venuto solo
per domandarmi se voglio accettare viaggi gratis negli Stati
Uniti, la McLoughlin Associated Incorporated è una associazione che offre viaggi gratis ai corrispondenti stranieri,
vi sono in America oltre ottocento corrispondenti stranieri
di cui ben ventiquattro sovietici, nove cecoslovacchi, otto
ungheresi, sette albanesi eccetera, insomma gli faccia sapere se accetto, se accetto posso scrivere lo stesso quel che mi
piace. Se qualcosa mi piace. Buongiorno.

### Stringendo mani si diventa sindaco

Bè, vediamo. Ad esempio mi piace il modo di condurre una campagna elettorale in America. Per una italiana
usa ai comizi grondanti bandiere stendardi corone d'al-
loro, ai politici ammalati di dignità melodramma sussiego, ai discorsi zeppi di paroloni per iniziati, coscienza
civica, sintesi dialettica, materialismo storico, plusvalore,
deviazionismo, revisionismo, contrapposizioni, mozioni,
questa è propria una festa: per gli orecchi e per gli occhi.
Contemporaneamente mi piace colui col quale scopro il
modo di condurre una campagna elettorale in America:
vale a dire John Lindsay, il quarantatreenne repubblicano
di cui l'America parla come del futuro sindaco di New
York. È da quando sono arrivata che tutti mi dicono: «Devi conoscer John Lindsay, devi conoscer John Lindsay» e

devo ammettere che ne vale davvero la pena. Non tanto perché è un gran bell'uomo, accidenti se è bello, alto atletico biondo, con quel volto duro abbronzato, quegli occhi che son fiordalisi, io non capisco perché si sia dato alla carriera politica anziché a quella più comoda del cinematografo, Gary Cooper sarebbe impazzito di rabbia a vederlo; quanto perché basta parlarci un pochino per comprendere come la natura e la storia si difendan da sé: ammazzato un Kennedy ecco che un altro Kennedy nasce, magari col nome di Lindsay. Non a caso, dopo la Waterloo di Goldwater, il Partito repubblicano lo tiene in serbo per le elezioni presidenziali del '72: quando lo opporranno a Bob Kennedy o a Ted Kennedy, insomma al Kennedy che la famiglia Kennedy e il Partito democratico designeranno come candidato alla Casa Bianca. Più Kennedy di Bob e di Ted, Lindsay ricorda in modo impressionante il presidente ammazzato. Identico lo charme personale, il piglio sportivo, la sofistication europea: parla un inglese elegante, un francese perfetto, si veste sempre di blu, preferisce il teatro al cinematografo, la musica classica al jazz. Identica la cultura umanistica, identico il modo di agguantar per il bavero la gente e le idee: ha studiato a Yale, i libri non solo li legge li scrive, specialmente di storia e di filosofia, scrive anche articoli per i settimanali e fa la critica letteraria sul «New York Times», non cela la sua indipendenza. «Ero repubblicano ieri, lo sono oggi, lo sarò domani: ma i miei punti di vista non coincidono necessariamente con quelli del mio partito e non v'è un solo particolare su cui do ragione a Goldwater; io mi batto contro la povertà e per il trionfo dei diritti civili.» Identica la massoneria familiare: i Lindsay sono quattro fratelli, tutti avvocati, politici esperti, e John deve a loro se per quattro volte è stato eletto deputato al Congresso. George, il fratello maggiore, ha chiuso praticamente lo studio legale per occuparsi di lui; David, il fratello gemello, lo ha chiuso sul serio ed è ormai la sua ombra, la sua guardia del corpo. Attenzione, ha scritto «Newsweek», stiamo assistendo alla più grossa operazione politica che si svolga oggi in America: potrebb'essere, questo, il primo capitolo di una storia dal titolo «Nascita di un presidente». Da John Kennedy insomma John Lindsay si distingue solo per non essere ricco a miliardi: i Lindsay son ricchi ma non a miliardi; figlio di un fabbricante di mattoni emigrato dall'isola di Wight, Gran Bretagna, il loro padre morì avendo in mano soltanto la Banca svizzero-americana. Ci vuol altro, d'accordo, ma al Gran giorno mancano più di sett'anni e per ora importa che John diventi sindaco della città di New York. Il municipio della città di New York non è forse il trono più ambito dopo la Casa Bianca? Al quarto piano del Roosevelt Hotel, la centrale dei repubblicani, lavoran da maggio centoventi persone e un calcolatore elettronico. Lavoreranno, indefessi, fino al 2 novembre. A ogni muro c'è la fotografia che mi insegue da ogni scatoletta di fiammiferi, ogni copertina di settimanale, infine all'incrocio fra la Quarantaduesima e Broadway dove l'inverno scorso c'era Bob Kennedy: il bell'uomo con la scritta "Lindsay for Mayor", Lindsay per sindaco. Poi il bell'uomo senza la scritta si muove, vien verso di me, si presenta, mi invita a seguirlo nella sua automobile, mi porta a vedere come si conduce una campagna elettorale in America: «Let's go shaking hands», andiamo a stringere mani. Sì, son davvero contenta di fare contenti il signor James McLoughlin della McLoughlin Associated Incorporated e la signora Gladys Forth. E son anche contenta di rendermi utile ai miei connazionali ammalati di dignità, melodramma, sussiego che declamano discorsi per iniziati, coscienza civica, sintesi dialettica, materialismo storico, plusvalore, deviazionismo, revisionismo, contrapposizioni, mozioni... Andiamo a stringere mani, John Lindsay.

## Soltanto i belli vincono le elezioni

È tutta questione di buonsenso, a me sembra: anziché salire su un palco, esigere che la gente vada a sentirlo, applaudirlo, offendersi se non ci va, lui prende un'automobile sulla quale è scritto a gran lettere «Lindsay for Mayor» e va a cercare la gente. Ovunque la gente si trovi: per strada, nei supermarket, nei drugstore, nelle piscine, nelle sale da ballo, ovunque. Poi si presenta, uno a uno, sorride, stringe la mano e: «Permette? Il mio nome è John Lindsay. Permette? Il mio nome è John Lindsay. Permette? Il mio nome è John Lindsay». Che è un modo onesto per dire «vorrei che votasse per me» senza tirare in ballo la patria, il plusvalore e il Milite ignoto. Del resto Kefauver faceva proprio così, diceva «Permette? Il mio nome è Kefauver e vorrei che votasse per me». E ciò accade ogni giorno, ogni giorno per tre o quattro mesi, anche cinque: allo stesso modo in cui gli altri vanno in ufficio, al lavoro, ogni giorno lui s'alza, si lava, si veste, e va a dire «Permette? Il mio nome è John Lindsay». Naturalmente non ci va mica solo: ci va con un corteo di automobili uguali alla sua, fornite di radiotelefono, giornalisti, collaboratori, fotografi, poi con una orchestrina che precede di tappa in tappa il corteo e ha il compito di attirare la gente: facendo un fracasso d'inferno. L'orchestrina di oggi è composta di quattro ragazzi: una tromba, un trombone, un contrabbasso e una batteria. È sistemata su un camion scoperto e appena giunge nel posto fissato, un quartiere popolare di Queens, si mette a suonare un twist che dice: «Go, Johnny, go! Go, Johnny, go!» (Dài, Johnny, dài! Dài, Johnny, dài!). A me sembra un po' strano che un uomo come John Lindsay, vestito di blu, uso a scrivere di filosofia, ascoltare Verdi e Vivaldi, possa presentarsi alla gente mentre quelli gridano: «Dài, Johnny, dài! Dài, Johnny, dài!», ma a Lindsay non sembra strano per niente e, tolta la giacca, si rimbocca le maniche della

59

camicia, si incammina sul marciapiede dove comincia a stringere mani: «Permette? Il mio nome è John Lindsay. Permette? Il mio nome è John Lindsay». Da una delle automobili intanto un tale grida nell'altoparlante: «Vedete quell'uomo alto, bello, coi capelli color della sabbia, che cammina lungo il marciapiede? È John Lindsay, futuro sindaco della città di New York. È John Lindsay che è venuto fra voi per stringervi la manooo!». Una mano, due mani, cento mani si tendono, la folla si ingrossa, una vecchia si para davanti a John Lindsay ed esclama: «Corpo di bacco, che bel ragazzo sei! Sfido che vuoi diventare sindaco di New York». Lindsay sorride, per niente imbarazzato, ringrazia. Poi viene verso di me, mi sussurra: «Sembra un poco stupita». «Lo sono.» «Perché? In Italia non fate così?» «Non esattamente.» «Perché?» Io penso a Fanfani che cerca voti in Trastevere mentre un'orchestrina suona «Dài, Amintore, dài», un pazzo con l'altoparlante grida alla gente: «Vedete quell'omino calvo, coi baffi, che cammina lungo il marciapiede? È Amintore Fanfani che...», e mi chiedo perché? Già: perché?

*«Go, Johnny, go!»*

La seconda tappa è sulla piscina di un quartiere elegante: tuffi dal trampolino, belle donne in bikini, bambini gocciolanti. Sta a vedere, mi dice David, il fratello gemello, che ora si spoglia e si butta nell'acqua anche lui. La scorsa settimana lo fece. Andò al mare, per stringere mani, e d'un tratto si levò i calzoni, le scarpe, la camicia, la maglia, rimase in mutande da bagno e si gettò nell'acqua. Strinse mani, nell'acqua, per quasi due ore. Un successo. «E se si spoglia che accade?» «Bè, bisogna spogliarci anche noi.» Attendo, un po' preoccupata. All'ingresso della piscina la tromba, il trombone, il contrabbasso, la batteria suonano ostinati «Dài, Johnny, dài», e il pazzo con l'altoparlante ripete, ancor più ostinato. «Vedete quell'uomo alto, bello, coi capelli color della sabbia? È John...». Le signore in bikini se lo mangian con gli occhi: c'è davvero bisogno che Lindsay si spogli? No, non c'è. E infatti lui chiede silenzio, solleva le braccia forzute, abbronzate, dichiara: «Grazie d'avermi portato un bel tempo, un bel sole. Come sapete io mi batto, da indipendente, per diventar sindaco della città di New York. Aiutatemi ad aiutarvi. Di qualsiasi cosa abbiate bisogno, una fermata d'autobus, una fermata di subway, ditelo a John». Una mano, due mani, cento mani si tendono. Lui le stringe e ride. «Dica,» gli chiedo quando siamo di nuovo in automobile «ma non le fanno male, le dita?» «Un poco,» risponde «ma ci sono allenato. Il segreto consiste nel rilassare i muscoli e non forzare il polso. Dipende anche dalle tappe, dai giorni: nei quartieri dove abbondano le donne è assai meglio, la loro stretta è leggera.» Poi racconta che il brutto è far questo lavoro dinanzi alle fabbriche, specialmente al mattino, quando gli operai entrano e son riposati. Una volta John Kennedy si mise dinanzi a una fabbrica e strinse la mano a seicento operai. Quando i cancelli si chiusero, la sua mano era blu: tumefatta. Non riusciva più a muoverla, né a muovere il braccio. Perché si riavesse dovettero versargli sopra bottiglie di Coca-Cola ghiacciata. «Ma lei si diverte a far questo?» «Io, no. Non mi diverto per niente. Il mio sogno è stare un anno in Italia a scrivere un libro.» «Ci venga.» «Prima devo governare New York. Dicono che non si può governare New York: questa città che vive nella paura, nell'odio, questa città dove si passa il tempo a difenderci e non si ha il tempo d'esser felici. Quest'inferno, come dice lei. Bene. Io son nato a New York e voglio bene a New York. È la più grande città del mondo, la più ricca, la più moderna. Tutta la cultura vien qui, tutta la speranza vien qui. Io voglio che non sia più un inferno. Io voglio dimostrare che si può governarla: se siamo capaci di andar sulla Luna, su Marte, si dev'essere anche capaci di governare New York. Ci riuscirò. A costo di stringere nove milioni di mani. A costo di restar monco.» L'automobile corre lungo la parkway di Manhattan. Andiamo, stavolta, in un quartiere italiano dove si chiamano tutti Lo Vecchio, Lo Giudice, Mangano: mi informa David. Appartengono tutti al Partito democratico e l'inverno scorso votarono tutti per Bob, per le elezioni municipali però si son messi col Partito repubblicano e vogliono Lindsay. Quando arriviamo l'orchestrina è già giunta e gli italiani ballan contenti, sul marciapiede, cantando «Go, Johnny, go! Go, Johnny, go!». Un gruppo di sei dissidenti gira in tondo alzando cartelli e su ciascun cartello c'è scritto: "Noi invece *non* ti vogliamo, John Lindsay". Lindsay guarda i cartelli, sorride neanche ci fosse scritto: "Tanti auguri, Lindsay", poi si getta fra i Lo Giudice, i Lo Vecchio, i Mangano, agguanta alla vita una bella ragazza, si mette a ballare con lei. Si mette a ballare anche David, si mette a ballare anche George. Ed ecco che a un tratto i sei dissidenti gettano i loro cartelli, gridano in coro: «Go, Johnny, go!», e si mettono a ballare con gli altri.

## Qualunque sia il vostro problema

L'ultima tappa, forse l'ottava, la nona, non ricordo più quante volte ci siamo fermati a stringere mani, ha lo scopo di restituir vita alla mano di Lindsay che pende inerte, bluastra, in fondo a un braccio inerte, bluastro. Se non riposa un po', se non guarisce in tempo, domani non potrà recarsi al lavoro. Nell'ultima tappa, infatti, non c'è da stringere mani: Lindsay partecipa a un programma radiofonico che va in onda ogni sera, per le famiglie. Si tratta, più o meno, di una rubrica sentimentale sul tipo di quelle che abbiamo in Italia su certi settimanali: «Il mio fidanzato è deciso a sposarmi però pretende una prova d'amore», «Mio marito è troppo affettuoso, io temo d'essere frigida». Il direttore del programma sceglie ogni giorno una lettera poi invita colui o colei che l'ha scritta, insieme a questo un prete, un rabbino, uno psichiatra, una personalità, e insieme discutono il caso. La lettera d'oggi viene da una moglie alla quale il marito fa un mucchio di corna: che deve fare costei? Divorziare, ammazzare, fargli a sua volta le corna? La moglie è una massaia sui cinquanta, i sessanta, cicciuta, e con un gran naso rosso. Veste di rosa confetto, ha in testa un cappello di fiori, e siede insieme al prete, al rabbino, lo psichiatra, John Lindsay: piangendo senza ritegno, incurante di noi che la guardiamo, dei milioni e milioni che ascoltano e ai quali ha fornito nome cognome indirizzo numero di telefono data di nascita. «Io lo ammazzo,» dice fra i singhiozzi «lo ammazzo» e a ogni singhiozzo cade dal cappello una rosa che lei ostinata riappunta sopra il cappello. Che ne pensa John Lindsay, futuro sindaco della città di New York, futura guida a nove milioni di anime che in gran parte si fanno le corna? Lo psichiatra, il prete cattolico, il rabbino hanno già detto la loro, ormai tocca a John Lindsay che tutti fissiamo con ansia, impazienza, mentre io mi domando che diavolo c'entrino le corna di questa signora coi voti di Lindsay e come diavolo farà il nostro Lindsay a chiedere voti partendo da un argomento di corna. Un po' strano, vi pare? Ma a Lindsay non sembra strano per niente, i suoi occhi diventano metallici, gravi, il suo volto si stende in saggezza, e nel medesimo tono con cui aveva detto: «Riuscirò a costo di diventar monco», dichiara che la famiglia è alla base della società, la famiglia è la forza della nazione, lui lo sa perché lui stesso ha famiglia, tre figlie, un figlio, una moglie, il marito deve voler bene alla moglie, la moglie deve voler bene al marito, non bisogna ammazzare il marito anche se il marito ti mette le corna, bisogna avere pazienza, aspettare che passi, come deve passar la paura che mette in ginocchio questa città, la corruzione, la mancanza di amicizia e di affetto, il traffico che diventa sempre più caotico, l'architettura che diventa sempre più orrenda, ieri ha volato con l'elicottero sulla città e ha scoperto che è una gran porcheria, non un filo di verde, se vuoi vedere un poco di verde devi andare nei cimiteri, e se lui sarà sindaco... La moglie tradita smette di singhiozzare, si soffia il naso, si asciuga le lacrime, risponde che è vero e gli darà il voto a novembre: glielo farà dare anche da suo marito. «La ringrazio, vi ringrazio,» conclude Lindsay «e qualunque sia il vostro problema, una fermata d'autobus, una fermata di subway, un dolore, ditelo a John: fate che lo sappia John Lindsay...»

### Lo dirò a John Lindsay

Mi chiedo se dovrò dire a John Lindsay qual è il mio problema, se John Lindsay potrà farci qualcosa. La ragazza di Hong Kong, cui pago la considerevolissima cifra che pago, non ha pagato a sua volta la pigione di luglio e il sovrintendente al mio grattacielo vuol buttarmi fuori di casa. Il sovrintendente non può buttar fuori di casa la ragazza di Hong Kong dal momento che questa si trova a Hong Kong e così, per vendetta, vuol buttar fuori me. «Ma io pago,» gli ho detto «pago alla ragazza di Hong Kong.» «Non mi riguarda» ha risposto il sovrintendente. «Forse il suo assegno s'è perso, forse sta per arrivare: ma lei lo sa dov'è Hong Kong?» «Non lo so e non voglio saperlo» ha detto il sovrintendente. Intendiamoci, a me non importa: dopo la lettera di Gladys Forth è arrivata la lettera di un signor Rothemberg il quale afferma che a New York non ci sono cimici, non ci sono blatte, non ci sono topi, non ci sono violenti, a New York sono tutti buoni, gentili, puliti, io scrivo menzogne e perciò vuole picchiarmi: mi picchierà eccome perché sa dove sto. Dunque se la ragazza di Hong Kong non paga luglio, se il sovrintendente mi caccia, se cambio casa come sembra ormai certo, il signor Rothemberg non può trovarmi e nemmeno picchiarmi. Però a me sembra ingiusto lo stesso, tanto più che ho scoperto una cosa tremenda, ho riscoperto che devo pagare le tasse, non ha nessuna importanza che le tasse le paghi in Italia, le devo pagare anche qui. Sì, bisogna che lo sappia John Lindsay, lo dirò a John Lindsay. Ma intanto scappo via da New York, vado nel Texas, di lì in California, insomma mi faccio un giretto, e chi s'è visto s'è visto.

Parte seconda

# Tra le stelle
## (Houston, Hollywood, New York, 1965)

# Il meteorite di papà

Houston (Texas), agosto

James McDivitt è il primo astronauta che incontro: al drugstore dove sta comprando un melone. Le sue gambe spuntano pelose, da un paio di calzoncini a quadretti, il suo viso sorge assonnato, beato, da una camicia hawaiana: e il tutto, messo insieme al melone che tiene in braccio come se fosse un bambino, lo rende molto diverso dall'uomo in tuta spaziale che lo scorso maggio salì nel cosmo a rischiare la pelle con Edward White. La sua bicicletta, anzi il suo tandem, è appoggiato al muro del drugstore: di domenica, a Houston, si va in bicicletta. «Toh, chi si vede!» fa McDivitt cullando il melone. «Che ci fai qui nel Texas?» Son venuta, gli spiego, per sfuggire alle botte del signor Rothemberg il quale vuole picchiarmi perché ho raccontato che a New York ci sono le cimici, i topi, le blatte, è colpa mia se ci sono?, poi per salutare Gordon Cooper e Pete Conrad che hanno avuto una breve licenza prima del volo e arrivano domani, infine a dare un'occhiata a questo pezzo d'America in quanto scrivo sopra l'America e: «Jim, è vero che quel venerdì nello spazio non volevi mangiare la carne?». «Verissimo» risponde McDivitt cullando il melone. «Io sono cattolico, sai.» «E poi la mangiasti, sì o no?» «Sì, ebbi via radio la dispensa del vescovo.» «E l'oggetto misterioso che stava dinanzi al Sole, quello con due grandi braccia o due ali: hai capito che fosse?» «No, non l'ho capito.» «Sai, Jim: quando tu eri nel cosmo io ero a Madrid, in casa di Miguel Domínguín…» «Il torero?!?»

«Sì, il torero.» «Conosci il torero Miguel Dominguín?» «Sì, che c'è di straordinario?» «Perbacco!» fa Jim stringendo impressionato il melone. «Bè, dunque ero in casa di Miguel Dominguín, si parlava del tuo oggetto misterioso, e Miguel disse...» «Che disse? Che disse?» «Disse: claro, es Dios!» «Oh! No! Oh!» fa McDivitt con volto di brace. «Non bisogna dir queste cose, si va all'inferno, è peccato mortale.» Poi mette il melone dentro il cestino attaccato al manubrio, salta sul tandem: «Sei a piedi?» «Sì, il mio motel è qui vicino.» «Posso offrirti un passaggio?» «Se non ti disturba.» Ed eccomi a Houston, anticamera del viaggio alla Luna, anticipazione del nostro futuro, che pedalo insieme a McDivitt professione astronauta, su un tandem, lungo i viali di Nassau Bay, sobborgo di Houston. In fondo vale la pena pagare le tasse anche in questo Paese: t'offre tante sorprese. Il modo in cui vivono pensano pregano gli abitanti di Nassau Bay, per esempio. O il modo in cui guardano a noi europei, alle nostre tragedie, i nostri rancori. E lascia perdere se parlo degli astronauti, creature di fantascienza: son tali quando vanno nel cosmo e affrontan la morte, quaggiù sono come gli altri. Gli altri di Nassau Bay, di Seabrook, di Friendswood, sobborghi di Houston, provincia: osservate, mentre pedalo dietro al melone e a McDivitt, le case in cui stanno. Non più grattacieli: villette a un piano, due piani, con le tendine di organza alle finestre, le porte sempre spalancate tanto qui non ci sono assassini né ladri, e dinanzi a ogni villetta un bel prato, di fianco il garage con l'automobile a sei posti e anche nove. L'automobile ci vuol così ampia per via dei bambini che qui si partoriscono una volta all'anno, al massimo due, e chi non fa così offende il Signore. In onore del quale non si mangia carne di venerdì, nemmeno se voli nel nulla dove non c'è venerdì, in rispetto al quale non si ride a battute blasfeme: claro, es Dios.

## Prima della Luna i piatti da lavare

Stasera sono a cena da Gordon, Dick Gordon: un astronauta dell'ultimo gruppo, cioè il gruppo che andrà sulla Luna. L'ho intravisto dal tandem, giocava coi bambini sul prato, son scesa per salutarlo e sono rimasta. Sua moglie, una brunetta rotonda e di nome Barbara, è in cucina a preparar gli spaghetti, cos'altro mangia una italiana se non gli spaghetti, e lui sta apparecchiando. «Ti aiuto, Dick?» «No, no. Questo è un lavoro che faccio sempre io. Questo e lavare i piatti, pulire per terra.» Apparecchia infatti con gesti disinvolti, veloci, dovreste vedere come mette i cucchiai a destra, le forchette a sinistra, posate d'argento s'intende, sono un'ospite importante perbacco: bene in vista in salotto è una copia del mio libro dove parlo di lui. «Sai, sono un po' preoccupato per quello. Siamo tutti un po' preoccupati. Nessuno di noi legge l'italiano e vedendo i nostri nomi ci chiediamo che ha scritto, quella dannata, che ha scritto?» Va in salotto, prende il libro, ritorna, lo apre alla pagina ov'è scritto Dick Gordon: «Che dice? Traduci». Compressi sopra un divano come un grappolo d'uva stanno i bambini e mi ascoltano. Imbarazzata traduco: «Il secondo vecchio aveva trentacinque anni e sei figlioli. Era basso e tarchiato, nero d'occhi e di capelli, la fronte corrugata in mille bestemmie represse. Mi piaceva e mi sembrava d'averlo già visto perché apparteneva a un tipo familiare alla mia fanciullezza, il tipo del partigiano tuttofare...». «Bestemmie? Io non bestemmio!» mi interrompe offeso, Dick Gordon e il grappolo d'uva si scioglie in tanti chicchi che corrono verso la cucina per dare l'orrenda notizia, «Mamma, quella dice che papà bestemmia!», dalla cucina si affaccia con un mestolo in mano Barbara Gordon: «Prego, Dick non bestemmia. Siamo sposati da dodici anni e posso giurarle che Dick non bestemmia». «Bè, facevo così per dire...» «Però l'hai detto: cosa penseranno gli italiani di me?» «Papà, cosa son gli italiani?» «Quelli che stanno in Italia.» «Papà, è un posto l'Italia?» «Sì, un posto lontano, lontano.» «Su questo pianeta?» «Bambini, ora basta, via a letto!» Gli spaghetti son pronti, i bambini vanno a letto, noi a tavola, ed ecco: sto inghiottendo la prima forchettata che uno sguardo doloroso, smarrito, mi manda tutto a traverso. Lo sguardo di Barbara. «Cosa?» le chiedo. «Come?» Lei gira appena la testa e in silenzio accenna a Dick che se ne sta fermo, solenne, con le mani unite, le palpebre chiuse, e aspetta che anch'io unisca le mani, abbassi le palpebre. Così unisco le mani, abbasso le palpebre, ed egli declama: «Benedici, o Signore, questi tuoi doni che stiamo per ricevere dalla tua bontà. Benedici, o Signore, il nostro pane quotidiano. In Cristo, amen». «Amen» dice Barbara. Presa alla sprovvista, io non dico nulla. Allora Barbara si raschia la gola, arrossisce un poco ed esclama: «C'è una cosa che vorrei chiederle, posso?». «Sì, Barbara, certo.» «Lei ha litigato col papa?»

*Al pedone spaziale non piace la storia*

Sì, val davvero la pena pagare le tasse anche in questo Paese: t'offre tante sorprese. La loro ingenuità, la loro semplicità, per esempio. Siamo al dolce di limone allorché il campanello incomincia a suonare, Barbara ad alzarsi e accompagnare gente che non vedo in salotto, e son tutti arrivati, c'è un gran silenzio in salotto, quando Dick mi spiega che è giunto il momento di entrare in scena: l'attrazione sono io… «Io?» «Certo, sei tu la straniera.» «E loro chi sono?» «Gente che conosci, astronauti, Frank Borman, Eugene Cernan, Roger Chaffee, Walter Cunningham, Russell Schweickart, Edwin Aldrin, Edward White, Jim McDivitt. Però con le mogli.» «Gesù!» «Avanti, coraggio.» Mi faccio coraggio, per andare in salotto bisogna scender le scale come Wanda Osiris, scendo le scale, ed eccoli lì che mi guardano fissi, in silenzio, i mariti da una parte e le mogli dall'altra, i mariti in piedi e le mogli sedute: siamo a Nassau Bay, sobborgo di Houston, provincia, e tale serata è un avvenimento di cui si parlerà nei weekend, nei cocktail party, al telefono, nelle lettere alla cugina e alla zia, la straniera viene da New York. Il mio esotismo non consiste nell'essere italiana, l'Italia è troppo lontana, su un altro pianeta come crede il bambino di Dick: consiste nell'abitare a New York. Alcune tra le mogli degli uomini che andranno sulla Luna, su Marte, non sono mai state a New York e compunti essi me le presentano, intimidite esse chiedono: «Lei trova bella New York?». «Lei non ha paura di stare a New York?» New York è la metropoli, New York è il mistero, New York è il vizio il denaro il peccato la celebrità vera: capisci a guardarle perché la signora McDivitt che ora mi osserva ostile, forse ha saputo che suo marito m'ha offerto un passaggio sul tandem, non trovò altro da dirgli quando volava su fra le stelle se non: «Fai presto ad arrivare sul Texas». E, quando la conversazione esplode coi loro mariti, non dicono nulla. Esplode, non so come, forse per quello che ho scritto sopra von Braun, la Germania, i nazisti, Mussolini, i fascisti. Ed è proprio Edward White, il pedone spaziale, che dice: «Noi non vi comprendiamo su questo, lo so: tutto ciò che sappiamo lo abbiamo appreso dai libri, dai film, e così non comprendiamo il vostro odio, il vostro rancore. Ma perché tanto odio, rancore? Io i tedeschi li ho conosciuti in Germania ed erano così democratici: non è vero, Dick?». Dick annuisce poi scuote la testa. «Non possiamo dare giudizi,» dice «né condannare i loro rancori. Noi viviamo in una specie di limbo, non sappiamo cosa significhi fame, arresti, bombardamenti. Nessuno ci ha mai bombardato, arrestato, e la parola fame per noi è solo una parola. Chi ha fame in America? Neanche i poveri hanno fame da noi. I poveri da noi sono quelli che vivono in case brutte, senza il frigorifero e la tv. Per capire l'odio che li divide, in Europa, bisogna tornar col pensiero alla nostra Guerra di secessione.» «Vuoi scherzare?» interviene Chaffee, l'astronauta più giovane, ventisett'anni e un visino alla James Dean. «Vuoi scherzare? La Guerra di secessione fu la guerra civile più atroce, crudele che sia mai stata combattuta tra gente della medesima lingua.» «Chaffee,» rispondo «hai mai sentito parlare della guerra civile in Spagna?» «Guerra civile in Spagna?» fa Chaffee. «Ah, sì. C'è un libro di Hemingway. Ma non vorrai paragonarla alla Guerra di secessione in America!» «Chaffee, non hai mai sentito parlare neanche di quel che accadde in Polonia, in Jugoslavia, in Francia, in Italia, a Dachau, a Mauthausen, durante l'ultima guerra?» «Oh! Non vorrai paragonare certe cose alla Guerra di secessione in America!» La serata passa dolcemente, così. Son tal bravi ragazzi questi ragazzi che andranno sulla Luna, su Marte, e non sanno cosa accadde in Polonia, in Jugoslavia, in Francia, in Italia, a Dachau, a Mauthausen, non sanno cosa fu la guerra civile in Spagna, non sanno cosa sia la fame, l'odio, il rancore. Sì, è giusto che vadano loro sulla Luna, su Marte.

## Astronauta è troppo poco: meglio fantino

L'indomani, dal convento-ritiro di Merritt Island, Florida, arrivano Cooper e Pete ma i giornalisti l'hanno saputo ed esigono una conferenza-stampa-tv. Pete mi telefona tutto spaventato: «Ehi, tu che sei una di loro, sai dirmi che diavolo mi domanderanno?». «Che ne so, io, Pete!» «Non potremmo metterci d'accordo su qualche domanda speciale in modo che faccia una bella figura?» «Se vuoi ti domando com'è che fate a…» «Bene, benissimo, grazie! Farò un figurone!» Alla conferenza-stampa-tv arriva vestito di grigio, con la cravatta, e ingrassato che sembra una palla: neanche le nuotate in piscina, gli allenamenti durissimi, la tortura della centrifuga, del simulatore, son serviti a qualcosa. Del vecchio Pete non gli resta che il visetto dorato dal sole con un gran naso nel mezzo, due begli occhi azzurri, e una bocca larghissima che contiene i denti più buffi del mondo: corti corti, separati l'uno dall'altro e fatti apposta per ridere. Gordon Cooper invece è dimagrito, invecchiato, il suo volto è inciso di rughe. Procedono insieme, uno piccino e uno lungo, Don Chisciotte e Sancho Panza, e Don Chisciotte è tranquillo come si conviene a chi è già passato attraverso la gloria, parate in Broadway, discorsi a Washington, Sancho Panza è invece emozionatissimo. Se ne sta tutto rigido, grave, e quando gli pongo la domanda promessa si lancia in un complicato discorso di chiusure lampo, tubi inseriti nella tuta spaziale, che in sostanza rivelano una deprimente realtà: lassù nello spazio la pipì si fa come la fanno i neonati, cioè addosso. E il resto? chiede un giornalista. Il resto, risponde sveltissimo Pete, è raccolto in sacchetti che riportiamo giù sulla Terra affinché vengano analizzati. La conferenza-stampa si conclude fra le risate: un trionfo. Io invece ho un filo d'angoscia: ce l'ho sempre quando viene il momento, per due che conosco, di andare lassù. Più la gente si abitua, più i voli spaziali diventan difficili: e quello di Gordon e Pete sarà il più difficile avvenuto fin oggi, il più lungo. Sette giorni son tanti e i due hanno avuto così poco tempo per prepararsi. Ma ormai le scadenze son fisse come l'orario di una compagnia aerea, in ottobre vanno su Wally Schirra e Tom Stafford, in dicembre vanno su Jim Lovell e Frank Borman… «Jane,» chiedo più tardi a Jane Conrad, la moglie di Pete «sei contenta che Pete vada su?» «A me non importa che vada» risponde Jane con mestizia. «A me importa che torni.» Jane è una bella spilungona del Texas, con un volto che ricorda un poco quello di Claudette Colbert, due occhioni gonfi di inconfessata paura. Viene a prender me e Pete per portarci da Lovell, stasera siamo tutti a cena da Lovell, e mi chiede se voglio prima passare da casa sua per vedere i bambini. Sì, certo, ed eccoli là: sono quattro, bellissimi, biondi, giocano sulla piscina con le cannucce da bibita e i sassi. Papà gli ha comprato un mucchio di balocchi spaziali, astronavi a batteria solare, scafandri, razzi ad acqua, e loro giocano con le cannucce da bibita, i sassi. «Bambini» dice Jane Conrad col suo viso mesto. «Salutate papà, papà va nel cosmo.» «Ciao» rispondono senza voltarsi i bambini. «Portaci un meteorite, papà.» Sono la nuova generazione, sono i figli del nostro futuro. «Ti piacerebbe far l'astronauta?» chiedo al più grande. E lui: «Nooo! Io voglio fare qualcosa di straordinario, voglio fare il fantino».

## I grandi misteri del pianeta Loren

La costante sorpresa è quanto siano terrene queste creature di fantascienza che dalla provincia volano direttamente nel cosmo e dal cosmo direttamente in provincia. Quanto siano terrene le loro curiosità, i loro problemi, le loro abitudini. La casa di Jim Lovell è accanto a quella di Pete: nel quartiere di Seabrook, altro sobborgo di Houston. È fatta come quella di Pete che è fatta come quella di Dick: una villetta con le tendine di organza, un prato, un garage. L'atmosfera ricorda certi film di Frank Capra: la famigliola felice e coinvolta in avventure sproporzionate per lei. La storia dell'America, in fondo. Jim, che a dicembre resterà ben due settimane nel cosmo e uscirà dall'astronave come Edward White, camminerà nello spazio, viene ad aprire con un mestolo in mano: «Scusatemi,» dice «il pollo si brucia». Sua moglie, che è la brunetta seduta sopra il divano e risponde al nome di Marilyn, è incinta di cinque mesi: perciò tocca a lui preparare la cena. In salotto vi sono altri due ospiti, un uomo e una donna. La donna è un tipo come se ne incontrano andando a fare la spesa, l'uomo è un giovane pallido, insignificante, che stringe fra i denti una pipa e tiene in braccio una bimba di pochi mesi, sua figlia. «Dottor Joseph Kerwin» dice con voce altrettanto insignificante ed è uno dei sei scienziati-astronauti che la NASA ha assunto per mandar sulla Luna: forse il primo medico-spaziale che andrà sulla Luna. «Piacere, dottor Kerwin!...» «Italiana?! Conosce Sofia Loren?» mi interrompe con improvvisa vivacità il dottor Kerwin e la conversazione si accende su Sofia Loren che piace moltissimo anche a Pete e Jim, a Marilyn e Jane piacciono invece Alain Delon e Peter O'Toole. «Conosci Alain Delon?» «Che tipo è Alain Delon?» «E perché lasciò Romy Schneider?» «E Peter O'Toole? Conosci Peter O'Toole?» Porto loro, è incredibile, un mondo eccitante: il mondo di Sofia Loren, Alain Delon, Peter O'Toole. Il cosmo è a due passi da Seabrook, sobborgo di Houston, ma O'Toole e Delon e la Loren sono distanti da Seabrook quanto Alfa Centauri. Domattina la licenza finisce, Pete e Gordon son nel golfo di Galvestone a provar per l'ultima volta il recupero della capsula in acqua. Chiusi in quella noce di ferro, con le tute spaziali, resteranno mezz'ora a rollar fra le onde, vomitare, soffrire nausee feroci. Perché non contentarli? C'era una volta una bella ragazza che si chiamava Sofia Scicolone...

Pete stappa due bottiglie di Chianti, e ascolta, rapito, la fiaba di Sofia Scicolone. Si beve. Delle bottiglie che gli mandai l'anno scorso ne hanno serbate quattro: due per oggi e due per festeggiare il ritorno. Si ride. Manco andassero a Parigi, Acapulco. «Sai qual è il mio problema? Cosa ti dirò quando mi faranno parlare col radiotelefono» dice Jane Conrad. «Guarda, cose del genere» risponde Pete. «Per esempio: porca miseria, dove hai messo le chiavi dell'automobile? E io ti risponderò: Nel terzo cassetto a sinistraaa!» Manco andasse a Parigi, Acapulco. Gordon sta zitto, lui sta sempre zitto: nel cosmo è già andato una volta e sa bene che non è come andare a Parigi, Acapulco.

«Gordo, come la chiamerete la nostra astronave?» chiede Jim. «Boh!» fa Gordon. «Io invece lo so» dice Jim. «Il mio sarà il nono volo del Gemini. La chiamerò *009 Dalla Terra con amore*». Il dottor Kerwin suggerisce un messaggio scherzoso da inviare a Scott Carpenter che sta in fondo al mare e la frase cade in un imbarazzato silenzio.

### Scott Carpenter: il complesso spaziale

Ricordate Scott Carpenter? Sì, quello che volò dopo Glenn e fece un mucchio di sbagli e se la cavò per miracolo. È molto tempo che non se ne sente parlare, quasi tre anni. Ogni volta che si pronuncia il suo nome segue un imbarazzato silenzio. L'hanno messo da parte. Lo misero immediatamente da parte e… Il fatto è che ogni poco ha un incidente… Ora si rompe un polso guidando una Lambretta alle Bermuda… (Ma sì, era in servizio, ma sì!) Ora va a sbattere con l'automobile contro un'altra automobile e ferisce ben tre persone, alle sei del mattino, in Florida. (Ma sì, era in servizio, ma sì!) Ora gli fanno per questo un processo e lo condannano a una ciclopica multa… Gli psicanalisti direbbero: complesso di colpa. Io dico: disperazione. Sì, è ancora astronauta, Scott Carpenter. No, non l'hanno licenziato, no. Non l'hanno neanche punito, no. Però l'hanno prestato alla Marina e lo tengono giù, in fondo al mare, a far non so quali esperimenti di sopravvivenza sott'acqua. Giù, in fondo al mare. Lui che aveva scelto un mestiere per stare su fra le stelle.

### È un Courrèges?

Che sconcertante Paese è mai questo, che agghiacciante disciplina esso ha. Stamani mi sveglia il telefono e una voce gaia, squillante, mi dice: «Buongiorno, sono Faith Freeman, la moglie di Theodore. Ho saputo che è a Houston. Posso venire a trovarla?». Un'ora dopo è al mio motel con la figlia dodicenne, Faith junior. Tutte e due alte, bellissime, vestite di rosa. La vedova e l'orfana di Theodore Freeman, astronauta, che l'ottobre scorso morì volando col suo aereo a reazione: un'oca gli andò dentro il motore. «Le ho portato una copia del quotidiano di Houston,» dice la voce gaia, squillante «vi si parla della lettera che mi spedì insieme alla copia del libro. Grazie d'aver dedicato a mio marito il suo libro. Oh, peccato che parta: altrimenti darei una festa per lei. La darò quando torna.» «Dunque è rimasta a Houston, signora.» «Oh, sì, Houston è un posto simpatico, il clima è gradevole, gli amici son cari, la mia Faith ci va a scuola, e io ci ho perfino un lavoro: l'infermiera per gli ammalati di cancro. Perché dovrei lasciar Houston: vero Faith? Faith, cara, di' qualcosa, sorridi!» Faith junior non dice nulla e sorride a fatica. È una bambina triste e son passati appena dieci mesi. Dieci mesi. «La mia Faith farà l'indossatrice da grande: ha il corpo adatto, non trova?» Dieci mesi. Neanche dieci mesi. E non una lacrima, mi si dice, in questi dieci mesi. Non s'è mai vestita a lutto, in questi dieci mesi, Faith Freeman, non ha mai afflitto gli amici col suo chiuso cupo dolore. «Signora Freeman» le chiedo. «Ma lei non piange mai?» «Io non credo alle lacrime» risponde. Poi si alza, mi abbraccia, commenta che bel vestito, un Courrèges? A lei piace Courrèges. Così sobrio, così lineare. Il sole la illumina, ora, e rende più acuto il profumo francese che ha indosso. «Io credo alla vita» conclude. «La vita è così bella. La vita è un dono sublime, un miracolo. Ogni mattina io sorrido e dico a me stessa: sono felice d'essere viva.»

# Ecco l'ultimo sì di Vadim

Las Vegas, agosto

Il padre della sposa, Henry Fonda, non c'era: trattenuto a New York dalle prove della sua nuova commedia che non poteva lasciare neppure per poche ore, nonostante le nozze si celebrassero di sabato, giorno in cui in America nessuno lavora. Da lui giunse solo un telegramma, molte ore dopo, che augurava agli sposi salute e felicità. Non c'erano neppure giornalisti e fotografi, tenuti all'oscuro da Jane e Vadim, i quali desideravano una cerimonia privata, silenziosa, veloce. Le fotografie del sì furono scattate da Peter Fonda, fratello di Jane, che viaggiava con la moglie Susan, una chitarra elettrica, una borsa piena di Leica, di Nikon, di rullini e di flash. Peter rappresentava la famiglia di lei; la famiglia di lui la rappresentava sua madre, Marie-Antoinette Ardilouze, giunta due sere prima da Parigi con una cinepresa per girare la scena. Con lei erano giunti Christian Marquand e la moglie Tina; e alle nozze furono presenti, oltre a loro, soltanto sette amici: gli attori James Fox, Dennis Hopper con la moglie Brooke, Bob Walker con la moglie Ellie, l'agente di Jane, Dick Clayton, e Oriana Fallaci. La città scelta per le nozze segrete era Las Vegas, dove la licenza matrimoniale si può ottenere in mezz'ora, all'insaputa di tutti, sulla parola. I quattordici arrivarono da Los Angeles con un aereo affittato dagli sposi e la cerimonia fu celebrata alle cinque del pomeriggio, il 14 agosto, nella stanza 2007 dell'Hotel Dunes: Jane Fonda in un tailleur di Chanel e Vadim in completo grigio e maglietta. Peter suonò la marcia nuziale sulla chitarra e Vadim si fece prestare da Tina Marquand la vera d'oro da infilare al dito di Jane, perché si era scordato di acquistarla. Vadim, pallido e nervoso, sbagliò due o tre parole nel ripetere la formula nuziale e Jane la pronunciò piangendo, con la testa bionda appoggiata al petto dello sposo. Quando il giudice James Brennan, che aveva celebrato le nozze, se ne fu andato, tutti abbracciarono la sposa, che restituì la vera a Tina Marquand e si mise a spiegare che lei si considerava sposata a Vadim anche prima, il resto del tempo i Vadim lo passarono a giocare alla roulette e alle macchinette a gettone. Alle sei del mattino, senza essere rimasti soli un minuto, risalirono sull'aereo affittato e tornarono alla casa sulla spiaggia di Malibu dove hanno vissuto insieme per gli ultimi nove mesi.

## Che cosa ne dice la sposa

«Ho ventisette anni, sono al mio primo matrimonio e spero che sia anche l'ultimo. Il fatto è che io ho terrore del matrimonio: l'ho sempre avuto e non ho mai pensato a sposarmi. Non pensavo neanche a sposare Vadim. Prima di conoscerlo bene non lo potevo soffrire: non mi piaceva il suo personaggio e la pubblicità che lo circondava. Mi sono innamorata di lui col cervello. La prima reazione che ho avuto quando Vadim mi ha chiesto di diventare sua moglie è stata un'immensa paura: l'uomo non è facile ed ero preoccupata dal fatto che avesse già avuto due mogli. Ma neanche io sono facile: ho bisogno di sentirmi libera, di fare la mia vita. Ho sposato Vadim perché dopo averci vissuto insieme per quasi due anni ho capito che con lui avrei continuato a sentirmi libera, a fare la mia vita. Dicono che Vadim trasformi le donne: non mi ha trasformata per niente, ho soltanto imparato a parlare benissimo il francese.

81

Suppongo che questo matrimonio provochi curiosità, che tutti si chiedano perché ci siamo sposati, che molti pensino che ci siamo sposati perché aspetto un bambino o roba del genere. Tutti non fanno che chiedermi se voglio bambini, se amo i bambini, quando avrò un bambino. Non lo so, non lo aspetto: devo girare due film con Vadim e quando si gira un film non si possono fare bambini. Quanto alla domanda perché l'ho sposato, la risposta è semplice: perché mi sono innamorata di lui, sono andata a viverci insieme, mi ci son trovata benissimo e m'è parso che non vi fossero, di conseguenza, giustificazioni per non sposarlo.»

## E Vadim

«Ho trentasette anni ed è la prima volta che mi sposo senza esservi obbligato. Per piacere e per amore. Io non mi sono mai sposato perché volevo sposarmi e basta. Brigitte la sposai perché ero molto giovane e lei era una piccola ragazza borghese e il matrimonio era l'unico modo per poter vivere insieme a lei, i suoi genitori non avrebbero mai permesso un'unione illegale. Insomma la sposai per senso di responsabilità: l'avevo conosciuta che aveva quindici anni. Annette la sposai perché era la madre della mia bambina: lo ritenni un dovere. Suppongo che molti si chiedano perché non ho sposato Catherine Deneuve: perché non lo desideravo ed ero stanco di sposarmi perché vi ero obbligato, anche dopo che Catherine aveva partorito un figlio. Non ne sentivo il dovere, insomma, perché era nato il figlio: non volevo ripetere l'errore fatto con Annette. Con Jane non è così: ho sposato Jane perché niente mi obbligava a sposarla, tantomeno mi obbligava lei, e gliel'ho chiesto così come s'offre un mazzo di fiori. Ho sposato Jane perché penso che stavolta può durare per lungo, lungo tempo: io spero per sempre. E quando uno ha l'impressione onesta che debba durare per lungo, lungo tempo, forse per sempre, non vedo perché uno non debba sposarsi; vivere come amanti da sposati è carino, ma vivere come sposati da amanti è imbecille.»

E ora? Anzitutto resteranno nella villa sul mare di Malibu fino a ottobre, quando andranno a Londra per girare un film tratto dal romanzo di Zola, *La cuccagna:* lui regista, lei protagonista. Dopo andranno a Roma e gireranno insieme *Barbarella:* un film di fantascienza comica. Non hanno una casa per ora e vivranno in albergo. Jane ha comprato una fattoria a trenta chilometri da Parigi, ma deve rimetterla in ordine: d'altra parte non hanno ancora deciso se stabilirsi a Parigi, New York o Los Angeles. Per il momento pensano a finire *La caccia* e quando non girano stanno sulla spiaggia a prendere il sole, insieme. Ma non sempre. Il giorno dopo le nozze, quando Jane a sentir chiedere della signora Vadim pensava ancora si trattasse della madre di lui, fecero così: ma il giorno successivo Jane andò sul set del film, e Roger partì per Parigi.

# I dannati di Hollywood

D'un tratto e senza neanche domandarci il permesso la hostess del mio aereo diretto a Los Angeles si mette a spegner le luci, abbassar le tendine di tutti gli oblò: io mi trovo al buio col libro che stavo leggendo. Meccanicamente rialzo la mia tendina, cerco una lama di sole: con un guizzo di gatto la hostess si getta sulla tendina, mi ruba la lama di sole, mi affronta come se avessi picchiato un bambino. «Ma che fa?! Che le prende?!» «Io nulla, io leggo.» «Legge?!» «Sì. Leggo.» «Qui non si legge.» «Come qui non si legge?» «No. Si guarda il film.» «Il film? Che film?» «Il film. Un bel film a colori. Con Sofia Loren e George Peppard.» «Io non voglio guardare il film, voglio leggere» dico. E accendo la lampadina che sta sopra di me, mi procuro un bastoncino di luce. Rapida come un falchetto la hostess si getta sulla lampadina, mi ruba anche quel bastoncino di luce. «Insomma, si rende conto che sta disturbando?» «Io non disturbo nessuno, io leggo.» «Gli altri non leggono.» «Gli altri no ma io sì.» «Lei deve far quello che fanno gli altri.» «Neanche per sogno. E perché?.» «Perché sì.»

Accanto a me siede una ragazza danese: sui vent'anni, bellina. Si chiama Margriet, ha ottenuto una borsa di studio per l'UCLA e ora ci va. «Se permette,» dice Margriet alla hostess «vorrei esprimere la mia opinione.» «La esprima» risponde indulgente la hostess. «Ecco. Quando lei ha fatto buio io mi accingevo a studiare. Invece di vedere il film io vorrei studiare.» «Il viaggio sarà assai più piacevole vedendo un film che studiando» risponde la hostess. Poi sistema sulla parete di fronte uno schermo e lo schermo si illumina palpitando una scritta a colori: «Carlo Ponti presenta: *Operazione Crossbow*... con Sofia Loren e George Peppard...». I passeggeri emettono gridolini di beatitudine. «Bè, che facciamo?» chiedo a Margriet. «Io non cedo» dice Margriet. «Neanche io» dico io. «Mi pare una questione di principio.» «Di principio.» «Il principio che ogni essere umano debba decider da sé se vuole o non vuole vedere *Operazione Crossbow* con Sofia Loren e George Peppard mentre si reca a Los Angeles.» «Esatto.» Alzo un dito, chiamo la hostess: «Signorina, questo film io l'ho già visto». «Se l'ha visto se lo rivede.» «Ma è una prepotenza, un abuso.» «Oh! Faccia silenzio.» E ci getta un sacchetto di plastica che contiene il microfono a orecchio, sai quello che si infila dentro gli orecchi come fanno i dottori quando ascoltano il cuore e i polmoni. «Senta,» dice Margriet alla hostess «possiamo spostarci in un posto dove il film non si vede?» «Mi pare evidente» si arrabbia la hostess «che non vi sia nessun posto dove il film non si vede, fuorché il gabinetto.» «Bè,» fa Margriet «io vado nel gabinetto.» Poi s'alza, con un quaderno e un lapis, ci va per davvero.

Io no, non ci vo. Non me la sento di fare il viaggio nel gabinetto, posta dinanzi al dilemma preferisco star qui, ecco; e mi infilo il microfono dentro gli orecchi, mi accomodo insieme a tutta l'irritazione del mondo. Il microfono funziona male. Raccoglie i sibili, i rumori dell'aeroplano e li mischia a quelli del film che racconta la storia delle prime V2 e perciò procede a forza di rombi, esplosioni, un fracasso d'inferno. Presto ho un'emicrania da trattar con le pinze. Posso rinunciare alla colonna sonora, d'accordo, infatti ci provo, ma le immagini mute sono un tormento: che hanno detto? Che accade? Accade che ascolto, di nuovo.

Guardo e ascolto, come vuole la hostess, come fanno gli altri, identica agli altri: e a un certo punto, completamente domata, piegata, privata di ogni volontà, non mi ribello più. Non ho più l'emicrania, sto bene, accetto Sofia Loren, George Peppard, il Sistema. Un Sistema che fabbrica aerei dove non solo si mangia e si beve come al ristorante ma si vedono film come al cinematografo, un Sistema che ti impone il comodo, il divertimento anche se non lo vuoi: se non lo vuoi sei domato, piegato, sconfitto con l'arma stessa del comodo, del divertimento che entra in te con la forza di un veleno, di un virus.

«Le è piaciuto?» mi chiede la hostess quando il film è finito e l'aereo si abbassa sopra Los Angeles. «Sì, grazie, moltissimo» dico. «Avevo ragione?» «Sì, aveva ragione, ragione da vendere» dico. Poi guardo Margriet che ritorna. La guardo con un po' di vergogna: «Hai studiato bene, Margriet?». «Oh, non ho mica studiato» risponde Margriet. «Non ho resistito. Sono uscita dal gabinetto e mi son vista il film. Che bel film. Sanno vivere questi americani. Sono in gamba, perbacco. E mi piacciono, mi piace l'America. Io credo che non tornerò più in Danimarca.» L'aereo sorvola Los Angeles, le migliaia e migliaia di automobili che corrono sulle freeway, le parkway, le migliaia e migliaia di piscine che brillano al sole in occhiate verdi, azzurre, succose, ogni casa ha la sua piscina, c'è chi non ha una piscina ma due, gli alberghi ne hanno anche tre, quattro, sei, lo stesso gli uffici, le prigioni, i conventi: si può forse vivere senza piscina, senza automobile? Come a New York, per esempio. Le piscine a New York sono un lusso. Le hanno solo i miliardari, pazzesco. E le automobili...

*Che idea, Shirley*

«T'ho affittato una automobile» dice Shirley MacLaine conducendomi sulla sua Cadillac dall'aeroporto a Hollywood.

È venuta a prendermi infatti con la figlia Sachi che è una bambina rotonda, di nove anni all'incirca, e le assomiglia parecchio. «Un'automobile?» «Certo, con l'aria condizionata» mi spiega Sachi. «E che me ne faccio?» «Dell'aria condizionata? La adopri. Non vorrai mica spostarti senz'aria condizionata.» «Non parlo dell'aria condizionata, Sachi. Parlo dell'automobile. Io non so guidare.» Uno stridore di freni, una sbandata, e tutte e tre ci troviamo sul ciglio della freeway: vive per un pelo. Sopra di me è il volto incredulo, smarrito di Shirley ancora in preda allo choc che l'ha fatta sbandare. «Non è possibile. Scherzi.» «Non scherzo affatto, è la verità.» «Non me l'avevi mai detto.» «Non mi sembrava importante.» «Non ti sembrava importante?!?» «No.» Sachi mi fissa come se avessi due nasi e tre occhi, che so. Lei non ha la patente, ci vuol sedici anni per aver la patente, ma guida già bene. «E l'ultima volta che sei venuta qui come hai fatto?» «Sono stata qui poche ore, il tempo di scendere da un aereo e salire sopra un altro aereo: per recarmi a Las Vegas, alle nozze di Jane Fonda e Vadim.» Shirley scuote la testa, in silenzio, rimette in moto la sua Cadillac, mi conduce in albergo. Il mio albergo è lo Chateau Marmont, sul Sunset Boulevard. Per il prezzo di una camera a New York, m'hanno dato un appartamento composto da un immenso soggiorno con la televisione e il telefono, una sala da pranzo senza la televisione ma con il telefono, una cucina senza televisione e senza telefono ma con un frigorifero, un congelatore e un forno, una stanza da bagno con doppio telefono, uno vicino alla vasca e uno vicino al water closet, una camera da letto con il telefono e la televisione. La prima cosa che non capisco è perché in cucina non ci sia almeno il telefono: non è comodo, ecco, non è razionale. La seconda cosa che non capisco è perché in cucina, nel bagno, nella sala da pranzo manchi la televisione: anche questo non è razionale, non è comodo, ecco. La terza cosa che non capisco è perché ogniqualvolta telefono la centralinista mi passa il *long distance*, insomma il servizio delle interurbane, come se telefonassi a New York o San Francisco invece che a gente di qui. Così lo dico a Shirley e lei senza rispondermi chiede se ho intenzione di vedere la gente alla quale telefono. «Ho intenzione, sì, certo.» «Però non sai guidare.» «No, non so.» «E non puoi usare la macchina che t'ho preso in affitto.» «No, non posso.» «Bè,» conclude Shirley con un sorriso ironico, anzi misterioso «io ti lascio, mio marito m'aspetta. Vieni a trovarci, appena possibile: l'indirizzo ce l'hai.» «Certo, è lontano?» «No, no. Assai vicino. Cinquanta minuti lungo la parkway, poco più.» Cinquanta minuti. La distanza tra Firenze e Bologna lungo l'autostrada del sole. Ora chiamo Vadim. Vadim sta a Malibu che se ben ricordo è a due passi. E poi lui è francese, può darmi qualche consiglio. Comincio a sentirmi confusa.

## Un villaggio abitato dalle automobili

Vadim non mi ha dato nessun consiglio, lui non lascia mai Malibu dove scrive la sceneggiatura del suo prossimo film, però mi ha fatto un mucchio di feste e m'ha invitata subito a cena. «E io come ci vengo?» «Ci vieni con Jane che è lì a Hollywood. Ora la chiamo e le dico che ti passi a prendere.» Eccola infatti, magra magra e nervosa, i capelli biondi lunghissimi e pettinati come la Deneuve, la Strøyberg, la Bardot. A Vadim le donne piacciono magre e pettinate così, in fondo è un uomo fedele: fedele a un'idea. «Nous allons?» dice Jane che ormai parla esclusivamente francese, poi via subito sulla freeway che porta a Malibu. Comincia a far buio, si chiacchiera senza sosta e non mi accorgo del tempo che passa, della strada che passa. Si chiacchiera di papà Henry Fonda che non è venuto alle nozze, ha spedito soltanto quel telegramma laconico e lei c'è rimasta malissimo. Si chiacchiera di Marlon Brando con cui gira quest'ultimo film, *La caccia*, ed è un tipo abbastanza difficile, sì. Più invecchia, più ingrassa, più diventa difficile: tuttavia, poveretto, ha tali problemi. Quello di fare la mamma, ad esempio: da quando il tribunale ha tolto il figlio all'ex moglie, Anna Kashfi, e l'ha affidato a lui, Marlon Brando non ha un minuto di pace. Il figlio vive con la zia, cioè la sorella maggiore di Marlon, la zia sta a Chicago, e il povero Marlon è sempre su e giù tra la California e Chicago. Si chiacchiera di Los Angeles, città che lei odiava e ora ama moltissimo, invece. «Sono nata a New York, quando venni a Los Angeles con Susan Strasberg, anche lei nata a New York, odiai subito il posto. Il fatto di non poter camminare, ad esempio: in pochi mesi venni arrestata tre volte. Devi sapere infatti che di notte non puoi camminare se non hai in tasca cinquanta dollari e i documenti. La prima volta non avevo né i documenti né i dollari. La seconda volta avevo i dollari ma non i documenti. La terza volta avevo i documenti ma non i dollari. Quanto a Susan fu arrestata una volta perché aveva quarantanove dollari e trenta, con gli altri settanta s'era comprata un gelato. E poi il fatto di non sentirmi abbastanza importante, fantastica. Qui tutto è enfatizzato, per dire bello si dice stupendo, per dire grande si dice enorme, per dire normale si dice fantastico, e la ragione è assai semplice: su un piano economico si è tutti uguali, tutti ricchi cioè, e per distinguersi ci vuole un più. Il più può dartelo solo il successo.»

«Però ora ti piace questo posto, lo ami.» «Lo amo perché è un posto moderno, dove tutto accade un po' prima che altrove. La cultura, la moda, perfino la politica: la gente vien qui per vedere che cosa sarà fra cinque o sei anni l'America, tra quindici anni il resto del mondo. New York è una città moderna degli anni Venti, Los Angeles è una città moderna del Duemila.» È ormai buio, l'automobile corre e io non mi accorgo della strada che passa, del tempo che passa. Non mi accorgo nemmeno che è ormai molto tardi quando entriamo in casa e ci mettiamo a mangiare. Il discorso sulle distanze, le automobili per coprir le distanze, non viene mai fatto. Solo Vadim dice a un certo punto che Los Angeles non è una città, è un insieme di villaggi costruiti per compiacer le automobili, ed è assurdo quindi guardarla con la disapprovazione di chi viene come noi da metropoli costruite pei fiacre. Poco dopo vedo che Jane mi prepara il letto nella stanza degli ospiti e allora mi scuoto, mi accorgo che è mezzanotte passata, protesto, no grazie, devo tornare al mio albergo. «Al tuo albergo?!» «Sì, certo.» «E come?!» «Col taxi, evidente.» «Col taxi?!» «Sì, certo.» E lo chiamo. Arriva dopo quaranta minuti, da Santa Monica, il più vicino villaggio: esistono solo trecento taxi a Los Angeles. Arriva, ci salgo, tra le proteste di Jane Fonda e Vadim, e dico all'autista: «Chateau Marmont, Hollywood». «Hollywood?!» balbetta l'autista. «Hollywood» ripeto all'autista. Il taxi si avvia nella notte, imbocca una parkway, poi una freeway, poi un'altra parkway, un'altra freeway, e i quarti d'ora trascorrono lenti, sempre più lenti, io ho sonno, sempre più sonno, rabbia, sempre più rabbia: son passate le tre del mattino quando arrivo in albergo, ho coperto col taxi una distanza pari a quella tra Milano e Torino. E va da sé che non è punto caro: ventisei dollari più quattro di mancia. Dannatissima Shirley, ecco perché sorrideva con tanta ironia. Domani vo a scuola di guida. Ma prima devo vedere Ray Bradbury, attingere forza da lui.

### Bradbury non riconosce Marte

Bradbury è l'unico, in tutta Los Angeles, che a parte me non sappia guidare: va in bicicletta e la sua bicicletta è appoggiata al muro del ristorante dove la folla si ferma a guardarla: «Ehi, vieni a vedere. Cos'è?». Ci incontriamo al Frascati di Beverly Hills come due cospiratori, o due naufraghi: io sono un poco sconvolta dalla mia decisione di pigliar la patente e lui è molto afflitto per la delusione che Marte gli ha dato. Non gli va giù che la sonda spaziale abbia fotografato solo sabbia, crateri, deserti, insomma che Marte assomigli alla Luna più che alla Terra. Lui che ne aveva descritte le colline di smeraldo, le valli di pietraluna, i fiumi di vino e gli abitanti dagli occhi d'oro. Il suo romanzo più bello, *Cronache marziane*, sta per essere tradotto in film e anziché un profeta si sente ormai un imbroglione. «Avevo tanto sperato che i marziani ci fossero, e gli alberi, l'acqua» sospira. E dietro le lenti i suoi occhi son pieni di tristezza azzurra, un ciuffo biondo gli cade afflitto sul naso. «Non ci pensiamo, via, come va?» «Va che sono scappata da un inferno, New York, e sono caduta in un altro, Los Angeles» dico. «Accidenti alla storia che per conoscer l'America non bisogna fermarsi a New York, che New York non è l'America, è un'isola, una succursale d'Europa, eccetera eccetera amen.» «Oh no,» esclama Bradbury «qui è molto peggio, a New York siete fortunati, lì avete i treni, gli autobus, la sotterranea, qui è molto peggio. Vi sono a Los Angeles nove milioni di abitanti e quasi otto milioni di automobili, quante non ve ne sono in tutta l'Africa e l'Asia insieme. Considerati i vecchi, gli infermi, i bambini, se ne deduce che ogni adulto a Los Angeles ha almeno una automobile. Poiché ha almeno una automobile va a vivere sempre più lontano; poiché va a vivere sempre più lontano le autostrade si allungano, aumentano: in un cerchio vizioso che ci seppellirà sotto un sudario d'asfalto. È la tecnica del colpo di stato delle Automobili che ormai non sono più macchine come crediamo bensì creature che vivono, pensano, e si preparano alla rivoluzione: un cervello elettronico, è certo, sta già scrivendo il loro *Das Kapital*. Sì,» dice Bradbury «la nostra fine è vicina: solo chi va in bicicletta si salverà.» Poi salta in bicicletta e va via: seguito da mille sorrisi incoscienti. Io invece controllo che nella mia borsa vi siano i documenti, i cinquanta dollari per non andare in prigione, e a piedi mi avvio in direzione di Hollywood. Mi ci vorranno tre ore, se vi riesco.

## «Siamo il nuovo Impero romano»

Non vi sono riuscita. Dopo un'ora e tre quarti la polizia m'ha raccolto e senza punirmi perché il mio passaporto era in regola, i miei travellers' cheque superavan la cifra di duecento dollari tondi, m'ha accompagnato in albergo dove Shirley è venuta con suo marito Steve Parker e un dottore. Il dottore m'ha interrogato: suppongo che fosse uno psichiatra. M'ha chiesto se quand'ero bambina la mamma mi impediva di camminare oppure se qualche giocattolo meccanico m'aveva dato spavento. Gli ho risposto di no e m'è parso deluso, è andato via suggerendo una medicina pei piedi che erano gonfi. Quando i piedi si sono sgonfiati, Shirley e Steve mi hanno portato alla loro automobile e con questa a casa loro per un pomeriggio di convalescenza. Il viaggio è stato brevissimo, quarantacinque minuti a velocità sostenuta, e ora son qui, seduta con loro sul bordo della piscina: c'è anche Sidney Poitier che conobbi a Parigi qualche anno fa e ho chiesto di rivedere. Steve Parker, invece, non lo conoscevo: passa gran parte dell'anno in Giappone dov'è la vera casa di Shirley e dove Sachi va a scuola. Steve è un bell'uomo coi capelli grigi, i baffi grigi, e tanti peli grigi sul petto malgrado abbia solo quarantaquattr'anni. È assai intelligente e simpatico, come lei mi giurava, un allegro ribelle: si capisce a guardarlo perché lei sia tanto diversa dalle altre dive e la loro unione resista alle lontananze geografiche, ai commenti stupiti.

«Io» dice «fo il produttore e il regista, teoricamente dovrei viver quaggiù: ma non ce la fo. Non ce la fo a intrupparmi con le pecore in automobile: se restassi qui, ne sono sicuro, finirei col piegarmi, assuefarmi al Sistema. Hai ragione a parlare di virus, veleno: con la sua ricchezza, la sua comodità, l'America ammala di una malattia per cui non c'è medicina e si chiama indifferenza, pigrizia. Abbiamo troppo, così troppo che non si può avere di più e da quel troppo non può venire che il peggio. Siamo il nuovo Impero romano, condannati alla decadenza come l'Impero romano: e forse la decadenza è già incominciata. I robot di cui siamo ormai schiavi, le macchine che fanno tutto per noi mentre stiamo seduti sul bordo della piscina, col telefono, il ghiaccio, i dischi, la televisione, non sono forse le prove del nostro periodo alessandrino? Il nostro sogno è star comodi, non ne abbiamo altri, anche le guerre noi vogliamo farle comodamente, ed è mai possibile che un buon soldato vada all'attacco nutrito di ostriche, cioccolata, gelato, birra fresca? I soldati americani son grassi, gli americani son grassi: in un mondo dove la costante preoccupazione è non morire di fame noi pensiamo sempre a dimagrire, fare la dieta. Non sappiamo più camminare: una marcia da Hollywood a Beverly Hills ci gonfia i piedi e bisogna chiamare il dottore. Dico bene Sidney?» Sidney solleva il volto di cacao in cui sembra affogare tutto lo scontento del mondo. Non è un ribelle allegro, lui, è un ribelle malinconico, chiuso: mai dimentico del colore della sua pelle e della cattiveria del mondo. Per dieci anni, si dice, è stato in cura da uno psicanalista ma non gli è servito gran che. A novembre dovrebbe sposare Diahann Carroll, ha divorziato dalla prima moglie per lei e la ama riamato: ma nemmen questo sembra portargli gran gioia. L'anno scorso gli dettero l'Oscar: ci pianse e poi disse che non lo meritava. Parla con passione repressa: immobile il corpo, strette a pugno le mani che all'improvviso spalanca in due conchiglie rosa.

«Stiamo già decadendo,» risponde «perché non avendo un passato abbiamo costruito un futuro, perché siamo ignoranti. Anche le nostre città sono città da ignoranti: non le costruimmo come il resto del mondo intorno a un municipio, un tribunale, una chiesa, le sparpagliammo qua e là come bimbi ubriachi di spazio. Los Angeles non è una città: è Hollywood, Beverly Hills, Cheviot Hills, Royal Oaks, San Fernando Valley, Bel Air, Santa Monica, Brentwood, Malibu: la cultura dà vere città, centri urbani, che durano. Cosa dura, qui? Niente. Guardate quella collina di fronte, quelle case con le piscine. Ieri mattina non c'erano, domattina non ci saranno più. Sono case prefabbricate, puoi spostarle nel minimo tempo, sono case senza fondamenta, costruite sul niente: come chi v'abita dentro. Chi v'abita dentro non sa da dove viene, non sa dove andrà: vive in totale ignoranza. I loro figli studiano nelle scuole più ricche d'America e sono ignoranti: davvero ci fu una civiltà greca, egiziana, cinese, davvero ci fu un Rinascimento, una Rivoluzione francese? Cosa glielo prova? Il comfort? Il comfort è forse cultura? Il nostro dramma, la nostra decadenza stan qui: nel fatto che non abbiamo cultura. Ogni contadino europeo ha più cultura di noi: se la porta nel sangue, insieme alla coscienza del bello. Noi non abbiamo nulla di bello: solo quello che è comodo, che è divertente.» «Non è vero,» dice Shirley balzando infuriata sulle lunghissime gambe «anche noi abbiamo cultura: quella dei grattacieli, del jazz, delle cosmonavi, delle automobili con l'aria condizionata, dei telefoni che funzionano bene. Anche questa è cultura, una cultura diversa, recente. In fondo chi ha detto che la plastica valga meno di una pietra vecchia? Con la plastica si fanno un mucchio di cose che sono belle perché sono utili.» Anche la mia sedia è di plastica, e anche il bicchiere da cui bevo la Coca-Cola ghiacciata e anche il pacchetto delle mie sigarette che perciò si mantengono fresche. E a me cosa importa? In fondo mi piace star qui, tra le comodità, l'ignoranza che annebbia la mia memoria, mentre il sole tramonta, dolcemente, sulla piscina, sulla automobile che mi porterà a casa. Davvero ci fu una civiltà greca, egiziana, cinese, davvero ci fu un Rinascimento, una Rivoluzione francese? Ho sonno. È bello star qui. È bello lasciarsi corrompere. Per tornare a New York voglio prendere il medesimo aereo, così vedo il film...

La sera vado da Daisy, il club discoteque alla moda. Infatti ci trovo Sam Spiegel, Doris Day, Natalie Wood. Qualcuno mi presenta a Natalie Wood che è qui col fidanzato nuovo, ovviamente ricchissimo, e il discorso cade sulle comodità. E lei che ne pensa, Miss Wood? «Penso,» risponde Miss Wood alzando il visino di plastica, sbattendo le ciglia di plastica «penso che tutti ci rimproverano le comodità e tutti cercano di imitarcele. Così io non me le rimprovero affatto. Guardi: tempo fa, una mattina, mi svegliai chiedendomi cosa avrei avuto di cui andare orgogliosa se fossi morta prima di sera. E conclusi che una cosa c'era, una cosa di cui andare molto orgogliosa: avevo vissuto nelle comodità. Dare comodità al nostro corpo non è forse donarci quaggiù il paradiso?»

# Conversazione in piscina

Los Angeles, settembre

Sono disperata, la mia televisione s'è rotta. Quella in camera da letto. Ora per guardarla devo andar nel soggiorno, e ciò è molto scomodo: dal soggiorno alla camera da letto ci son ben ventitré passi, una follia. E poi nel soggiorno non c'è lo strumento che permette di cambiare canale restando lontani dall'apparecchio, placidamente seduti. In camera da letto lo strumento c'era, un coso con tanti bottoncini, e quando un programma non mi piaceva pigiavo un bottoncino, cambiavo canale senza scendere dal letto eccetera. Nel soggiorno devo alzarmi dalla poltrona, andare fino all'apparecchio, girare la manopola, tornare alla poltrona e qui, se non mi piace nemmeno il nuovo programma, rialzarmi dalla poltrona, riandare fino all'apparecchio, rigirare la manopola, ritornare alla poltrona. Per tredici volte giacché vi sono tredici canali. E questa è sciagura lieve, ripeto, dinanzi al fatto di non aver più la televisione in camera da letto, io senza televisione non posso vivere, non posso addormentarmi. A volte mi chiedo come facessi a Milano: a Milano non avevo televisione. Dicevo non devo, non voglio, è una questione di principio: che pazza. Dissi così anche quando giunsi a New York, che incosciente. Dissi no, non la userò, la sera voglio leggere e scrivere, non guardare la televisione. Che ingrata. Graziaddio successe il miracolo. Successe che vidi, vicino al guanciale, quel coso con tanti bottoncini, pigiai un bottoncino e lo schermo si illuminò: come un dono. Leggevo la *Critica della ragion pura*, ricordo, e sullo schermo c'era Jerry Lewis che faceva un giochetto. Smisi subito di legger la *Critica della ragion pura*, mi misi a guardare il giochetto. Dopo il giochetto vidi un programma musicale, con la Fitzgerald. Dopo la Fitzgerald vidi il telegiornale. Dopo il telegiornale vidi un film e poi un altro film e poi un altro film: di notte la televisione non fa che trasmettere film, soprattutto d'orrore, si chiamano Film-Per-Stare-Svegli e anche se uno non vuol stare sveglio, vuole dormire, finisce con lo stare sveglio. Io almeno. È più forte di me: mi ipnotizza, mi piega. Più d'ogni amore, ogni idea, ogni passione. Davvero non posso vivere senza la televisione. È così comoda, ecco. Perché avanti, ammettiamolo, che c'è di male a vivere nelle comodità? È forse un delitto, un peccato mortale? Chi ha scritto che si debba far gli spartani a ogni costo? Oh, sono stanca di andare su e giù dalla mia poltrona alla televisione. Così stanca che non potrei nemmeno attraversare la strada. Meno male che Shirley ha affittato quell'automobile. E pensare che volevo restituirla: Dio che ingrata, che incosciente, che pazza. È una cosi bella automobile, la più comoda che abbia mai visto. Non fa rumore né scosse, ha il cambio automatico, per ingranare la marcia non si dura alcuna fatica, si pigia un bottone, quando si apre l'aria condizionata viene fuori anche la musica, sotto il sedile c'è il frigorifero per la Coca-Cola: non guidarla è come sputare sul pane. Infatti ho telefonato a Duilio, il mio collega fotografo, e gli ho detto di venire a guidarla. Gli ho detto anche della televisione. Duilio ha risposto: «Che ti sta succedendo, non ti riconosco più».

*Leslie: due occhi da scoiattolo*

Duilio è arrivato e appena è arrivato l'ho spinto nell'automobile, mi son fatta portare da Warren Beatty che mi invitò sere fa e non ci andai perché mi sembrava che abi-

97

tasse lontano. In realtà abita molto vicino, neanche quarantacinque minuti di autostrada da me, a Santa Monica,
proprio sull'oceano. Abita con Leslie Caron che due anni fa abbandonò il marito per lui: l'inglese Peter Hall di
professione regista. È Leslie infatti che ci apre la porta e
ci conduce in piscina dove c'è Warren, insieme alla nurse dei bambini e i bambini che Leslie ha avuto da Peter
Hall. Leslie è in costume da bagno e anche Warren è in
costume da bagno, anche i bambini e la nurse dei bambini sono in costume da bagno: in California si vive in
costume da bagno, in piscina, e se vai a trovare qualcuno
non ti si riceve in salotto, ti si riceve in piscina. Sulla piscina si mangia, si beve, si fanno gli altari, le discussioni,
le feste, la piscina è il simbolo della famiglia, del focolare
domestico, dell'ospitalità: sicché la prima cosa che chiedono quando tu arrivi è: «L'hai portato il costume da bagno?». Se non l'hai portato te lo danno loro, te l'offrono
come una sigaretta, un bicchiere di vino, e non c'è niente
da fare, devi accettarlo, infilarlo anche se non ti piace, se
non ne hai voglia. Il che mi sembra giusto: per quale ragione se vai a visitare qualcuno devi star con le scarpe le
calze il vestito magari il cappello? È scomodo, no? Come
non avere la televisione nella stanza in cui dormi, o averla
senza lo strumento per cambiare canale. Leslie è un poco
sciupata: ha trentaquattro anni e il divorzio, lo scandalo
hanno solcato il visino in minutissime rughe, reso ancora
più tristi i begli occhi da scoiattolo triste. Ma le gambe da
ballerina sono ancora bellissime, la sua grazia è intatta, e
regge bene il confronto con il bel ragazzo per cui ha perso
la testa: altezza uno e ottanta, anni ventotto, un passato
di cuori infranti alle spalle, Joan Collins, Natalie Wood,
e via dicendo, imprevedibile, scontroso, bizzarro, Warren
non è certo il tipo cui una donna con due bambini possa
domandar protezione, fiducia: per prima cosa mi trascina
giù verso il mare, mi impegna in una gara di surf, tenta

di affogarmi sotto quelle onde che sono le onde più rabbiose del mondo. Ma lei non cerca protezione, fiducia, chiede solo di stargli vicino, e alla domanda: «Vi sposate sì o no?», risponde: «Neanche per sogno, il matrimonio è un inganno, una sofferenza di cui si può fare benissimo a meno. Noi due non siamo fidanzati, siamo amanti: è diverso. Ed è assai più dignitoso». Sebbene non glielo abbia chiesto lo dice anche a me, ora che Warren s'è stancato di giocare nel mare e gliel'ho ricondotto in piscina: «Certo che ci vuole coraggio a vivere come vivo con Warren. Ma ci vorrebbe ancor più coraggio a sposarci ed è meglio andare avanti così, senza fare programmi, senza firmare cambiali, prendendo ciò che la vita ti dà. A costo di dolore, di pena. Esistere, amare non è forse un costante dolore, una pena perpetua? Comunque io preferisco questo alla noia, la sicurezza, la serenità. Tanto so badare a me stessa, ho imparato. Avevo quattordici e poi quindici anni quando c'era la guerra a Parigi, ne avevo diciotto quando venni a Hollywood, poco più di venti quando divorziai dal primo marito. Come hai detto, Warren? Sì, Warren. No, Warren. Naturalmente, Warren». E Warren si tuffa in piscina, ne esce, gioca al pallone, telefona, prepara cocktail, decide di andare a mangiare, cambia decisione, andremo più tardi: sì Warren, no Warren, naturalmente Warren... Che donnina di ferro. Ha ragione Shirley MacLaine quando dice che Leslie è una donnina di ferro: ciò che ci vuole per lui. La MacLaine è la sorella di Beatty, di tre anni più vecchia, e gli è molto legata, lo comprende come nessun altro. «Warren» dice «è un ragazzo col corpo e i desideri di un uomo, un bambino con l'intelligenza e le ambizioni di un adulto. Ha sempre avuto bisogno di qualcuno a cui appoggiarsi e in certo senso io gli ho sempre fatto da mamma. Così in tutte le donne egli cerca una guida, una mamma, cioè me.» «E ti piace, Leslie, star qui? Ti piace questo Paese, questo sistema?» «Sicuro, e non so perdonarmi la viltà che commisi quando scappai, tornai in Europa e ci rimasi ben cinque anni. Fu un perdere tempo. Nel Male, non c'è nulla che accade quaggiù e non accada in Europa; nel Bene, ne accade più quaggiù che in Europa. Sono giovani, qui, sono forti, e sognano grande. Noi siamo vecchi invece, siamo stanchi, e sogniamo piccolo: che errore averne paura. Bisogna accettarli, imitarli. La mia casa è a Londra però mi sento sempre più sveglia, più viva, quando torno qui.» «Accettarli, Leslie, imitarli?» «Sicuro. V'è in loro un grande talento: il talento di vivere bene, di amare e rispettare il benessere.» Poi s'alza, con un sorriso che annuncia sorprese, mi chiede se voglio visitare la casa. In piscina Warren si tuffa, gioca al pallone, telefona, prepara cocktail, si alza: e mi fa pensare all'America. L'America inquieta, immatura, infantile, che non sa come impiegare la sua gioventù, le troppe energie che vengono dal troppo riposo, le vitamine eccessive, le eccessive comodità che stanno per piegarmi, dominarmi, ingoiarmi. Sì Warren, no Warren, naturalmente Warren...

## Un mondo dove si vive per eliminare la fatica

La casa è la casa di Peter Lawford che l'affitta d'estate agli amici e la comprò da Louis B. Mayer, il magnate di Hollywood. Lawford, come tutti sanno, è sposato a Pat Kennedy: Jack Kennedy veniva spesso quaggiù a passarvi il weekend o una settimana d'estate. Ogni stanza del resto è arredata in modo che non lo si scordi, ovunque sono fotografie del presidente: in borghese, in costume da bagno, solo, con Jacqueline, con Pat, con Bob, con Ted, con Peter, con Frank Sinatra, con tutti insieme, ritratti sul mare, in piscina, in salotto, mentre mangiano, giocano, dormono, e poi autografi, lettere, inviti a pranzo, cimeli. In uno dei molti salotti c'è perfino la poltrona a dondolo che Pat teneva per lui e nessuno ci si è più seduto, nessuno può sedersi più: il culto sfiora qui l'isterismo. A ogni modo non è quello che conta, è la casa come la fece Louis Mayer e dopo di lui Peter Lawford. Perché? Per il lusso volgare, le pareti di specchio, i tappeti morbidi come pellicce, le coperte di visone sul letto? No, no, cosa c'entra. Per la stanza da bagno, diciamo. Questa vasca, ad esempio, che non è proprio una vasca ma un distributore di felicità. Sì, per quando sei triste, depresso. La riempi di acqua e l'acqua anziché stagnare in silenzio si agita ride ti fa il pizzicorino e in breve ti restituisce il sorriso, la voglia di vivere. O questa tavola bianca, ad esempio, che non è proprio una tavola bianca ma un annullatore di sonno. Sì, per quando sei pigro, non riesci a svegliarti. Ti stendi lì sopra, premi un pulsante, e lei vibra si alza si abbassa finché non t'ha svegliato. O questa maschera a ossigeno che non è proprio una maschera a ossigeno ma un inalatore di buona creanza. Sì, per quando sei ubriaco, nervoso. Vai nel bagno, sistemi l'inalatore sul naso e la bocca, pigi un bottone, respiri, e in cinque minuti sei a posto: più sobrio di prima. Queste pillole invece sono per abbronzare in un'ora. La inghiotti, stai al sole un'oretta, non più, e ti trovi abbronzato come dopo un mese di mare. E queste pesche, quest'uva? Sì, d'accordo, è uva, son pesche. Ma l'uva è un'uva speciale, senza neppure un semino, e anche le pesche son pesche speciali: senza peli né buccia. Io lo so perché ieri son stata a trovare un amico, l'attore italiano Cesare Danova che dieci anni fa venne qui con un contratto della MGM e ci rimase: qui infatti son nati i suoi figli, qui ha divorziato, qui è la sua casa, già di Mischa Auer. Ci vive coi figli, la zia: una massaia romana che non ha imparato l'inglese. Alla frutta, le stesse pesche e la medesima uva, le chiesi: «Zia, ci tornerebbe in Italia?». «Neanche per sogno» rispose. «E perché?» La zia ci pensò un poco, incerta se portare ad esempio l'estate perpetua, la cucina elettronica, il supermarket dove la verdura si compra pulita lavata e sterilizzata, poi guardò l'uva, le pesche, e mi disse: «Perché l'uva qui è senza semi e le pesche son senza peli né buccia. Mi spiego? Neanche a mangiare si dura fatica».

## Il concerto dal paralume

Il talento, il talento di vivere bene. Anche quando non sei Peter Lawford, ultramilionario e marito di una miliardaria. La sera dopo io, Leslie, Warren e Duilio andiamo a cena da Salinger: ricordate Pierre Salinger, l'omone cicciuto e ridente che sotto Jack Kennedy era portavoce della Casa Bianca e l'anno scorso si presentò candidato a governatore della California? Bè, abita a Hollywood, insieme alla nuova moglie Nicole: un'ex giornalista francese. L'incontro fra me e Nicole è commovente: l'ultima volta che ci vedemmo, l'ottobre scorso a New York, lei stava intervistando Salinger e io stavo intervistando Bob Kennedy. Ci abbracciamo dicendo quanto è diversa la gratitudine umana: Salinger perse le elezioni e sposò Nicole, Bob Kennedy le vinse e non sposò affatto me. Non era più giusto che Bob sposasse me anziché Pierre sposasse Nicole? Io a Bob avevo portato fortuna, lei a Salinger no. Nicole è qui da tre mesi: sposò Salinger il giugno scorso a Parigi. Ha un'aria smarrita, perduta in una costante sorpresa, ricorda ben poco la fanciulla sofisticata e un po' cinica che incontravo in Italia, a Parigi. «Il fatto» mi dice «è che non riesco ad abituarmi, passo di sbalordimento in sbalordimento.» Poi accende due lampade vicino al divano e nel soggiorno si diffonde, insieme alla luce, un concerto. «Oddio, Nicole! Cosa è?» «La Terza di Brahms.» «D'accordo, ma da dove viene?» «Dai paralumi. È un nuovo sistema stereofonico.» Per cena Nicole ha cotto il tacchino e Pierre deve tagliarlo: d'un tratto in cucina si ode un grande fracasso, come

una sega elettrica o una perforatrice in azione, ed è Pierre
che taglia il tacchino: col coltello elettrico. «Ho sete» dico
annaspando. Nicole si avvicina a una specie di calcolatore
elettronico, mi versa un bicchiere di acqua. «Oddio, Nicole! Cosa è?» «È l'apparecchio per rendere l'acqua più
saporita.» «Più saporita?!?» «Sì, più salata, frizzante. Avviene un procedimento elettrico per cui l'acqua diviene
più saporita.» La cena, graziaddio, è tranquilla. La conversazione si svolge, come avviene spesso in America, sulla famiglia reale: i Kennedy, insomma. Warren ha in testa
un film su John Kennedy ma è incerto se farlo proprio su
John Kennedy oppure su un personaggio ispirato a John
Kennedy, Bob Kennedy, Ted, e lo stesso Lindsay. Salinger
dice di preferir quest'idea: fare un film su John Kennedy
oggi è prematuro, si rischia di cadere nel culto, nel mito,
dimenticare che il presidente era un uomo. E va da sé che
chiunque vedrà nel personaggio inventato John Kennedy:
nella struttura del volto Warren gli assomiglia abbastanza,
non a caso quando fecero un film su un episodio della sua
gioventù lo stesso Kennedy chiese che a interpretarlo fosse
Warren Beatty. La cosa poi non avvenne pel rifiuto di Warren cui non piaceva la sceneggiatura. «Non è vero, Warren?» «Eccome. Però Mayer credeva che mi rifiutassi per
antipatia verso Kennedy e un giorno mi mandò a chiamare, mi disse: "Bada, è simpatico, perché non te ne convin-
ci? Prendi un aereo, vai a Washington, passi un weekend
con lui e cambi subito idea". Pierre, che sarebbe successo
se fossi venuto davvero?» «T'avremmo preso per pazzo»
dice Salinger e poi spiega che in questo episodio v'è tutto
lo spirito della California: la regione che meglio assomiglia
all'America di cento anni fa, quando tutto era possibile,
tutto era permesso. La California è ancora il Far West, il
sogno degli americani che cercano l'oro, il luogo dove non
si accettano ostacoli e leggi: l'ultima frontiera degli Stati
Uniti. C'è da controllare se un presidente è simpatico o

no? Molto semplice: si piglia un aereo e si va a passarci un weekend. Mayer ci credeva davvero e ci credono tutti coloro che vengono qui per fare fortuna: ma il bello è che la fanno sul serio, qui basta un'idea per diventar miliardari nel giro di pochi mesi. Tempo fa il losangelino più ricco era un tale cui era venuta l'idea di vender noccioline nei cinematografi, oggi è un tale cui è venuta l'idea di installare drive in per la vendita esclusiva di hamburger, polpette. Ha già venti milioni di dollari. In polpette. Sì, lo spirito dei grandi pionieri non è morto quaggiù: emigrano in California negri, intellettuali, avventurieri, analfabeti, scienziati, e più arriva gente più aumentano le necessità, più aumentano le necessità più arriva gente. Ecco perché Los Angeles è sviluppata a casaccio, senza un centro, senza logica, senza storia, va bene, ma che divertimento viver quaggiù! Ci si sente giovani, forti, e le industrie giovani, forti, il cinema, gli aeroplani, lo spazio non sono forse quaggiù? La capsula Apollo per andar sulla Luna non si costruisce forse quaggiù? Sì, è vero che in California tutto accade prima che altrove: giorni fa è venuto Bill Benton, presidente della Enciclopedia britannica, e ha detto d'esser venuto qui per sapere come sarà l'America nel 1970. Se vuoi diventar ricco, fratello, se vuoi regalarti il paradiso in Terra, fratello, non andare a New York o altrove: vieni a Los Angeles. Qui ti perdonano tutto, se miri al potere: perfin le sconfitte. Io, dice Salinger, persi le elezioni ma il giorno dopo avevo già un buon lavoro: offerto dai medesimi che avevan finanziato la mia campagna. E il buon lavoro sapete qual è? Vicepresidente della United Airlines, la compagnia aerea, e presidente della Fox Overseas Theatre Corporation. La quale sapete che fa? Costruisce teatri in Sud America, in Africa, in Asia, in Europa (onde proiettarvi film americani) e produce film anche con l'Unione Sovietica. Attualmente Pierre Salinger sta preparando un *Boris Godunov* con l'intero cast russo e il protagonista americano. Regia di Peter

Ustinov, arrangiamento musicale di Leonard Bernstein.
Vieni in California, fratello. C'è l'oro.

## Le mancano i fantasmi

«Sei d'accordo, Nicole?» chiedo alla mia amica quando
due giorni dopo sediamo sulla piscina di un tale che possiede sessanta milioni di dollari e quattro anni fa non aveva
un centesimo. La piscina è immensa, sembra una piscina
olimpionica, e poi è tutta di marmo, circondata da un prato. È immenso anche il prato, il campo da tennis dove gli
altri invitati giocano a tennis, il parco di alberi rari. «Sei
d'accordo, Nicole?» «Sì» dice Nicole «e il nostro è un atteggiamento sbagliato. Veniamo qui con la nostra storia,
la nostra cultura, la nostra ironia, ci mettiamo a guardarli
dall'alto in basso, a prenderli in giro, a rinfacciargli il benessere, e non facciamo alcuno sforzo per capirli, inserirci
nel loro sistema. Con la scusa che non hanno da insegnarci
nulla. Non è vero, hanno da insegnarci qualcosa, ci hanno
già insegnato qualcosa: il coltello elettrico, la televisione
a colori, l'uva senza semi, la fuga dalla fatica. E così, malgrado lo sbalordimento, il disagio che è in me, io ne sono
attratta.» «E non ti manca nulla, Nicole?» Nicole leva il
volto privo di trucco, posa gli occhi sulla grande piscina, i
prati levigati perfetti, il campo da tennis, le bibite fresche,
col ghiaino che si spedisce per posta, in cubetti, tuffa un
piede nell'acqua che è riscaldata, nessuno nuota in un'acqua che non sia riscaldata, tende l'orecchio ad ascoltare il
silenzio. Quel silenzio da Genesi che ti raffredda le orecchie anche quando c'è rumore. Quel silenzio che c'è nel
deserto, nei luoghi dove non è passato qualcuno prima di
te e perciò sei così solo. «Mi mancano, ecco, i fantasmi.»
Esatto. I fantasmi, Nicole. I fantasmi di chi levigò i sassi
su cui camminiamo a casa nostra. I fantasmi di chi crede

ai sogni piccoli, e vive fra i topi. Nella mia casa di campagna, laggiù dall'altra parte del mondo, ci sono i fantasmi. Il fantasma del signor Carlo e della signora Amalia. A mezzanotte il signor Carlo si sveglia e comincia a camminare sul tetto, la signora Amalia si sveglia e va su e giù pel giardino. Mio padre dice che non è vero, che sono i topi sul tetto e i gatti in giardino. Ma io invece lo so che è vero, che sono i fantasmi. E mi mancano, a volte, mi mancano...

### Nulla da ricordare nulla per cui soffrire

«E a te, Jean, a te, Dusty, che manca?» Jean Negulesco e sua moglie Dusty sono tornati da un mese a Beverly Hills, dopo due anni di Spagna. In Spagna hanno anche una casa, a Madrid: calle don Ramón de la Cruz. Che ora hanno chiuso ed eccoli a Beverly Hills, dinanzi alla solita piscina, in costume da bagno: siamo in costume da bagno anche io e Duilio, ormai abbiamo imparato, tutte le volte che si va a trovare qualcuno si prende il costume da bagno, la cuffia, l'accappatoio di spugna, la crema antisolare. Poi si arriva e ci si spoglia immediatamente. «E a te, Jean, cosa manca?» «Mi manca la memoria che è laggiù, la sofferenza che è laggiù, la dignità che è laggiù. Qui non c'è nulla da ricordare, nulla per cui soffrire, e quindi non c'è neanche bisogno della dignità che ci vuole a ricordare, soffrire. E poi mi mancano i vecchi, i pallidi, i brutti. Qui sono tutti giovani, belli, abbronzati. Qui essere vecchi è colpa, è vergogna. Qui perfino i vecchi son giovani: mi annoia. E poi mi manca il pericolo, il pericolo che viene dall'andare in carrozza. Che gusto c'è a raggiungere New York con il jet, a ripetere che devi vivere dentro il tuo tempo, un tempo dove si va sulla Luna e si guida l'auto a dieci anni?» «E a te, Dusty, che manca?» «A me» dice Dusty «mancano i pizzicotti nel sedere. A Madrid non c'è un party cui vada senza che qualcuno mi tiri un pizzicotto nel sedere: sai, per complimento. Qui invece sono tutti gentili, garbati, e nessuno ti tocca, io non so come fece Frank Lloyd Wright a dire: se si inclinasse da un lato tutto il Paese, Los Angeles sarebbe il posto dove ciò che è libero da freni morali cadrebbe.» Non lo so nemmen io. Qui la gente è così pulita, così sana, così perbene. La loro anima è disinfettata come il loro corpo. Non si legge mai d'una rapina, un furtarello, le case hanno finestre grandi quanto intere pareti, porte sempre aperte, e nessuno ruba: non capisco, non so. Se un uomo sposato o una donna sposata si innamorano di un altro, di un'altra, chiedono immediatamente il divorzio: non capisco, non so. Se un tipo in Europa ha fatto parlare di sé per le sue bizzarrie qui se ne sta buono buono: non capisco, non so. L'altro giorno son capitata da John Barrymore jr., vecchia conoscenza romana, e sembrava un santo disteso a prendere il sole sulla spiaggia di Malibu. Muovendo serenamente la testa di capelli grigi (li ha proprio grigi e qua e là bianchi bianchi) mi ha parlato di Buddha, con cui aveva avuto, mezz'ora avanti, una conversazione. Parlando di Buddha m'ha offerto vino e sigarette che ho consumato da sola: lui non beve e non fuma. In un angolo c'era una zuppiera di rena e di terra con certi funghi da cui gli scienziati dell'UCLA ricavano non so quale droga ma i funghi eran secchi. Non capisco, non so. Io so solo che oggi sono felice, felice, felice: la televisione in camera da letto è stata accomodata. Quella col coso per cambiare i canali senza disturbarsi. È così bello, così comodo guardare la televisione dal letto. Lo fanno tutti e per questo Los Angeles è la città con la più bassa percentuale di neonati in America.

# Anche i divi hanno una mamma

Los Angeles, settembre

Ciò di cui non posso lamentarmi è come mi trattano qui. Mi trattano veramente bene. Stamani mi hanno perfino ammessa sul set del re e della regina perché li vedessi e stringessi loro la mano: un onore che non è mai capitato a nessuno, a nessuno, da quando è iniziata la lavorazione del loro ultimo film che si chiama *Chi ha paura di Virginia Woolf?* ed è tratto dalla commedia di Albee. Il re e la regina, superfluo specificare, sono Elisabetta e Riccardo; talvolta indicati come Elizabeth Taylor e Richard Burton, monarchi assoluti di questa regione dacché il loro esilio è finito. Ricorderete infatti che, quando erano amanti, la plebe li costrinse all'esilio sicché il re e la regina furon costretti a vagare di paese in paese, di città in città, Roma Londra Parigi New York, col loro peccato, i loro bauli, il loro grandissimo amore: ma alla fine l'amore trionfò, il re e la regina andarono al Messico dove divennero moglie e marito, e ora eccoli qui, trattati come si conviene. La loro villa ha ben tre piscine, che se ne fanno lo sa Iddio soltanto, e un poliziotto armato di una rivoltella che sembra un bazooka difende l'entrata del set su cui sta scritto "Strictly Forbidden", severamente proibito. Che emozione esservi ammessa. Ripeto: che onore. Quando il poliziotto ha abbassato il bazooka dicendo via libera ero veramente turbata, mi tremavan le gambe, mi ronzavan gli orecchi: c'è gente che pagherebbe qualsiasi prezzo per vedere quel set, ora vi racconto che cosa c'era. Bè, anzitutto c'eran tante

108

lampade con tanti fili e altri strumenti, poi c'era la macchina da presa, poi c'era come un appartamento che sarebbe l'appartamento di Martha e di George cioè di Elisabetta e Riccardo, i protagonisti del film, poi c'erano gli elettricisti, i tecnici del suono, insomma la troupe, poi c'era il regista che è un giovanotto di nome Mike Nichols, poi c'era un grande silenzio e in quel silenzio ho udito un rumore di passi, passi da re, ed è arrivato Riccardo: pensoso. Era appena arrivato che Nichols gli ha detto: «Ti presento Oriana, Riccardo», e allora Riccardo ha smesso d'esser pensoso e mi ha porto la mano dinanzi alla quale son rimasta un po' incerta perché non capivo se gliela dovessi baciare o stringere e basta. Gliel'ho stretta e basta e Riccardo m'ha detto, clemente: «Ahi, Oriana». Al che ho risposto, grata: «Ahi, Riccardo». Senza aggiungere altro sennò ci saremmo messi a parlare, parlando sarebbe venuto fuori che sono italiana e il re odia gli italiani: anzi li disprezza. Dice che gli italiani lo accusano sempre d'essere ubriaco e non scrivono invece che è un bravo scrittore: come dimostra il racconto da lui pubblicato su «Vogue» e che narra il suo primo incontro con Elisabetta, su una piscina di Beverly Hills, ormai dieci anni fa. In realtà il racconto è eccellente, io l'ho letto e ho concluso che Hemingway aveva ragione, aveva ragione anche Faulkner, uno può essere un buon bevitore e allo stesso tempo un bravo scrittore, ma al re non l'ho detto per le ragioni su esposte e mi son limitata a osservarlo: per vedere com'era al di là dell'intelletto. Bè, non è bello. Ma è grosso. Ha un grosso stomaco e un grosso torace e un grosso collo taurino, e sul collo taurino ha una grossissima testa con grosse guance piene di cicatrici per una malattia della pelle che ebbe da adolescente e gli ha lasciato tanti bucolini in cui si annida il cerone. Le braccia son piccole, corte come quelle di Marcantonio e per questo fece Marcantonio in *Cleopatra*, e di conseguenza incontrò Elisabetta.

## Il segreto della felice unione tra il re e la regina

Pensavo appunto questo, che a causa delle braccia corte Riccardo incontrò Elisabetta, quando è tornato quel
grande silenzio, nel silenzio s'è udito un rumore di tacchi,
tacchi da regina, e la regina è arrivata: col trucco da vecchia e i capelli grigi. M'è passata davanti come se fossi di
cellophane, ossia trasparente, non ha risposto nemmeno al
mio sorriso, ma il re le ha detto: «Almeno fermati, almeno
saluta, perdio» e allora lei s'è fermata. Appena lei s'è fermata lui ha detto: «Ti presento Oriana, Elisabetta» e lei ha
risposto al mio sorriso, un po' di malavoglia m'è parso, poi
ha alzato un piede: perché glielo baciassi, suppongo. Non
gliel'ho baciato e se n'è avuta a male, m'è parso, in quanto
ha mormorato «Ahi, Oriana» con l'aria di farmi un grande
favore, io ho risposto «Ahi, Elisabetta» e nient'altro: sempre per evitare la confessione d'essere italiana. Anche la
regina odia gli italiani, anzi li disprezza. Dice che gli italiani le hanno attribuito una grave menzogna: quella secondo
la quale lei avrebbe affermato: «Non è vero che Riccardo
resti mio marito per sempre, litighiamo parecchio e può
darsi che un giorno mi prenda un sesto marito per la vec-
chiaia». Esaurito il nostro colloquio perciò mi son messa a
osservare anche la regina, che è ingrassata. Mike Nichols
ha preteso che guadagnasse otto chili per sostenere il ruolo
di Martha, una donna matura, un poco disfatta, e la regina
ne ha guadagnati anche dieci. Ha grasso anche il mento
che Mike Nichols voleva doppio e infatti lo è: ma ciò non
sciupa per niente il suo viso che quanto a visi resta il più
bello che uno possa guardare. Resta bello anche con le
rughe, coi capelli grigi e a questo proposito va detto che a
Mike Nichols bastava una parrucca: lei volle scolorire i capelli. Ciò dimostra grande coraggio e induce a perdonare
le sue debolezze. Tra le sue debolezze c'è quella di urlare:
«Riccardooo! Dov'è Riccardooo!», ogni volta che il re si

allontana. Urla fin quando lui torna e dice: «Che c'è, tesoro, che c'è?». La regina ha una voce acuta, di ventre. Il re invece ha una voce bassa, di gola. Tutti dicono che a causa di questo la regina è una vera femmina, il re è un vero maschio, a causa di questo si amano tanto, stanno insieme anche nei film, fanno insieme capolavori come *Cleopatra* e *The Sandpiper*.

## Lo *star system* è sempre di moda

L'altro giorno sono andata a vedere il loro ultimo film per cui l'America intera impazzisce: *The Sandpiper*. Un autentico capolavoro, ora ve lo racconto. C'è Elisabetta che è una pittrice di uccelli e in particolare di uccelli chiamati "sandpipers": una specie che sta sulla spiaggia dell'oceano Pacifico. Dipingendo sandpiper Elisabetta vive sull'oceano Pacifico, da beatnik, insieme al figlio illegittimo il quale è figlio di un tale che lei non amava e perciò onestamente non volle sposare. Poi c'è Riccardo che è un prete anglicano, di quelli che hanno la moglie, e vive insieme alla moglie (Eva Marie Saint) e i due figli legittimi. Inoltre dirige una scuola con la cappella dove tiene i sermoni. Elisabetta non vuole che il figlio frequenti la scuola con la cappella per i sermoni ma il municipio ce la costringe e così accade che Elisabetta conosce Riccardo il quale ne resta immediatamente turbato in quanto Elisabetta è bellissima in questo film: tutta magra e abbronzata, coi capelli neri sciolti lungo le spalle. Accade anche che i due fanno subito un grande litigio, sul modo di educare i bambini eccetera, finché Elisabetta va via sbatacchiando la porta e dicendo che la morale non esiste, non c'è. Riccardo resta ancor più turbato e decide di andare a trovarla: con la scusa del figlio s'intende. Entra senza bussare e trova Elisabetta che posa nuda per uno scultore; lo scultore fa una statua di legno. Subito Elisabetta si copre nei punti più delicati ma lo scultore non copre la statua di legno e Riccardo si accorge lo stesso di quanto sia bella la sua Elisabetta anche nei punti più delicati. C'è un momento di grande imbarazzo e lo scultore va via: lasciandoli soli. Elisabetta si veste, dietro un paravento. S'è appena vestita che entra nella stanza un sandpiper, con un'ala rotta. Elisabetta lo prende e gli ingessa l'ala: con uno stecchino e un cerotto. Ciò commuove enormemente Riccardo il quale le chiede: «Ma perché dipingi soltanto gli uccelli?» e le offre di fare i bozzetti delle vetrate della sua cappella. Elisabetta fa un mucchio di storie poi accetta e da ciò ha inizio il loro grandissimo amore. Si vedono sempre, per controllare i bozzetti, e una sera finiscono a letto, dinanzi a un gran fuoco perché lei ha sempre freddo e ripete: «Scaldami, scaldami». Riccardo perde la testa. La perde a tal punto che, invece di andare a San Francisco a un convegno di preti anglicani, mente alla moglie e va da Elisabetta che nel frattempo ha smesso di dipingere uccelli e dipinge Riccardo. Stanno insieme tre giorni e al terzo giorno il sandpiper guarisce, spicca il volo verso l'azzurro mentre Elisabetta e Riccardo guardan felici. Sono così felici da farci pensare che Riccardo divorzierà dalla moglie per sposare Elisabetta ma purtroppo interviene il padre del figlio di Elisabetta e succede lo scandalo. Eva Marie Saint grida a Riccardo: «Ti odio, ti odio!» e la Commissione per le vetrate ritira la decisione di costruir le vetrate. Allora Riccardo si veste per l'ultima volta da prete, sale sul pulpito della cappella rimasta senza vetrate e tiene un sermone sul peccato: presenti la moglie, vestita di bianco, ed Elisabetta, vestita di giallo. Poi fa le valigie, sale sulla sua giardinetta, e pianta tutte e due partendo finalmente alla volta di San Francisco. Il pubblico piange, io non ho pianto e ho chiesto spiegazioni a Vincente Minnelli, regista di *The Sandpiper*. O meglio, sono andata a una festa di Vincente Minnelli e sua moglie Denise, qui ho visto Vincente Minnelli e gli ho chiesto spiegazioni sul film. La festa

era al Bistro, un ristorante alla moda da quando Sinatra ci
ha dato una cena, ha insultato i suoi ospiti e l'indomani ha
spedito a ciascuno un telegramma che diceva: «Ripeto e
confermo tutto quello che ho detto. Sinatra». Era una festa
in abito lungo e gioielli, per far piacere a Denise che ha la
mania dei gioielli, e come spesso accade in circostanze del
genere era mortalmente noiosa. Così mi sono appartata con
Vincente e gli ho detto ciò che mi bruciava la lingua. Vincente è un signore quieto, gentile. Ha subito tirato fuori un
portasigarette in oro massiccio, tempestato di zaffiri e l'ha
aperto: dentro era inciso "Vincente, se c'è stato qualcosa di
buono è stata la tua grazia. Firmato, Elisabetta e Riccardo".
«Capisco,» ho annuito «ma lei non ha avuto neanche un
momento di esitazione prima di accettare quel film?» «Oh,
no!» ha detto Vincente. «Come no?!» «No. Nessun regista
ne avrebbe con Elisabetta e Riccardo. Da soli essi fanno il
successo di un film.» «Anche con una simile storia?» «Sono
loro che hanno scelto la storia, anzi l'hanno comprata. A loro sembrava stupenda.» «E al regista?» «Il cinema qui non
è opera d'arte, è commercio, e più che alla storia un regista
bada ai divi che interpreteranno la storia. Lo star system è
ancora validissimo qui e, considerato che un film costa sempre dai quattro agli otto miliardi di lire, non possiamo che
rallegrarcene.» Dio, non è pauroso che la regione più ricca
della Terra, la più comoda, la più democratica, non sappia
rinunciare ai monarchi, ai dittatori, ai miti, e non avendone
spontaneamente li inventi, li allevi, li nutrisca, li esporti?

*Tutti uguali nella paura*

«Lo è» dice Mike Nichols, giovanotto brillante, prodotto
di Broadway, al suo primo film con Elisabetta e Riccardo.
«Lo è e qui sta il suo errore: nell'aver visto Los Angeles solo in chiave di comodità, di benessere. La realtà dominante

qui si chiama paura. Perché crede che tutti siano garbati, carini, con lei? Perché hanno paura, meno conoscono lo straniero che arriva, più hanno paura. È successo lo stesso con me: non ho mai ricevuto tanti inviti, sorrisi, come in questa città. Non sanno neanche chi sono, Broadway è così lontana, ma se fossi importante? Se lo diventassi? Meglio avere paura, trattarmi coi guanti. Guardi: i soli che non hanno paura sono Elisabetta e Riccardo. Non v'è nessuno in America, nessun uomo politico, nessun generale, nessun miliardario, che sia più potente di Elisabetta e Riccardo. Essi non sono il re e la regina di Hollywood, sono il re e la regina d'America; io mi stupisco come, sapendo questo, essi non siano molto più crudeli. Mi stupisco che siano così puntuali, che prendano tanto sul serio il loro lavoro, che non si concedano assenze, capricci, come fa Marlon Brando o faceva Marilyn Monroe. Tanto qualsiasi cosa è loro permessa: esser grassi, villani, mangiar la cipolla e poi andare dal presidente. Hanno in mano il potere, il successo che viene a guadagnare un miliardo per film. E il successo, ha detto Elisabetta, è un deodorante meraviglioso.» Oh, se almeno mi trattassero male. Se potessi a cuor leggero accusarli, insultarli.

## Un Paese di sportivi non di amatori

Macché. Basta che gli telefoni perché dicano venga, vieni, portati il costume da bagno: e sei fritto. Stamani ho telefonato a un'ex regina appena rientrata alla corte di Hollywood, Lauren Bacall. Un'ora dopo ero già sulla spiaggia di Malibu, ad ascoltare un suo capitale problema: il fatto che le attribuiscano quarantasett'anni mentre ne ha solo quaranta. «Il guaio di dimostrarne venticinque quando ne hai solo diciotto è che ventidue anni dopo la gente aggiunge ventidue a venticinque e conclude che ne hai quarantasette. Io ne ho quaranta e, accidenti, non uno di più.» L'ex regina stava in costume da bagno: per prendere il sole e convincermi che «qualche muscolo cede, d'accordo, però sono quaranta e non uno di più». Le ho immediatamente creduto in quanto in costume da bagno l'ex regina è una bellissima donna e subito ci siamo addentrate in un altro capitale problema della sua vita: il fatto che essa abbia un'età inadatta alla Hollywood d'oggi. «Ero troppo giovane per appartenere alla Hollywood di George Cukor e John Huston e son troppo vecchia per appartenere alla Hollywood di Mike Nichols, di Kubrick, Bob Mulligan, Frankenheimer, insomma i tipi della *Nouvelle vague*. Il fatto è che continuano a identificarmi, accidenti, con la generazione di Bogart, Sinatra, gente che potrebbe o che avrebbe potuto essermi padre, forse perché invece di restare qui me ne andai: morto Bogey vendetti la villa di Brentwood e presi a vagare per l'Europa. Londra, Parigi, Roma, Madrid. Ero piena di dolore, accidenti. Non è uno schifo, accidenti, che un uomo muoia a cinquantasett'anni di cancro? Ed ero stata così felice con Bogey, avevo avuto quindici anni perfetti. Poi approdai a New York, la città dove son nata. E qui trovai Jason Robards.» Robards, come tutti sanno, è il nuovo marito dell'ex regina che è vedova di Humphrey Bogart. È incominciata una gran discussione sulla somiglianza che lega Jason Robards a Humphrey Bogart e per poco non ci siamo picchiate. Lei diceva che i due non si assomigliano affatto: è diversa la struttura del volto, è diverso il carattere, se il mondo la facesse finita di dire la Bacall ha sposato Robards perché assomiglia a Bogart. Robards è timidissimo, liberale, moderno: Bogey era duro, puritano, antiquato. Aveva i paraocchi come un cavallo, non sapeva transigere, sai perché la sposò? Perché era innocente, insomma non aveva avuto altri amori prima di lui. La rivelazione mi ha molto colpito in quanto è la seconda volta in tre mesi che una diva me ne rende partecipe: il fatto d'esser stata vergine quando si sposò eccetera eccetera amen. La prima volta me lo disse Ava

Gardner, alludendo al suo matrimonio con Mickey Rooney: straordinario il passato di purezza che hanno da offrire le donne fatali in America. L'ho detto anche all'ex regina e lei m'ha risposto che in materia di sesso in America si è assai più perbene che in Europa: a Hollywood non si è disinvolti cioè sudicioni come in Europa. A Hollywood i costumi son rigidi e quando una è inquieta si mette a nuotare, a giocare a golf, ad andare a cavallo: e si calma. Questo è un Paese di sportivi non di amatori. L'ex regina sembrava convinta di stare nel giusto. Per dare più forza alla sua tesi m'ha presentata la figlia Leslie che ha tredici anni e nacque dal suo matrimonio con Bogart, m'ha fatto vedere com'è alta e graziosa, m'ha annunciato che l'anno prossimo la chiude a chiave in collegio. Poi m'ha detto d'esser molto contenta di avere una femmina e basta, gli altri due graziaddio sono maschi e faranno i comodi loro. Il maschio maggiore si chiama Stephen, ha sedici anni ed è nato anche lui dal matrimonio con Bogart; il maschio minore si chiama Sam, ha tre anni e mezzo ed è nato dal matrimonio con Robards. Parlando di loro e di Hollywood (l'ex regina ama Hollywood nella stessa misura in cui odia New York e non è d'accordo per niente coi tipi come Mike Nichols), abbiamo fatto le tre del pomeriggio. Il sole bruciava e io sentivo come un disagio, una sottilissima noia, una gran voglia di tornare a New York. Sarà anche sano passare la vita al sole, nell'acqua, in costume da bagno, fra gente graziosa, gentile, felice, che ha paura di te: ma alla fine rimpiangi l'inferno. Oltretutto all'inferno non mandi i fiori. Qui invece appena ti fanno un sorriso devi mandare un mazzo di fiori. È la regola. Il fiore preferito è il crisantemo. Ogni crisantemo costa cinque dollari. Ho speso fin oggi duecentocinquanta dollari di fiori, anzi di crisantemi. E devo ancora vedere le mamme.

## Le mamme negre non fanno domande

L'Associazione mamme degli attori ha indetto una riunione apposta per me: si svolgerà a casa dell'attore George Hamilton la cui mamma, Anne Spaulding, ha organizzato eroicamente ogni cosa. Se c'è al mondo una cosa che Anne non può soffrire, questa è l'Associazione mamme degli attori: ma l'Associazione è molto potente e se si accorgesse che Anne la pensa in tal modo potrebbe fare del male a George. Ecco dunque che arrivano, coi loro vestiti bianchi, rosa, azzurri, giallo limone, i loro capelli viola, le loro rughe incipriate: le avete già viste a via Veneto, sugli Champs-Élysées, dinanzi a Buckingham Palace, quando vengon d'estate in Europa a spendere i soldi del marito morto per attacco cardiaco. Tremende. C'è la mamma di Ginger Rogers e la mamma di Tyrone Power, la mamma di Fred MacMurray e la mamma di Jack Lemmon, la mamma di Tony Curtis e la mamma di Doris Day. Nelle assemblee generali raggiungon la cifra di cento: se ci va anche la mamma di Gary Cooper che ha novantaquattr'anni. E che fanno? Bè, discutono. Su cosa? Bè, sui loro bambini. E perché? Per difenderli. Da cosa? Bè, dai produttori, dai giornalisti. E come? Con gli avvocati. Non ridete, per carità. Guardate com'è bianca Anne Spaulding, con quale premura offre i pasticcini con poche calorie, il caffè con lo zucchero liquido che si versa a gocce e non fa ingrassare. Non ridete, soprattutto, di questa grassona che fissa con occhi cattivi e mi dice: «Siamo le mamme della gente più famosa del mondo, più affascinante del mondo». È la presidentessa, è Maria Haver, mamma di June Haver. Sì, quella che si fece monaca e poi buttò il velo alle ortiche, sposò MacMurray. «Siamo una associazione molto esclusiva: nessuna mamma è accettata se il figlio o la figlia non hanno fatto almeno tre film di successo.» «Siamo rigidissime: non tolleriamo scandali, cattivi costumi. Le domande

117

a volte giaccion per mesi in attesa d'esser accolte.» «Bè, non ha nulla da chiederci?» Mi scuoto, rispettosamente domando: «Mamme negre ne avete?». «Negre?! Chi ha la mamma negra?» «Sidney Poitier è nato da una mamma negra. Sammy Davis jr. è nato da una mamma negra. Dorothy Dandridge è nata da una mamma negra. Diahann Carroll è nata da una mamma negra...» «Nessuna di loro ha mai fatto domanda per essere ammessa» risponde, paonazza, Maria Haver. Anne Spaulding invece è pallidissima. Domani dovrò mandarle due dozzine di crisantemi.

## Biglietto di ritorno per l'inferno

Ho deciso di andarmene, tornare a New York. Sarò ingrata, sarò pazza, me ne pentirò, ma voglio tornare all'inferno. «E tu, George?» Seduto sul bordo della piscina impreziosita da false statue romane, le spalle rivolte alle mamme che se ne vanno stizzite, in un avviar di motori, Rolls-Royce, Chevrolet, Cadillac, ma che insolente quella italiana, che maleducata, George Hamilton annuisce: «Hai ragione». George è un bravo ragazzo malgrado a vederlo sembri un playboy, e non è affatto scemo malgrado nuoti fra false statue romane, viva in questa casa di lussuosissimi orrori, candelabri, velluti, tendaggi di raso: apparteneva a Douglas Fairbanks che la costruì per Gloria Swanson. I miliardi che gli attribuiscono e che si attribuiva all'inizio per pubblicità non son mai esistiti, ha lavorato parecchio per arrivare fin qua e poi i suoi gusti non sono cattivi: stretto fra Scilla e Cariddi quando girava al Messico *Viva Maria*, cioè diviso tra le attenzioni di Brigitte Bardot e Jeanne Moreau, scelse la Moreau. Anzi, a quanto capisco, se ne innamorò: mi pare un poco depresso all'idea che essa non si sia fatta più viva, non gli abbia scritto neanche una cartolina. «Hai ragione» ripete. «Me ne vado anch'io, non ne posso più di star qui. Ogni volta che torno mi sento in trappola. Lo so, Hollywood m'ha dato tutto, anche troppo, ma non si può vivere eternamente nel troppo come fanno quaggiù. Rimbecillisce, diminuisce, io sento che se non me ne vado non diventerò mai un vero uomo, non sarò mai rispettato. La gente non rispetta come viviamo qui, non stima i dandy che muoiono elegantemente su un'auto da corsa alle sei del mattino. Che i re e le regine si prendano tutte le piscine del mondo, anche la mia: io faccio fagotto. Ho chiesto di andare a recitar nel Vietnam per vedere coi miei occhi cosa accade laggiù. Sono andato dal direttore di Harvard e gli ho chiesto di ammettermi almeno per quattro mesi ai corsi di storia economia filosofia: come interno. M'ha detto va bene, che mi accetterà, e ciò mi toglie vergogna.» «Vergogna di che?» «Dell'Associazione mamme degli attori. Delle cose che hai visto con tanto disprezzo: i teatri di posa dove è impossibile entrare, la cortesia da pagare coi crisantemi, il telefono sopra il water closet.» «Ma no, cosa dici, suvvia…» E intanto frugo dentro la borsa, cerco il mio biglietto d'aereo, per assicurarmi di non averlo perduto.

# Principesse in passerella

Sono tornata a New York e ho cambiato casa. La mia casa, ora, è al ventunesimo piano di un grattacielo nello stesso quartiere della ragazza di Hong Kong. Non dico l'indirizzo sennò Jack Jackson mi trova, ricordate Jack Jackson, il tipo che voleva farmi la pelle e per questo comprai una Smith & Wesson calibro .38. Non dico nemmeno quello che costa, la mia nuova casa, perché ogniqualvolta lo dico mi sento male e devo chiamare il dottore. Anzitutto il dottore va prenotato con grande anticipo. Voglio dire che non puoi averlo subito, appena ti senti male, devi indovinare quando ti sentirai male e per quel giorno prenotare il dottore. Quando l'hai prenotato, attraverso la sua segretaria, lui ti chiama e chiede cos'hai. Qualsiasi cosa tu abbia lui dice prenda un'aspirina e ciò costa dieci dollari tondi Quando hai preso l'aspirina e sei morto, oppure sei guarito del tutto, cominci ad aspettare il dottore che il giorno fissato arriva, con l'aria di farti un grande favore, e senza dirti cos'hai ti dà una ricetta: ciò costa trenta dollari tondi.

La ricetta la mandi al drugstore che non è una farmacia ma un negozio dove si comprano calze di nailon, cartoline, balocchi, profumi francesi, giornali, latte, gelato e oltre a essere un negozio è uno snack bar dove si mangia e si beve. Passano alcune ore e il drugstore ti fa avere una boccettina sulla quale c'è scritto soltanto il tuo nome e cognome e un *per*. Ad esempio: «Per Oriana Fallaci». Dentro ci son tante pillole dai meravigliosi colori e non sai cosa sono. Non lo sai e non lo saprai mai, né il dottore né l'uomo del drugstore ritengono che tu ne abbia il diritto: ecco il motivo per cui non voglio chiamare il dottore e non dico quello che costa la mia nuova casa. Dico solo che è una casa immensa per una persona sola a New York: infatti è composta di ben due stanze e i servizi. L'ho subaffittata dalla divorziata di Boston, una bionda che ci stava insieme alla figlia e che mi ha lasciato i suoi mobili: tre lumi indiani, due poltrone di vimini a forma di uovo, un cassettone cinese, un letto, un divano, un tavolino rotondo di ferro con tre sedie coloniali dipinte di azzurro, l'arredamento normale, mi dicono, di una normale casa a New York. La divorziata di Boston mi ha lasciato anche due bauli, trentasette fra vestiti e cappotti, un numero indeterminato di scarpe reggiseni cappelli: il tutto ammassato in mezzo al soggiorno insieme a un biglietto che diceva: «Prego consegnare al sovrintendente». Ho chiamato il sovrintendente e poco dopo qualcuno ha aperto la porta, è entrato in casa senza dire permesso: è lui che possiede le chiavi di ogni appartamento e può entrare perciò quando vuole. Di giorno, di notte. Infatti ho gridato come si permette, dico, di avere le chiavi della mia casa, di entrare così, e lui ha detto offeso è la Regola, è la Regola ovunque a New York: queste chiavi mi servono per venirle in soccorso se lei si sente male, per pigliare il cadavere se lei muore e nessuno lo sa, per bruciare ogni cosa se lei non paga l'affitto anticipato entro il primo del mese. Dopodiché ha guardato la roba della divorziata di Boston e ha detto: «Io brucio ogni cosa». Proprio come il sovrintendente della ragazza di Hong Kong.

Anche questa, ho capito, è la Regola. Una regola che superi solo pagando venti dollari tondi di mancia, e pagando capisci perché a New York ci son tanti incendi, il sibilare delle autopompe ti ferisce in continuazione le orecchie, i pompieri si danno delle arie quando passano ritti nelle loro uniformi, attraversano strade col semaforo rosso: per andare a spegner le fiamme dei sovrintendenti che bruciano tutto, e questa è Regola. È la legge di una società che non ha più tempo per occuparsi di te, te individuo, e così ti punisce. Se tu individuo ritardi a pagare o dimentichi un baule, un cappello, la società non ti denuncia per insolvenza, non ti mette da parte il baule, il cappello: la società ti punisce bruciando ogni cosa, è più sbrigativo, mi spiego. E solo al momento in cui l'incendio dilaga, divien qualcosa di collettivo, che riguarda anche gli altri, ecco i pompieri, le autocisterne, il perdono.

Subito dopo aver salvato la roba della divorziata di Boston con quella mancia di venti dollari tondi mi sono accorta che non avevo telefono: in quanto la mascalzona se l'era fatto tagliare per insolvenza. Non c'era neanche, mi spiego, l'apparecchio fuori servizio. Mi son messa a strillare, sconvolta, e il sovrintendente m'ha detto: che le prende, che strilla?, poi è uscito, ha chiamato la Telephone Company, e dopo neanche mezz'ora è arrivato un omino con cinque scatole uguali. Ha aperto una scatola e ha tirato fuori un telefono rosso. Ne ha aperto un'altra e ha tirato fuori un telefono giallo. Ne ha aperta un'altra e ha tirato fuori un telefono verde. Poi un telefono rosa, poi un telefono azzurro. Li ha messi in fila sopra il divano e m'ha chiesto di che colore lo preferivo: se volevo c'era anche avana. Ho risposto avana e m'è parso sorpreso: i colori che vanno a New York sono il rosso il rosa e l'azzurro. Così è andato, è tornato con due telefoni avana, è entrato in camera, e nel giro di dieci minuti ha installato un telefono con ben cinque metri di filo: onde potessi spostarlo nel bagno, in cucina, e volendo anche nel soggiorno. Poi m'ha chiamato, m'ha chiesto se il filo era lungo abbastanza, e dove metteva il secondo apparecchio. Ho risposto a che serve un secondo apparecchio e di nuovo m'è parso sorpreso: a New York nessuno tiene solo un apparecchio, di solito se ne tengono tre, tanto ogni apparecchio supplementare costa soltanto nove cent in più al mese. Tre mi sembravano troppi e ci siamo messi d'accordo su due.

L'omino ha installato il secondo nel soggiorno, con un filo ancora più lungo dell'altro, e poi ha detto buongiorno vo via. Ma quando potrò telefonare, gli ho chiesto, quando mi daranno una linea, un numero, un... «Ma la linea c'è già» ha risposto l'omino «e anche il numero, può telefonare in qualsiasi momento!» Ecco, l'America è questa. Anche questa. Un Paese dove il sovrintendente del tuo grattacielo ha le chiavi della tua casa e può entrarci in qualsiasi momento. Un Paese dove nel giro di trenta, quaranta minuti, puoi avere un telefono, un numero, una linea, e usarlo.

## All'inferno ma in automobile

L'America è anche il Paese di Heckel, la mia cameriera: prezzo, due dollari l'ora. Una sciocchezza se pensi che molte pretendono tre dollari l'ora, più la benzina per la loro automobile: ogni cameriera usa la sua automobile per venire a lavare i piatti. Heckel è negra e assai religiosa: appartiene alla chiesa avventista che, a quanto ho capito, è una setta molto severa e per nulla ti minaccia l'inferno. Vai all'inferno ad esempio se lavori di sabato, vai all'inferno se mangi i crostacei e i fegatini di pollo, vai all'inferno se ogni ora non canti le lodi del Signore. Heckel, che non andrà mai all'inferno, canta sempre bellissimi blues e se le dico Heckel, per carità, non cantar così forte, sto telefonando, scrivendo, si getta per terra e incomincia a mugolare: «Satana! Satana!».

Ultimamente ha scoperto che sono drogata perché bevo Coca-Cola e caffè: uno, dice, comincia con la Coca-Cola, il caffè, e finisce con le iniezioni di eroina e morfina, fece così anche suo zio Samuele. Quando poi ha notato che bevo anche il vino ha concluso che non solo sono drogata, sono alcolizzata: e voleva lasciarmi. Per trattenerla ho dovuto donarle dieci dollari tondi, da versare nella cassetta delle elemosine della chiesa avventista, e nascondere il vino tra i libri: come facevano ai tempi del proibizionismo. Non capisce che faccio, da dove vengo, chi sono, non sa dove è l'Italia, mi tormenta sempre per sapere come trattiamo i negri in Italia, poi scuote la testa se dico che non ci sono negri in Italia. Se non ci sono, commenta, vuol dire che li avete tutti sterminati.

A vederla sembra un personaggio della *Capanna dello zio Tom*: con quel grande naso che va da orecchio a orecchio, quella grande bocca che si accende nel nero di bagliori bianchissimi, i denti, quel grande corpo sempre fasciato di giallo. In realtà è una donna moderna, esigente. Ha preteso che le comprassi l'aspirapolvere perché scopare il pavimento all'antica è "da selvaggi" e vorrebbe la macchina per lavare i piatti; il forno della mia cucina che è un forno bellissimo, col campanello e tutto, le sembra «assai primitivo», e così il fornello del gas che si accende con il fiammifero, non automaticamente. Si occupa attivamente dei *civil rights*, tiene comizi per dire che il presidente degli Stati Uniti dev'essere negro, e sa tutto quello che accade in città. È lei, Heckel, che m'ha fatto arredare la casa coi mobili del Savoy Plaza.

## Si vende il letto di Zsa Zsa Gabor

Il Savoy Plaza è anzi era l'albergo all'inizio di Central Park, all'angolo fra la Cinquantottesima e la Fifth Avenue. Fu costruito nel 1927 e lo consideravano uno degli alberghi più lussuosi del mondo: il re del Nepal, la regina d'Olanda, lo scià di Persia, Rafael Trujillo, Joseph P. Kennedy ci avevano l'appartamento: coi saloni di rappresentanza e i camerieri privati. La General Motors lo ha comprato insieme al Madison Hotel e gli altri edifici che vanno fino a Madison Avenue per costruirci un quartier generale: cinquanta piani in vetro e alluminio.

Così, da sei mesi, il Savoy Plaza si sta smantellando: piano per piano, come una gran forma di cacio mangiata giorno per giorno dai topi. Ma i proprietari han deciso di farci un guadagno e anziché vendere in blocco l'arredamento delle mille stanze, le trentaquattro suite, hanno formato una società, dice Heckel, che ha nome Savoy Fifth Avenue Company: onde vendere tutto ai privati. Tutto, a pezzetti. Lenzuola, mobili, posacenere, lumi, posate, tendaggi, materassi, ninnoli preziosi, porcherie. Tutto insomma: a prezzi di grande favore e via via che la General Motors smantella un altro piano.

Certi oggetti sono andati a ruba. Il letto azzurro di Zsa Zsa Gabor, ad esempio. Zsa Zsa aveva tre letti: uno azzurro, uno rosa, uno verde. Il più grande era quello azzurro, dove dormiva insieme a Porfirio, ai tempi della loro passione. Al Savoy Plaza costava millequattrocento dollari: lo hanno venduto per meno della metà. La scalinata che conduceva, mi pare, ai saloni di Adolph Zukor, l'ha comprata invece un marchese Gerini per la sua villa a Roma. Le suite di Groucho Marx, Frank Sinatra, Peter Lawford le ha comprate il milionario Jack Fink per la sua villa alle Bahamas. Un industriale cinese, da poco convertito al cattolicesimo, ha comprato due candelieri di bronzo da cinque milioni di lire: per donarli alla chiesa di San Paolo l'apostolo dove verranno consacrati durante la visita del papa. Un proprietario d'albergo ha comprato centocinquanta milioni di lenzuola e così, cento milioni qui, duecento là, cinquanta qua, dice Heckel, la Savoy Fifth Avenue Company ha realizzato dopo undici piani il doppio di ciò che avrebbe realizzato vendendo in blocco l'intero albergo di trentatré piani. Che mi sbrigassi altrimenti non trovavo più nulla.

Sono subito andata e di roba ce n'era ancora a quintali. La presidentessa della società, una bella ragazza di trentaquattr'anni che ha nome Cecilia Benattar, mi ha subito offerto il letto rosa dove Zsa Zsa dormiva con Conrad Hilton, suo legittimo sposo. Costava soltanto seicento dollari tondi, in quanto Hilton era suo legittimo sposo. Poi, siccome il rosa non m'è mai piaciuto, m'ha offerto una collezione di giade azzurre su cui non ci siamo trovate d'accordo. Non ci siamo trovate d'accordo neanche sulla scalinata di marmo che conduceva al salone da ballo, e neanche sugli armadi in stile gotico dove Marlene Dietrich teneva i vestiti. Allora siamo scese nella hall che è ormai trasformata in un grande magazzino e ci siamo messe d'accordo su due poltroncine dove s'eran seduti Charlie Chaplin e Oona O'Neill, due tavolini per i miei lumi indiani e che eran serviti a Rodgers e Hammerstein, una scrivania dove Gloria Vanderbilt firmò un giorno un assegno, un bauletto dove Steinbeck teneva i giornali, infine un servizio di posate che in qualche occasione ha certamente servito uno dei sette presidenti degli Stati Uniti che abitarono più o meno brevemente al Savoy Plaza.

Nessuno di quegli oggetti supera i cinquant'anni di vita: ma è opinione comune che la mia casa sia un vero museo e sono costretta a ricevere visite. L'altra sera è venuto anche Warren Beatty, di passaggio da New York. M'ha chiamato al citofono e s'è messo a strillare: «È vero che hai la poltrona di Charlie Chaplin?». «È vero» ho risposto. «Salgo a vederla.» È salito e v'è rimasto seduto due ore. Teneva in mano i cucchiaini d'argento e diceva: «Chissà se con questo ci ha preso il caffelatte Franklyn Delano Roosevelt». Accadono cose così strane a New York.

## Napoli e Capri al nono piano

Accade ad esempio che la statua di cera di papa Pacelli sia stata rimossa dalla cattedrale di Saint Patrick dove stava sotto la navata centrale entrando a sinistra, e portata da Gimbels: il gran magazzino sulla Trentaquattresima strada che da un mese vende merce esclusivamente italiana, all'insegna di "Italia Romantica". Non è in vendita, ovvio: si tratta di un prestito molto garbato che il cardinale Spellman ha permesso per i buoni rapporti col governo italiano che è interessato al successo di Gimbels.

A New York però se ne parla come da noi si parlava della *Pietà* quando venne rimossa dalla sua nicchia in San Pietro e condotta via mare alla Fiera. E se da Gimbels la statua si rovinasse, si liquefacesse? I newyorkesi di statue non ne hanno mica da buttar via come noi italiani. Di statue che c'è, qui a New York? C'è quella di padre Duffy, cappellano della Quarantaduesima divisione di fanteria durante la Prima guerra mondiale: di bronzo, in mezzo a Times Square. C'è quella di Cristoforo Colombo a Columbus Circle, nota per la celebre frase che Peppino Amato pronunciò una sera d'inverno e di fame a un gruppo di emigrati scontenti: «Vi presento 'sto disgraziato che scoperse l'America». E infine c'è questa in cera di papa Pacelli, assiso sul trono pontificale, vestito di bianco, le dita ingioiellate di smeraldi e rubini, un paio di autentici occhiali posati sul naso.

Proteggendolo sotto una bacheca di vetro quelli di Gimbels lo hanno sistemato al sesto piano: dove c'è anche la copia del *Mosè* del Michelangelo, il festival del vino e del formaggio, una Ferrari, cinque Lambrette. Il sesto piano è dedicato a Torino, il settimo a Genova, l'ottavo a Milano e Arezzo, il nono a Napoli e Capri, il quinto a Venezia, il quarto a Pisa, il terzo a Firenze, il secondo a Roma. "Venite ad assaporare gli splendori di Roma, l'eterea qualità

127

di Venezia, l'assolata gaiezza di Napoli, la straordinaria cultura di Firenze, la paradossale modernità di Genova, l'instancabile attività di Milano: Gimbels è l'Italia, l'Italia è Gimbels!" dicono i manifesti.

Il testone di Giulio Cesare trionfa fra le giarrettiere, i reggiseni, i calzini, Cesare Augusto sorveglia col braccio alzato, il pollice ritto, camicie da notte e cravatte, sottovesti di trina e coralli. A piano terreno, nella sezione mutande, c'è una copia esatta del *David*: quello michelangiolesco che abbiamo al museo dell'Accademia a Firenze. Senza mutande, senza foglie di fico, gloriosamente privo di complessi puritani luterani freudiani metodisti battisti avventisti, egli sta offrendosi tutto alle folle. A mezzogiorno, quando gli uffici si chiudono per la pausa del lunch e le donne inondano i magazzini, non si cammina da Gimbels. A volte non s'entra nemmeno, bisogna fare la coda. «Preghiamo i nostri clienti di salire ai piani superiori! Preghiamo i nostri clienti di salire ai piani superiori!» grida una voce dall'altoparlante. Ma tutte, accidenti, tutte restano incollate al piano terreno. Si vendono più mutande da Gimbels che in tutta New York, in tutti gli Stati Uniti d'America. E intanto da ogni parete, sulla facciata della Trentaquattresima strada, sventolano le nostre bandiere, bianco rosso e verde insieme alle bandiere del Vaticano.

## Quando salutano dicono ciao

Sarà la visita del santo padre, sarà l'arte di Michelangelo, il fatto è che niente va di moda in questi giorni a New York quanto essere italiani. All'improvviso si sono innamorati di noi come noi ci innamorammo di loro venti anni fa e ai nostri occhi l'America era una Terra promessa, un paradiso terrestre: amandola ci ubriacavamo di jazz, di film western, di whisky, di sogni che confondevano grattacieli e chewingum, Gershwin e Hemingway, sigarette col filtro e il loro futuro, ubriacandoci dicevamo: «Ok», «Very well», «Goodbye». Bè, è frequente che i grandi amori non siano corrisposti e così dimezzati si alternino: quando noi li amavamo loro non ci amavano affatto, ci disprezzavan magari, ci rinfacciavano Lucky Luciano, Frank Costello, Al Capone; ora che non li amiamo più, o molto meno, ci amano invece con la stessa nostra violenza di allora e amandoci si ubriacano del nostro passato, del nostro mangiare, dei nostri film, dei nostri libri, delle nostre città, perfino delle nostre parole.

L'espressione "Ciao" è entrata nell'uso comune: se gli chiedi: «How do you do», come va, non rispondono: «How do you do», rispondono: «Ciao». E lo scrivono in fondo alle lettere, le cartoline, i telegrammi, sia pur con errori: *chiao*, *chuao*, *cheou*. È entrato nell'uso comune anche dire: «Va bene» anziché: «Very well». È entrato nell'uso comune anche stringer la mano, loro che non la stringevano mai per timor dei contagi, i malanni. E: «Italiana?» esclaman giulivi rompendoti polsi, falangi. Le più note *cover girls* di New York non son forse italiane? Benedetta Barzini, Iris Bianchi, Isabella Alberico. L'attrice su cui puntano maggior denaro, Virna Lisi, non è forse italiana?

Ieri Virna m'ha chiamato da Beverly Hills dove gira quel film con Frank Sinatra, *Assalto al Queen Mary*. «Ciao, come stai, come va, ti trattano bene, Virna?» «Gesù! M'hanno dato perfino una carrozzella col tetto e le frange per spostarmi da teatro di posa a teatro di posa: perché non mi affatichi. All'aeroporto c'era un mucchio di gente: mi pareva d'essere Saragat. Ma che gli è preso a questi americani?! Ogni tanto qualcuno vien lì e mi dice eccitato signora, sia buona, dica qualcosa in italiano. E sembra che scopran le tombe dei faraoni.»

## Le loro altezze in reggiseno

Il lato più affascinante, più sano, è come li adoprano però questi oggetti che scoprono nelle tombe di noi faraoni. Le principesse ad esempio. Dopo averle salutate riverite adulate, principessa di qui, principessa di là, le piglian di peso e le buttano a lavorare. O, non son principesse? Che servano dunque a qualcosa. Il concetto utilitaristico non conosce, qui, barriere di privilegi, di classe. A New York, giorni fa, s'è aperto un altro magazzino: Alexander's. Nove piani, solita merce italiana, e prezzi di concorrenza con Bloomingdale's che gli sta proprio accanto. Un golf di lana fabbricato a Milano costa ottocento lire; con le maniche lunghe e aperto davanti, milleduecento. Un paio di stivaletti fabbricati, mi sembra, a Varese, costa duemilaottocento: una camicia da notte ricamata a Firenze si compra per tre o quattromila.

Il giorno dell'inaugurazione (c'erano anche John Lindsay e il sindaco in carica, Wagner) il traffico venne bloccato per quattro strade e due avenue, trecento piedipiatti furon spediti dalla polizia per evitare subbugli. In seguito a ciò fu pensato di fare un défilé della moda italiana spagnola e francese: per Parigi, Balenciaga e Yves Saint Laurent; per Roma, Valentino e la Galitzine; per Madrid, Pedro Rodríguez. E le indossatrici? La direttrice di Alexander's non ebbe esitazioni: «Non avete un mucchio di principesse, in Europa? Prendiamo le principesse».

Le principesse arrivarono: Ira von Fürstenberg, Luciana Pignatelli, Fiona von Thyssen, Peggy d'Arenberg. Qualcuna non era proprio principessa, era baronessa, come Fiona, ma tali sottigliezze che contano? Sono stata alla festa, era davvero una festa. Immaginate anzitutto il terzo piano di questa Rinascente newyorkese dove scale mobili trasportano su e giù folle di *teddy boy*, negre coi bigodini in testa, massaie grasse in pantaloni, bambini frignanti. Oltre le sca-

le mobili, una corda di protezione, una passerella sopre-
levata, e le principesse che fanno le prove sotto gli occhi
severi dell'organizzatore: «Dieci passi in avanti, principessa, piroetta, cinque passi indietro, piroetta, tutto da rifare,
principessa».

Poi le principesse vanno nel camerino che è pieno di
fotografi e qui devono spogliarsi, vestirsi, esibirsi in reg-
giseno e mutande: come ballerine dietro un palcoscenico.
«Ma non c'è un paravento, qui? Nulla?» «No, altezza, le
nostre indossatrici si veston così.» Clic, fa una Leica. Clic,
fa una Nikon: sua altezza ha perso una giarrettiera. «Macché altezza! Altezza si dice alle altezze reali.» «Silenzio,
principesse, ragazze. Siamo qui per lavorare, mica per studiare l'almanacco di Gotha.»

Fiona è la più disinvolta: dopotutto faceva l'indossatrice prima di incontrare von Thyssen. Luciana è la più
divertita: si tratta di una ragazza intelligente, curiosa, e
che dell'America dice: «Avrà tanti difetti, questo Paese,
ma son difetti nuovi, non quelli decrepiti della nostra
stanchezza».

Ira invece è agitata malgrado parli, sorrida: non è mica semplice passar da St. Moritz, Cortina d'Ampezzo, St.
Tropez, al terzo piano del magazzino Alexander's, l'America vera. Lodevolmente parla di lavorare, di diventare
un'attrice, «Mi annoio, ecco, sennò», ma viaggia con la
cameriera e mischia i gioielli alle forcine alle cipre del
beautycase. Ora la cameriera la sta pettinando e amici dall'erre scivolosa, il garofano rosso all'occhiello, son
venuti a renderle omaggio, le porgono coppe di fresco
champagne. «Vous avez soif, ma petite.» Risatine, bisbigli: «Che avventura! Non è divertente?». Ma d'un tratto
una voce, la voce dell'America vera, supera le risatine, i
bisbigli, e: «Porca miseria! Queste dannate principesse,
vengono sì o no?! In fila, ragazze, e silenzio!». Le principesse, impaurite, domate, si mettono in fila, salgono sulla

131

pedana coi loro Balenciaga, Saint Laurent, Valentino, Rodríguez, Galitzine, dieci passi in avanti, piroetta, cinque passi all'indietro, piroetta; modello numero 18, principessa D'Arenberg; modello numero 19, principessa von Fürstenberg. «Caro, ho sete, posso avere ancora un po' di champagne?» «Principessa, silenzio!» E intanto le scale mobili continuano a portare su e giù negre coi bigodini, massaie grasse in pantaloni, *teddy boy*, bambini frignanti. Il futuro che guarda le tombe di noi faraoni.

Lasciate le principesse che rientran disfatte e forse un poco umiliate in albergo, chiamo Sean Connery che è qui per girare *Una splendida canaglia,* un film che non ha niente a che fare con la serie dei Bond. Sean si annoia a morte a New York e vuol che lo accompagni al cinematografo per vedere *Darling.* Andiamo a vedere *Darling,* uscendo dalla porta del garage per sfuggire alla folla in attesa dinanzi al suo albergo e il direttore del cinematografo gli restituisce i cinque dollari con cui ha pagato i biglietti. Dopo *Darling* andiamo a comprarci un poco di cena dal mio salumiere e questi, al momento in cui usciamo, ci restituisce i dieci dollari e ottanta con cui Sean ha pagato il roast beef, l'insalata russa, il salame. Arriviamo a casa mia, coi fagotti, e il portiere, per correre ad aprirgli la porta dell'ascensore, scivola in terra e si fa male a un ginocchio.

Sean è vestito come un facchino di Edimburgo: camicia sudicia, pantalonacci privi di piega, giacca spiegazzata, berretto a visiera, non ricorda per niente James Bond ma tutti lo riconoscono e gli cascano ai piedi, adoranti. «Perbacco, Sean, ti trattano meglio di una principessa, questi newyorkesi.» Sean sta commentando gli acquisti che ho fatto al Savoy Plaza e criticando la lucidatura dei tavolini che servirono a Rodgers e Hammerstein. Prima di fare il divo faceva il falegname e il lucidatore e può dire se un mobile è lucidato bene sì o no. Lentamente alza il viso da proletario, manda una bestemmia e commenta: «Non hai capito che questa è la Russia? Non hai capito che non siamo a New York, siamo a Mosca?».

Parte terza

# In viaggio con Shirley
## (1965)

# Partiamo alla conquista del West

Death Valley (California), ottobre

Siamo in viaggio da appena due ore e l'autostrada è deserta, tutto intorno è deserto, l'unico segno di vita è un elicottero che vola basso in un cielo fumoso, quando un poliziotto sbuca improvviso dal nulla e ci ordina l'alt. È biondo e allegro, con un sorriso cordiale. Si china sulla mia amica al volante e le dice con molta dolcezza: «Lei è Shirley MacLaine o mi sbaglio?». «Lo sono, sì» ammette Shirley. «E le piace vivere?» «Sì» ammette Shirley. «Le piace tenersi anche quel bel faccino?» «Sì» ammette Shirley. «Ok, Miss MacLaine, che ne direbbe se quel bel faccino si sfracellasse su quel bruttissimo asfalto?» «Andavo così forte, sergente?» «Novanta miglia per ora e il limite in California è settanta.» «Va bene, sergente. Quanto mi fa pagare?» «Non lo so e non voglio saperlo» risponde il sergente. «Se lo sapessi non avrei il coraggio di fare la multa alla gente. Magari mi accorgerei che un tipo non può pagarla così lo lascerei andare e lui si rimetterebbe a correre forte e si ammazzerebbe.» «Lei non corre, sergente?» «Oh, correvo, correvo! Mia moglie dice sempre ma tu che fai la multa alla gente non te lo ricordi come correvi? Me ne ricordo, dico, me ne ricordo però non facevo questo mestiere e non vedevo i morti che vedo, voi pazzi che vi ammazzate per arrivare tre minuti prima.» Conversando con tanta amicizia il poliziotto firma fogli che ci costeranno ventimila lire, anche trenta, cioè il minimo che si possa pagare per eccesso di velocità. Però li firma come se ci facesse un favore, un regalo squisito, e la cosa più sconcertante è che Shirley lo tratta come se ci facesse un favore, un regalo squisito. «Grazie, sergente, è stato davvero gentile, sergente.» «Ma le pare, signora.» «Il suo nome, sergente?» «H.R. Horton, signora.» «Le manderemo una cartolina, sergente.» «Mia moglie ne sarà felice, signora. È così felice quando ricevo le cartoline di quelli cui ho fatto la multa.» «Però vorrei sapere una cosa, sergente.» «Prego, signora.» «Come ha visto che andavo forte, sergente?» «Lo ha visto l'elicottero, signora. E m'ha avvertito per radiotelefono.» «Complimenti, sergente.» «Grazie e buon viaggio, signora.» A settanta miglia, non uno di più, riprendiamo ad andare e dico ecco, anche questa è l'America, io credo che tale viaggio mi aiuterà molto a capire l'America, ma Shirley scuote la testa e risponde: «L'America più la conosci più diventi confusa. Non riuscirai mai a capir fino in fondo l'America, nemmeno io ci riesco, io che ci sono nata e ci vivo. Kennedy, Franklin Delano Roosevelt, la democrazia: sono l'America. Barry Goldwater, la John Birch Society, il fascismo: sono l'America. Wall Street, Madison Avenue, le bombette nere: sono l'America. Gli indiani del New Mexico, i cowboy del Texas e dell'Oklahoma: sono l'America. Le dive che prendono il sole sulle piscine turchesi e tengono alla porta la Cadillac con l'autista: sono l'America. I negri del Mississippi, i nuovi rivoluzionari che s'alzano in piedi gridando il loro diritto a essere uguali: sono l'America. I membri del Ku Klux Klan che brucian le croci dinanzi alle case dei negri e linciano i negri: sono l'America. Gli astronauti che vanno nel cosmo a cercare altre terre, altri soli: sono l'America. Gli esquimesi che in Alaska si spostano ancora con slitte tirate dai cani: sono l'America. I giocatori di Las Vegas, gli sceriffi dei villaggi, i miliardari con le ville sulla Costa Azzurra: sono l'America. Ma l'America vera, intera, qual è? Non lo saprai mai e dopo questo viaggio lo potrai solo intuire. Comunque andiamo, proviamo».

E noi andiamo, proviamo. Il nostro viaggio non si compone di un programma preciso: si affida un po' all'imprevisto, a ciò che troveremo per strada. Lo facciamo in automobile e l'intenzione è di attraversare più o meno orizzontalmente l'America: rifacendo all'inverso la strada degli antichi pionieri che si mossero dalla Virginia e arrivarono alla California. Noi ci siamo mosse dalla California, dove Shirley vive, e arriveremo in Virginia dove Shirley è nata. Il tempo a disposizione è quindici giorni, il bagaglio è minimo. Si compone soprattutto di carte geografiche, lampade a pila, termos pieni d'acqua ghiacciata, Rolleiflex, Leica, rotolini in bianco e nero e a colori. Abbiamo anche una rivoltella: in quanto Shirley sostiene che una rivoltella ci vuole, specialmente di notte e nel Sud. Infine abbiamo Lori, segretaria di Shirley, che verrà fino a Las Vegas dove incontreremo Bjorn: un amico svedese. Sia Lori che Bjorn hanno il compito di aiutar la mia amica a guidare: dal momento che io, con disapprovazione di tutti, non guido. Ecco: la zona verso la quale ci stiamo avviando è il deserto che dalla California si estende al Nevada e si chiama Death Valley, Vallata della Morte.

Shirley sostiene che se voglio intuire qualcosa del Gran Paradosso che chiamano America devo vedere il deserto, cioè il capitolo più disperato e glorioso di questo Paese: vagamente indicato come la conquista del West. «Gli europei non lo sanno cosa fu la conquista del West. Non lo sanno nemmeno gli americani che vivono sulla costa atlantica, a est. Sbarcati dalle loro navi, stanchi di avversità, si fermarono nelle città che oggi chiamano Boston, New York, Philadelphia, Baltimora, nei tredici Stati pieni di verde e di acqua, il Maine, il Connecticut, il Massachusetts, la Virginia, la Pennsylvania, il Maryland, e non divennero eroi. Eroi lo divennero gli altri, gli ergastolani i fuorilegge gli avventurieri i deviazionisti-religiosi i disperati senza nul-

la da perdere e che non avendo nulla da perdere conti-
nuarono ad andare avanti: muovendosi coi carrozzoni per
raggiungere la California, cioè le miniere d'oro. Non avevano strade, non avevano informazioni. Avevano solo una
bussola che indicava west. Credevano che il West fosse un
luogo ospitale. Seppero quello che era quando giunsero
dove noi giungeremo al tramonto, se tutto va bene.» «Se
tutto va bene, Shirley?!?» «Oh, sì: ancora oggi la Vallata
della Morte è la zona più crudele, rischiosa d'America. Chi
ci passa, otto volte su dieci si perde. Chi si perde, non ha
molte probabilità d'essere trovato. Il giugno scorso un elicottero individuò due donne e una bambina. Madre, figlia,
nipote. Tutte e tre morte di sete, di caldo. Capisci? Morte
di sete, di caldo, alle porte di Los Angeles, nel 1965: vigilia
del viaggio alla Luna. Ti sembrerà impossibile, ma anche
questa è l'America.»

Anche questa è l'America. Questa distesa sinistra di sabbia, di cactus, di rocce, di color ocra avvampante, queste
miglia e miglia di niente tagliato da strade senza indicazioni,
cartelli, e all'improvviso diramano nelle direzioni più oppo-
ste: così non sai mai se la strada che infili è la giusta. È la
giusta? Shirley guida con la fronte aggrottata e i suoi occhi
cercano inquieti il distributore di benzina che secondo la
mappa non dovrebb'essere lontano. «Tu lo vedi, eh, lo vedi?» Nel 1965, in America, i distributori di benzina hanno
la stessa importanza che avevano cent'anni fa le osterie per
cambiare i cavalli: non t'offrono solo benzina, t'offrono una
presenza umana, il conforto di non essere solo. «Lo vedi,
eh, lo vedi?» Lo vedo, alla fine. Ci ha visto anche lui e non
aspetta nemmeno che la macchina freni: ci piomba addosso,
felice, come un passero su un seme in inverno. È vecchio,
assetato di gente, di voci. Ha fame di udir la sua voce che
parla ad altra gente: ne passa così poca in autunno. Un'automobile al giorno, forse ogni due giorni. E magari non si
ferma neanche, non risponde neanche al saluto. Freddy

Free, per servirla. Di Carson City, Nevada. Dove sta lei, a New York? Mai vista New York. Solo in cartolina. Guardo l'olio, le ruote? Ce n'è bisogno, sì, sì. Ogni pretesto è buono per tenerti più a lungo, parlare, raccontarti la intera sua vita. «Sicché mia moglie morì e io dissi che faccio? Torno a Carson City? E chi mi dà i soldi? Rimango. Passava il treno, a quel tempo. Passava una volta al giorno e ogni volta era rivedere un amico. Poi nacque la moda degli aeroplani e non passò più. Se almeno avessi qualcuno, ogni tanto, per fare una partitina a black-jack: lei gioca a carte, signora? E lei? E lei?» Shirley non la riconosce davvero. Al cinema non ci va da vent'anni e la città con il cinema è a sessanta miglia da qui. La televisione non ce l'ha, si capisce. Ha la radio ma ieri s'è rotta. E poi ha il telefono ma ogni tanto smette di funzionare. Se crepasse, non lo saprebbe nessuno. Ma crepare non conta, crepare è nulla di fronte alla solitudine: è qui da sedici anni e non s'è ancora abituato alla solitudine. «Sicché giocavo a black-jack e mia moglie diceva cretino che ti butti via i soldi. Ma un giorno...» Shirley avvia il motore per fargli capire che dobbiamo andar via. Le sue mani si aggrappano allo sportello e sembrano artigli, preghiere. «Ma un giorno vinsi quel malloppo e risposi...» Shirley muove il cambio, saluta. «Risposi tu, moglie, a black-jack...» Shirley parte, decisa. E allora lui corre dietro, con raccomandazioni, pretesti, consigli... «Attente a non bucare una gomma! Ascoltatemiii! Bucherete una gommaaa!»

*I camion gialli avanzano nel deserto come faceva il Settimo Cavalleria*

La gomma si buca proprio nella Death Valley, non lontano da una lapide di legno su cui è inciso un nome: Val Nolan. "Morto nell'agosto 1931, seppellito il 6 novembre 1931. Vittima degli elementi." Al di là della tomba si stende per miglia e miglia, come un mare arrabbiato, il deserto salino: residuo di un mare che evaporò. È un'escrescenza quasi disgustosa di aghi violetti, di rocce basse e affilate come coltelli, è un altro pianeta: l'inferno. Con una striscia di purgatorio: la strada d'asfalto. Ma l'asfalto brucia, attraverso le scarpe, più di un ferro rovente. È necessario sollevar l'automobile, cambiare la gomma, il cric funziona? No, non funziona: lo diciamo senza umorismo, la comicità qui diventa tragedia. Bisogna che Lori prenda la strada di destra, io quella di sinistra: per cercare qualcuno e chieder soccorso. Andiamo e torniamo dopo un'ora, disfatte. La più fortunata son stata io che ho fermato un tipo con la Renault ma sembrava impazzito e m'ha detto: «Non mi chieda aiuto perché anch'io mi son perso». Poi ha rimesso in moto, è sparito dietro quel monte. «E ora?» «Ora nulla. Si aspetta.» Il tempo passa lentissimo, in un distillar di silenzio, un silenzio di morte. Venti minuti, trenta, quaranta, sessanta, altri sessanta e poi ancora sessanta. Press'a poco qui dove siamo, i pionieri del 1849, giunti a cercare l'oro della California, bruciarono i carrozzoni, uccisero bovi e cavalli, ne affumicarono le carni e proseguirono a piedi, i bambini sopra le spalle, sulla distesa di aghi, di coltelli, di sale. S'eran divisi in sette gruppi, ciascuno deciso a trovare la sua via di salvezza, e solo due la trovarono: decimati però. Il diario del capitano Asa Haines ce l'ho qui, in questo libro di Shirley: «Avanti per quattro miglia: niente acqua. Avanti per otto miglia: niente acqua. Avanti per dieci miglia: niente acqua, Frank il francese è morto di sete. Avanti per dodici miglia: niente acqua, William Ischam è morto di stanchezza e ferite. Avanti per nove miglia: niente acqua e niente più carne, offerto a Brian Bryan cinque dollari per un biscotto ma ha rifiutato. Avanti per cinque miglia: Luther Richard ha trovato una pozza di acqua. Ha bevuto ed è morto. Conteneva acido prussico». «Ora capisci perché volevo che tu vedessi la Death Valley, perché quelli del

West son diversi» brontola Shirley. «Avevano addosso una forza, una voglia di vincere che non avevano gli altri: e ancora oggi la forza, la voglia di vincere ce l'hanno nel sangue, l'America sana è ancora nel West. Lo capisci?» Lo capisco ma preferirei un elicottero, un'automobile, una bicicletta che ci venisse in aiuto: Lori prega san Cristoforo. Lo prega da quasi tre ore, ed è quasi il tramonto quando san Cristoforo mette sulla strada un camion giallo con la scritta Nuclear Engineering Company. Avanza glorioso come le truppe federali che nei film western incedono fra trombe e bandiere e i ragazzi gridano: «Arrivano i nostri!», ci porta due tipi con la tuta azzurra e la bocca chiusa, quattro mani svelte che afferrano il cric, sollevano svelte la nostra automobile, cambiano svelte la gomma, risalgono nella cabina e se ne vanno: senza dir nulla, ma nulla. Nel deserto si usa così. E la Nuclear Engineering Company sapete cos'è? È quella ditta che insieme alla General Motors sta studiando la possibilità di cavar l'acqua da certe rocce, irrigare con quella il deserto e aprirvi piantagioni di funghi: progetto che la NASA ha comprato per colonizzare la Luna e che il governo pensa di attuare in America verso il 1990.

Verso il 1990: la realtà d'oggi è molto diversa. È l'albergo dove approdiamo, di notte. Si chiama Stovepiper e non ha telefono, l'acqua si attinge da un serbatoio comune e l'elettricità vien fornita da un motore diesel che ogni tanto si rompe e allora bisogna andare a candele. La padrona è una vecchia che cinquanta anni fa venne qui col marito e rivendicò la proprietà di quest'area con il *land grant*: la legge emanata dopo la Guerra civile e secondo la quale ogni bianco poteva prendersi un pezzo di terra incoltivata, cintarla, poi farla sua. Le camere a disposizione sono trenta. Gli ospiti sono appena dieci. Tutti fuggiti dalla civiltà perché «la civiltà costa cara». Qui non hanno la televisione, e nemmeno la radio, un grammofono. La sera, dopo aver cenato, siedono in fila nel portico e guardano i monti, sognano Beatty. Beatty è un villaggio a quaranta miglia: col telefono, il bar, e un cinematografo. Infine, una cappella. Non ci si pensa quando ci si ferma a New York. Non si pensa mai che l'America è fatta anche dello Stovepiper, di Beatty.

## Le città fantasma americane di cinquant'anni fa sono più tristi di Pompei e di Ercolano

Non si pensa nemmeno che l'America è piena di città fantasma: *ghost town*. D'un tratto la strada finisce e sei dentro una città deserta, sbocconcellata, distrutta. Scheletri di case, di banche, di chiese, fili che pendono come spaghi appassiti, e neanche un gatto, un cane, una cosa viva che si muova in quel cimitero. Diresti che è caduta una bomba, che un terremoto la sconquassò uccidendo tutti ma tutti. Non è caduto nulla, non s'è sconquassato nulla, non è morto nessuno. Semplicemente un giorno di cinquanta o cento anni fa, i suoi abitanti la abbandonarono: come si abbandona una amante sgradita, una famiglia che non ci piace più. E la città, rimasta sola con le sue case vuote, le sue banche vuote, le sue chiese vuote morì: divenne un fantasma. Questa città, per esempio. Si chiamava Rhyolite. Era la Las Vegas di cinquanta, anzi cento anni fa. Morì una notte d'autunno nel 1917: in Europa c'era la Guerra mondiale. Morì all'improvviso, come una persona uccisa da un colpo di rivoltella, il cui cadavere rimane esposto alla pioggia e al sole, mentre gli altri ne fanno scempio, lo spogliano. Quando successe ospitava ben ventimila persone, novemiladuecento erano residenti. Cercatori d'oro, giocatori d'azzardo, pistoleri, donnine allegre e infine i tipi normali che fanno una città. Evacuarono dal tramonto all'alba: perché il prezzo dell'oro era sceso e non valeva la pena restarsene lì. Fuggirono in dodici ore, lasciando ogni cosa com'era, letti disfatti, tavole apparecchiate, cappelli appesi al muro: non si portaron via nulla. Neanche fosse scoppiata la peste, un ordigno radioattivo. V'erano dodici alberghi a Rhyolite, quarantotto saloon, ventitré negozi di barbiere e due bordelli. The Unique e The Adobe. Lo conferma un documento del 1906, firmato dalle ragazze-concerto dei concert hall: insomma i saloon. «Chiediamo ai sindacati di non patrocinare The Unique e The Adobe: sono case cattive. Chiediamo ai sindacati di cacciare le seguenti ragazze che sono ragazze cattive: Kitty la Belle, Tessie la Blonde, Little Pay, Skidoo Babe, Mazie e Fay.» V'era anche un giornale: lo «Skidoo News». E vicino alle miniere di oro c'era, tutti dicevano, lo scheletro di un dinosauro. Ora non c'è più nulla. «Hallooo» chiama Shirley inoltrandosi per le strade vuote, dentro gli scheletri vuoti delle case vuote. «Hallooo» chiama Lori. E sembrano tutte e due divertite. Io no, invece. Son cose, queste, che noi europei non possiamo capire: noi che teniamo le nostre città nell'ovatta, e le difendiamo dai secoli, e più sono vecchie più ne andiamo orgogliosi. Bella o brutta che sia, una città è una creatura: come si può abbandonarla così? «Dimmi, Shirley: come si può?» «Si può: se non serve più a nulla. Se serve partire, andar via.» V'è tutta l'America in questa risposta. L'America che non si affeziona mai a nulla, cambia sempre indirizzo, si stacca senza dolore da tutto: genitori, figli, coniugi, case, paesaggio. E perciò non ha tradizioni. «Hallooo! C'è nessunooo?» Uno c'è. L'ultimo abitante di Rhyolite. Vederlo sbucare all'improvviso lascia tutte e tre senza voce.

È un vecchio coi capelli bianchi, la camicia a quadri e i blue jeans. Si chiama Tommy Thompson, ha ottant'anni, e vive in quella capanna di bottiglie che costruì, per non annoiarsi, con le bottiglie trovate in città: dopo la fuga di tutti. Di bottiglie sono i muri, di bottiglie è il tetto, di bottiglie è il casotto del suo cane, e bottiglie pendono

ovunque tintinnando appese a un filo. Infatti le vende, se
per caso uno passa di qua: insieme alle due automobili
del 1905 e alla carrozzella del medico condotto che però
nessuno compra perché a toccarla si sfascia. Vende anche
i sassi a colori, le scaglie di oro di quando si lavorava in
miniera, e in casa ha un museo che contiene le slot machine di Rhyolite (Rhyolite fu la prima città d'America ad
adottare la slot machine) e la zampa del dinosauro.
«Del dinosauro, signor Tommy Thompson?» «Ma sì.
Lo scopriron nel 1908 e, prima che quelli del museo se lo
portassero via, io mi presi la zampa. Loro non erano mica
contenti: dicevano che ci voleva anche la zampa per ri-
metterlo insieme eccetera eccetera amen. Ma io non gliela detti. Dissi che avrei sparato a chiunque avesse tentato
di portarmela via e così buonanotte. Volete vederla?»
«Sicuro.» «Però dovete pagare.» «Si paga.» «Venticinque centesimi.» «Ok.» La zampa del dinosauro è un gran
sasso color avorio, a forma di tronco, e lui l'ha chiusa in
una bara di vetro. Si infilano venticinque centesimi e la
bara si illumina per cinque minuti: si guarda la zampa
del dinosauro. Per lo stesso prezzo si può guardare una
copia dello «Skidoo News»: quella che porta la data del
25 aprile 1906 e il titolo: «Assassinio nel campo». Sotto-
titolo: «L'assassino linciato con l'approvazione generale.
Joe Simpson spara a morte a Jim Arnold ed è impiccato
dai cittadini». «Lei c'era, signor Tommy Thompson? »
«Come no? Avevo ventun anni.» «E come andò, signor
Tommy Thompson?» «Andò che Joe era un prepotente
e beveva grosso. Prese la rivoltella, andò a cercare Jim e
lo trovò dinanzi alla banca. Gli disse Jim, hai qualcosa
contro di me? E Jim rispose: no, Joe, non ho nulla contro
di te. Sì, disse Joe, ce l'hai eccome e la tua ultima ora è
venuta: preparati a morire, carogna. Poi alzò la rivoltella e sparò secco al cuore di Jim.» «E poi, signor Tommy Thompson?» «E poi ci fu il linciaggio. Di notte. Lo

trovarono all'alba, quel Joe, ciondoloni a un albero. Il giudice Thysse ci restò molto male e osservò quanto era strano che l'impiccagione fosse avvenuta senza fracasso. E poi disse che ciò causava profondo rammarico ma era stato il volere del popolo. Sa, c'era poco da fare con noi. Non eravamo mica sofisticati, se il giudice non si trovava, d'accordo, mi spiego?» «Si spiega, signor Tommy Thompson. E da dove venivano quei cercatori d'oro?» «Dappertutto. Anche dall'Italia, la Germania, la Francia, l'Irlanda. C'era quell'italiano, Giuseppe, che suonava la fisarmonica nel salone di Kitty la Belle. Non gli andava mai bene nulla, sempre a dire che al suo Paese era meglio, sempre a darci di barbari. Un giorno uno si stufò e gli sparò.» «E la notte in cui se ne andarono lei c'era, signor Tommy Thompson?» «Sicuro che c'ero. Avevo trentun anni. Uscì quel giornale dicendo che l'oro non costava più nulla e loro via. Coi carrozzoni, le carrozze, le automobili, il treno. Sembravano tutti impazziti, gridavano: non costa più nulla, l'oro non costa più nullaaa! La sera dopo si poteva entrar nelle case, gli alberghi, e prender ciò che si voleva: mobili, coperte, lenzuoli. Tanto non era mica rubare, le sembra? Venivano anche da Los Angeles a pigliar la roba. O da Las Vegas. La maggior parte s'eran trasferiti a Beatty, Las Vegas.» «E lei perché non partì, signor Tommy Thompson?» «Per campare più a lungo, visto che l'avevo scampata alle miniere, agli indiani, alle rivoltelle. Qui il clima è caldo, secco, pulito: l'età media è ottant'anni. Si guarisce dell'asma, qui, dell'artrite, dei malanni ai polmoni: se uno scampa alle rivolverate arriva a cent'anni, sicuro. Mio fratello è morto a cent'anni. Il mio amico John Johnson a centosei.» Una pausa. «E poi mi piace star qui fra i ricordi.»

Shirley lo ascolta senza incoraggiarlo: il vecchio vive nel passato e a lei non piace la gente che vive nel passato, le tradizioni, i fantasmi. A lei non piace cedere ai rimpianti, ai ricordi: appartiene all'America che guarda indietro solo per attingere fede, coraggio, e abbandona case, città, senza versare una lacrima. Ecco la barriera che ci divide e ci terrà divise durante l'intero viaggio.

«Bè, addio» dice al vecchio che vorrebbe trattenerci di più. Poi gli porge la mano e mi spinge verso l'automobile, la mette in moto. La strada che conduce a Las Vegas è un nastro lungo e uguale, con ai lati il deserto. Ancora deserto. Per ore e ore il deserto. Sabbia, sassi, rocce, cactus, cespugli di *mesquite* e nient'altro. Abbiamo coperto in due giorni una distanza pari a quella tra Milano e Napoli e abbiamo visto solo il vuoto. In quel vuoto, solo sei persone: il poliziotto che ci ha fatto la multa, il meccanico del distributore di benzina, i due camionisti della Nuclear Engineering Company, la padrona dello Stovepiper, il vecchio di Rhyolite con la zampa del suo dinosauro. Neanche a questo pensiamo mai noi che venendo dall'Europa ci fermiamo a New York. Non ci pensiamo mai che l'America è vuota, vuota per almeno un terzo della sua superficie, disabitata. E immersa in un lungo allucinante silenzio.

«Sei mai stata a Las Vegas?» chiede Shirley quando un bagliore di luci ci annuncia, come un miraggio, Las Vegas. «Io conosco bene Las Vegas: ci ho abitato quando mio marito produceva spettacoli e ci posseggo un albergo. Te la farò capire. Bisogna tornare a Rhyolite, per capire Las Vegas: al gusto del gioco che nacque quando i pionieri si giocavan la vita per diventare ricchi alla svelta. Aver tanti soldi ma in fretta, senza aspettarli: ecco ciò che li muoveva, ci muove, ecco il sogno sulla palma della mano, ecco l'America. Oro, argento, costi quello che costi. Con impazienza, siamo un Paese impaziente. E Las Vegas dà questo: l'illusione di vincere oro argento denaro senza perdere tempo. Las Vegas è la gioia dei sensi, è la pace

dello spirito: il punto finale, il gran sogno, il paradiso.»
Shirley guida a centonovanta miglia all'ora: il Nevada è
l'unico Stato dove non esista limite di velocità. Ha fretta,
e ho fretta anch'io: di vedere gente, udire rumore, diver-
tirmi, uscire dall'incubo.

# Per un pugno di alimenti

Las Vegas, novembre

Il volto dell'avvocato divorzista è così affettuoso. I suoi occhietti grondan tenerezza, le sue guance dilatano interesse fraterno. «Quale delle due signore ha bisogno di aiuto?» domanda scrutando prima me e poi Shirley MacLaine. Shirley, non la riconosce. Sarà perché non si trucca, perché porta gli occhiali, ma non la riconosce nessuno e viaggiarci insieme è assai comodo da questo punto di vista. «Quale delle due signore?» «Lei» mi addita subito Shirley che non ha alcuna intenzione di lasciare il marito Steve Parker. Lo so ben io che dormendo nella stessa stanza d'albergo devo spogliarmi ogni sera dinanzi alla fotografia di Steve Parker, sorriso ironico, baffetti insolenti, formato 32x24, incorniciato di blu; lo so ben io che ogni notte devo udire quelle telefonate con Tokyo che vanno avanti un'ora, due ore: il signor Parker si trova attualmente in Giappone e sembra che i due non vivano mica se non si raccontano, mentre dormo, le cose, e quanto si vogliono bene. «Lei» ripete Shirley. «Very well. La signora vive a Las Vegas?» «No,» dico «vivo a New York ma...» «Very well. Chi non vive a Las Vegas deve starci sei settimane, quarantatré giorni per l'esattezza. Al quarantaquattresimo giorno, il divorzio. La seduta è breve: quattro minuti e mezzo. Il prezzo, decente: duecentocinquanta dollari. La conforterà inoltre sapere che non v'è alcun bisogno di citar l'adulterio, provarlo con fotografie disgustose, come fate a New York. Mi spiego?» «Sì, ma...» «La formula crudeltà mentale sarà più che suf-

150

ficiente. Va bene?» «Per me va benissimo» dico. «Il fatto è che non voglio divorziare, avvocato.» «Non vuol divorziare?! Ma è pazza? Non penserà mica alla separazione legale rinunciando così agli alimenti?!» Impiego almeno mezz'ora a spiegargli che non sono una moglie infelice, sono solo una giornalista che cerca notizie. Ciò lo lascia deluso, sconfitto. Proprio lo scorso mese ha discusso il divorzio di Betty Grable ed è stato un tale trionfo. Immagino bene la cifra che è riuscito a strappare per Betty al suo ex, il batterista Harry James. Ventidue anni di matrimonio e lui ha sempre ammesso di fare con la sua orchestra seicentomila dollari all'anno. Gli sarebbe piaciuto ottenere lo stesso per me. Gli prometto, davvero, che quando divorzio mi reco a Las Vegas e mi rivolgo a lui? Promesso, promesso. Perché devo saper che a Las Vegas si fanno più divorzi che a Reno: quattromilasettecentosettantasette l'anno scorso, ecco qui. Crescono continuamente, ecco qui. Nel 1963, quattromilacinquecentocinquanta; nel 1962, quattromiladuecentodiciannove; nel 1961, tremilaquarantasette. «A Reno fanno un gran fracasso, si danno un mucchio di arie, ma noi li battiamo. Baby Pignatari non va mica a Reno, vien qui. Barbara Hutton non va mica a Reno, vien qui. Marlon Brando non va mica a Reno, vien qui. Lo dica ai suoi lettori, lo dica: si troveranno benissimo se vengono qui. Discrezione, velocità, validità. I divorzi di Las Vegas son validi, non sono i divorzi di Puerto Vallarta, di Mexico City. Quest'anno s'è avuto una percentuale di ben venti divorzi per giorno: non è straordinario? Noi facciamo del bene all'America, al mondo, lo scriva. Noi aiutiamo l'America, il mondo, a essere meno infelice, lo scriva. Ah, non crederà mica che quando divorziano sono infelici? Ridono, saltano, vogliono bere: una gioia per gli occhi.» «Ci credo.» «Anche perché generalmente son giovani. Il maggior numero di divorzi a Las Vegas avviene tra i coniugi di diciott'anni, vent'anni. Ha notato la bionda che usciva ridendo mentre voi entravate? Bè, si sposò due mesi fa: diciottenne. Ha divorziato ieri sera e si risposa stanotte.» «Però!» «Lei infatti vive a Las Vegas e chi vive a Las Vegas ottiene il divorzio in ventiquattr'ore.» «Però!» «La scorsa settimana ho patrocinato ben tre divorzi per un'altra ragazza: venticinquenne. La sciocchina s'era sposata tre volte, in tre Stati diversi, con tre tipi diversi. Una trigama, insomma.» «E non l'han processata per questo, avvocato?» «Non se ne sono accorti e perché metterla nei guai, poverina? Ha speso tre volte duecentocinquanta: non è già una punizione?»

«Ti pare possibile?» chiedo a Shirley quando usciamo dall'ufficio dell'avvocato. «Sicuro» risponde. «Perché scaraventarla in prigione quando lasciandola libera porta denaro a Las Vegas, gioca nei casinò? Cosa credi che facciano infatti quei divorziandi nelle sei settimane d'attesa? Giocano e giocano, ovvio. E perché credi che a Las Vegas, come a Reno del resto, sia così facile ottenere il divorzio? Per attrarre gente e farla giocare, ovvio. Tutto qui è in funzione del gioco. Anche i matrimoni, i divorzi. Vieni per sposarti, e giochi. Vieni per divorziare, e giochi. Perché sei triste, perché sei eccitato, perché ti annoi, perché il contagio ti prende: un contagio da cui non si salva nessuno o quasi nessuno. Sono tipi in transito, quelli che vengono qui: anche mentalmente. Sono irresponsabili, pazzi. E Las Vegas è una calamita che attrae gli irresponsabili, i pazzi.» È il tramonto e le luci si accendono sulla città che il senatore Kefauver chiamò «giungla iniqua e corrotta», Mark Twain definì «il rifiuto più sozzo e repulsivo d'America», ma dove un aereo atterra ogni venti minuti: è servita infatti da sei linee, la Western, la United, la Bonanza, la Delta, la National, la TWA, con voli diretti da New York, Chicago, New Orleans, San Francisco, senza contare le linee internazionali da Londra e Parigi. Si accendono in una bolgia di colori ubriacanti, giallo verde rosso viola oro bluette, le insegne dei tredici hotel-casinò (Desert Inn, Tropicana, Riviera, Sahara, Flamingo, Dunes, Sands, New Frontier, Thunderbird, Hacienda, Stardust, Tally-Ho, El Rancho) tutti in stile "ranch-rococò" o "Miami-barocco", tutti allineati lungo la grande strada che chiamano Strip. Non v'è altro all'infuori di quelli, degli uffici dei divorzisti, delle cappelle matrimoniali. Las Vegas è una strada con ai lati, anzi intorno, il deserto. Una strada nel nulla. Una strada per giocare, divorziare, sposare, ma soprattutto giocare giocare giocare. Alla roulette. A chemin de fer. A poker. A black-jack. A kino. A bingo. A dadi. Alle slot machine. Le slot machine sono le macchine dove si infila una moneta da un dollaro o da mezzo dollaro o da venticinque centesimi o da dieci centesimi o da cinque centesimi, poi si aziona una manovella, e se va bene ti scende una cascata di dollari o mezzi dollari o venticinque centesimi o dieci centesimi o cinque centesimi: in un piccolo delirio d'argento. Se non va bene, non scende nulla. Di solito non scende nulla. E allora ricominci, ostinato, innamorato di questa macchina dinanzi alla quale non provi vergogna o paura o complessi perché è una macchina non è una persona, una persona ti osserva ti imbroglia ti giudica, una macchina no, e continui per ore per giorni per notti in attesa del piccolo delirio d'argento, un due, un due, un due. «Tendi gli orecchi» mormora Shirley «e udrai il rumore delle manovelle che vanno su e giù. Delle diciassettemilaottocentotto slot machine del Nevada, due terzi son qui.» Tendo gli orecchi e mi par d'udirlo davvero, il rumore. L'operosità di una grande officina che anziché fabbricare il denaro lo ruba, lo ruba, lo ruba...

Come a questa vecchietta che con la sinistra regge un bicchiere di carta, colmo di monete da un dollaro, e con la destra lavora: protetta dal guanto che evita i calli. Un-due. Un-due. La macchina ingoia ogni volta il suo dollaro e non

sputa mai nulla: ma lei insiste, ostinata, con la destra protetta dal guanto, e chissà quanto ha perso finora. Quando
il bicchiere è vuoto, va alla cassa e cambia un biglietto da
dieci o da venti. Fa così dal momento in cui siamo entrate
io Shirley e Lori, la segretaria di Shirley, nel salone da gioco
del Dunes: questa cella lussuosa e oscura, senza orologi,
senza finestre, senza sedie per riposarti, affinché tu non
sappia se fuori c'è il giorno o la notte, se la vita continua o
è finita, affinché tu riposi stremato a un tavolo verde. Non
ci sono che gli sgabelli dei tavoli verdi se vuoi sedere: e ogni
hotel-casinò è fatto così. Né puoi evitare il salone da gioco,
se entri passi di lì per salire in camera tua, per andare al bar,
al ristorante, al nightclub con lo show, lo spettacolo, e ogni
volta che passi la bolgia ti tenta ti chiama ti attrae finché
non ti fermi. A un tavolo verde, o a una slot machine da cui
ti staccherai quando hai perduto tutto. Loro, i padroni della bolgia, ricorrono a ogni mezzo, per non farti staccare: se
hai sete ti portan da bere, se hai fame ti portan da mangiare.
E magari non paghi: offre la casa. Dice Shirley: «Mi chiedo
quale sommo psicologo abbia inventato Las Vegas. Gli alberghi, qui, non costan nulla: per dieci o quindici dollari ti
danno una camera doppia e così elegante che a New York
la pagheresti cinquanta, sessanta. Se perdi e sei un cliente,
al momento in cui lasci l'albergo non te lo fanno pagare: si
consideri nostro ospite, signore, signora. E tu grato, sedotto, ritorni: il che è niente in confronto all'esca più grossa, il
dinner-show. Per quattro dollari a testa ti danno la cena e
il divertimento. Antipasto, bistecca, aragosta, dolce, frutta,
un bel whisky, e due ore con Frank Sinatra o Danny Kaye.
O Mitzi Gaynor, Lena Horne, Eddie Fisher. Più le ragazze
nude, nude come le vedresti a Parigi. Ti alzi stordito, convinto d'aver risparmiato, esci nel salone da gioco e che fai?
Giochi i soldi che credi d'aver risparmiato. E dopo quei
soldi altri soldi: finché perdi cento, duecento, cinquecento,
mille, diecimila dollari. Se vinci, per caso, esci da quel casi-

nò ed entri in un altro casinò: che ti vuota le tasche. Non c'è industria al mondo che renda come un hotel-casinò a Las Vegas. I proprietari non ci rimettono mai: cosa importa se il divo dello spettacolo costa cinquantamila dollari la settimana? Cosa importa se per vederlo paghi quattro dollari soli? Se non ci fosse lui non verresti, magari. A parte il fatto che se il divo gioca, i proprietari riprendono ciò che gli hanno dato. Quando Steve portò al New Frontier lo spettacolo *Holiday in Japan,* i ballerini giapponesi si giocarono tutta la paga». Ma i proprietari degli hotel-casinò chi sono? «Società, sindacati perfino, gente che sta a New York, a Chicago, Los Angeles. Gente perbene, anche... Il governo federale controlla ogni cosa con leggi rigidissime: non si bara a Las Vegas.» E i turisti chi sono? «Gente media, gente qualsiasi: l'alta società non viene mica a Las Vegas. Impiegati, padroni di bestiame, miliardari del petrolio, operai, qualche gangster che in tal modo può giustificare ogni ricatto, rapina. Chi ti ha dato quel malloppo? L'ho vinto a Las Vegas. E poi i puritani, i repressi che per due giorni si avventuran nel mondo proibito dove tutto è permesso. I tipi che vedi.»

Eccoli lì. Le donne con l'abito lungo, i gioielli, gli uomini in calzoncini e maglietta. Puoi andar vestito come ti pare, a Las Vegas, scalzo se vuoi: non ti respingono certo se non hai la cravatta o le scarpe. Eccoli lì. Sembrano innocui, di cattivo gusto ma innocui, coppie spensierate, coniugi in vacanza, lei con l'abito lungo lui in calzoncini e maglietta, li guardi e dimentichi che la città è il pozzo di ogni peccato, truffe, omicidi, prostituzione, ricatti, tutto fuorché furti e rapine. I giornalisti Ed Reid e Ovid Demaris hanno scritto un bestseller, *The Green Felt Jungle,* denunciando i nomi dei gentiluomini che hanno avuto o hanno a che fare col gioco a Las Vegas: Frank Costello, Joe Adonis, Charlie Fischetti, Vito Genovese, Tony Accardo, Willie Moretti, Mike Miranda, Joe Magliocco, Lil Pisano, Vincent Mangano, Tommy Lucchese, Carlos

Marcello, infine le buonanime di Lucky Luciano e Albert Anastasia. «La cosa più sorprendente» ha notato il «Saturday Review» «è che i due giornalisti siano ancora vivi.» A Las Vegas avviene in media un assassinio ogni trenta giorni ma in settembre e ottobre sono avvenuti ben sette assassinii. A Las Vegas c'è la più alta percentuale di arresti per narcotici: aumentati, nel 1964, del quattrocento per cento. A Las Vegas si suicida più gente che in qualsiasi altra parte d'America: trenta persone all'anno su centomila. A Las Vegas vi sono più poliziotti che a Washington, o nel Sud quando scoppian disordini. Poliziotti federali, statali, municipali, privati. Otto croupier su dieci appartengono all'FBI. Le guardie dell'hotel-casinò lavorano ventiquattr'ore su ventiquattro dandosi il cambio in turni che vanno da mezzogiorno alle otto di sera, dalle otto di sera alle quattro del mattino, dalle quattro del mattino a mezzogiorno. «Qualsiasi cosa tu faccia, se giochi, non giochi, se parli, stai zitto, se rubi, sei continuamente osservato.» «Ma come, Shirley? Da dove?» Shirley alza gli occhi al soffitto da cui piove in getti alternati la luce. Una lampada accesa, una lampada spenta. Una lampada accesa, una lampada spenta. «Di lassù, da quelle lampade spente. Sono camere da presa nascoste, tv. Gli schermi sono al piano di sopra.» Poi gira la testa verso un grandissimo specchio con la cornice barocca: «Di lì. Ogni specchio è un vetro dietro il quale ti tengono d'occhio. No, non è facile far rapine a Las Vegas, colpi di mano. La malavita qui si dipinge di legalità». E intanto la nostra vecchietta continua a giocare, inutilmente, a infilare dollari nella fessura, inutilmente, ad alzare e abbassare la manovella con la destra inguantata, inutilmente... Un-due, un-due... D'un tratto s'ode un fracasso, la macchina vibra, si accende, e sputa una pioggia d'argento. La vecchietta riempie il bicchiere di carta, fredda, compunta, e ricomincia da capo.

E poi le prostitute. È opinione della polizia che il dieci per cento della città sia implicata nel mestiere più antico del mondo. «Per quel che ne so,» dice lo sceriffo Ralph Lamb «di gentiluomini non ce ne son molti a Las Vegas, ma di gentildonne ce n'è ancora meno.» Ci sono in compenso le *weekender girls*: cioè quelle che vengono il venerdì sera per ripartire il lunedì mattina. Da Phoenix, o Los Angeles. Il viaggio dura cinquanta minuti, nemmeno, e costa lire dodicimilaseicento: un'inezia. Le *weekender girls* arrivano senza bagaglio, già vestite da sera, truccate per "tener compagnia", e nessuno sospetta a vederle che sian cameriere o segretarie o infermiere venute qui per arrotondar lo stipendio. Per una serata pretendono anche duecento dollari, il doppio di una *call girl* che ti costa solo cento dollari all'ora, cinquanta per ciò che chiamano un *quickie*, alla svelta. Che è niente in confronto ai guadagni delle *cocktail waitress*, cioè le entraineuse. Stipendiate con regolare contratto dall'hotel-casinò, quest'ultime si distinguono in *cocktail waitress* di prima e di seconda categoria. Di seconda categoria sono quelle col vestitino che arriva all'inguine, le gambe scoperte: con le calze nere, di rete. Portan da bere ai clienti immersi nel gioco e la mancia al momento in cui afferri il bicchiere è obbligatoria. Considerato che il pezzo d'argento più piccolo, al tavolo verde, è la moneta da un dollaro, se ne deduce che a Las Vegas, solo di mance la *cocktail waitress* guadagna sugli ottanta dollari a notte. Di prima categoria sono quelle vestite da sera, dette anche *pit girls*: aiutanti del *pit boss*, il direttore del salone da gioco. Una strizzata d'occhio del *pit boss*, uno schioccare di dita, e la *pit girl* te la trovi alle spalle dove resta dicendo: «Ti porterò fortuna, ragazzo». Anziché portarti fortuna, ti ruba i gettoni che nasconde in apposite tasche della pelliccia, del vestito (c'è uno specialista, a Las Vegas, per cucire quelle tasche) e il suo compito è tenerti lì, al tavolo verde. O, se non ci sei, di portarti. Cominci con l'invito a cena, un drink nel tuo appartamento, qualche ora di amore pagato, e appena rivestito ti trovi con lei al tavolo verde. La più famosa *pit girl* di Las Vegas è questa bruna che va verso i quaranta e chiamano Ruth: alta, magra, ridente. Si vanta di avere cinque pellicce, due Cadillac, un appartamento lussuoso e di aver sconfitto Yellowbird, la rivale di El Rancho, una bionda che commise l'errore di perder la testa per Frank Sinatra e farsi licenziare. Sinatra cantava al Sands. Tra uno spettacolo e l'altro, Yellowbird correva al Sands: ma una *pit girl* non può uscire dall'hotel-casinò nel quale lavora. Del resto non possono uscire neanche le *chorus girls* dello spettacolo: negli intervalli esse hanno l'obbligo di vestirsi bene, andar nel salone da gioco, restarci: onde essere avvicinate dai clienti cui sono eventualmente piaciute. Supponiamo tu dica a te stesso stasera no, non mi fermo, non gioco, vo dritto in camera mia, e attraversando il salone la vedi, sì, la bionda che stava nella terza fila, la bionda che ti piaceva, carina anche vestita, sorride, sussurra: «Hallo: cosa fai?». Affermare che Las Vegas è un convento, un rifugio per signorine di buona famiglia, un covo di asceti, è peccar d'inesattezza. Sono tutti così disinvolti a Las Vegas dove fino all'anno scorso il reverendo Anthony Crowley diceva la messa, ogni mattina, alle quattro, nella Crown Room dell'hotel-casinò Stardust dichiarando: «Ai piedi della croce i soldati non si giocaron la tunica di nostro Signore?».

Quando le autorità prelatizie gli ingiunsero di far le valigie e piantarla, Las Vegas lo pianse con una festa d'addio cui presero parte novemila persone, più sessantaquattro fra ballerine e acrobati, *pit girls, call girls, weekender girls, cocktail waitress*: la festa incominciò alle nove di sera e finì alle tre del mattino. Il reverendo cantava: «Dio salvi l'America» e tra due giorni sarebbe stato Natale. «Vorrei proprio sapere» dico a Shirley «come è il Natale a Las Vegas.» Risponde Shirley: «A Las Vegas si cerca di non ricordare che esiste il Natale. Non esiste Natale, a Las Vegas».

Non esistono, strano, neanche bambini. In un'America che produce bambini più di qualsiasi altro Paese del mondo e non ti risparmia mai la vista di strade colme di bambini, giardini colmi di bambini, autobus colmi di bambini, Las Vegas è una città senza bambini. Non ne vedi mai, in nessun posto. Diresti che tutti nascono adulti, o già vecchi. O meglio: che non nasce nessuno, mai, neanche per caso, per sbaglio. Eppure Dio sa se si sposa la gente, a Las Vegas. Quella dei matrimoni è un'industria assai più fiorente del divorzio. Nel 1964 il municipio di Las Vegas ha rilasciato ben trentaseimilasettecentouno licenze: contro le trentacinquemilaquattrocentoquarantanove del 1963, le trentaduemilaottocentoquattro del 1962, le ventinovemilaquattrocentonovantadue del 1961, le ventottomiladuecentosessantuno del 1960, e quest'anno si conta di arrivare alle quarantamila. L'ufficio licenze è aperto ventiquattr'ore su ventiquattro, per ottenere il foglio basta giurare che non si è già sposati, per sposarsi basta una cappella e il tutto non dura più di mezz'ora. John e Jane, due giovani negri che abbiamo incontrato per strada, trent'anni lui, venticinque lei, operaio lui, cameriera lei, sono arrivati mezz'ora fa e hanno «già fatto tutto». Luna di miele? Ma no, due o tre giocatine allo Strip: poi ripartono. Il loro lavoro è a Los Angeles ma la casa chissà: non ce l'hanno, non sanno ancora dove andranno ad abitare, «è stata una decisione talmente improvvisa». Bè, perché non ci guardiamo, io e Shirley, un matrimonio di questi a Las Vegas? Di cappelle, lungo lo Strip, ve n'è a centinaia: a forma di chiese, giostre, negozi, e nomi che grondano miele; Dolce Cuore, Cupido Mio, Celeste Futuro.

Entriamo in una, a casaccio. Si chiama Cappella del Buonaugurio, la padrona spiega che non bada a spese per soddisfare i "clienti". Per cinque dollari mette la cappella a disposizione e poi suona l'organo. Per quindici dollari procura un giudice o un reverendo, incide la cerimonia su nastro, regala il nastro, un mazzolino di fiori, e butta una manciata di riso sui signori clienti. Il riso è gratis, però: viene con il regalo, questo pacchetto con uno spazzolino da denti, un dentifricio, una saponetta e un detersivo. La padrona è Norma Olson, una brunetta divorziata con cinque figli. Olson è il nome dell'ex marito, il suo è Rico: viene da Barcellona e sua madre è di Siviglia. «A Las Vegas capitai vent'anni fa, c'eran solo due hotel-casinò a quel tempo, il Thunderbird e il New Frontier, la città s'è sviluppata in vent'anni, anche meno. Comprai questa cappella e il mestiere mi piace: il mondo ama l'amore e io organizzo l'amore. Ho celebrato cinquemila matrimoni fino a oggi, a una media di duecento al mese. Moltiplichi duecento per venti dollari e vedrà che mi faccio quattromila dollari al mese.» E un matrimonio, signora Olson, si potrebbe vedere? «Certo, dovete solo aspettare: dalle quattro del mattino ne ho celebrati già sei. Se giungevate un po' prima c'erano Aperno e Atanoga, due polinesiani delle isole Hawaii, la novecentonovantanovesima coppia di ottobre. La prossima sarà la millesima.»

La millesima. Eccoli, arrivano: con la licenza in mano, tutti affannati. Lei è una cavallona di circa un metro e novanta, con un sedere immenso e due occhietti invisibili: si chiama Ruth Rasmussen e fa l'impiegata in qualche posto a San Diego. Lui è un biondastro dall'aria insieme aggressiva e assonnata, si chiama Mike Wehr ed è un marinaio appena tornato dal Vietnam dove è rimasto sei mesi. Coetanei: ventitré anni. Li interroga Shirley cui piace far la giornalista e sostiene che appena ricca, ma ricca, lascia il cinematografo e si mette con i giornali: finanziando da sé i reportage per far ciò che preferisce. «Sicché quando vi conosceste voi due?» «Un anno fa, a una festa da ballo. Ma a sposarsi non ci pensava mica» ammette Ruth, vergognosa. «Piegò sul tenero quand'era in Vietnam e prese a scrivere che ne aveva abbastanza di star solo alla guerra eccetera eccetera amen.»

«Quando siete arrivati?» «Stamani.» «Quando ripartite?» «Stasera, dopo una giocatina.» «E la casa ce l'avete sì o no?» «No, ancora no. Non ci abbiamo pensato. Io sto in pensione e lui in caserma. Troveremo un posto, le pare?» «E perché non vi siete sposati a San Diego?» «Ci volevano tre giorni, e poi la prova del sangue, un mucchio di storie. Magari in tre giorni lui cambia idea, mi son detta: meglio correre subito a Las Vegas.» «E nessuno lo sa che vi siete sposati?» «Nessuno. E teniamo il segreto fino a giovedì. Giovedì diciamo che andiamo a sposarci e ci freghiamo il venerdì: attaccato al weekend.» Arriva il reverendo: lungo lungo, vestito di nero. Appartiene alla chiesa battista, si chiama Thomas Daly e ha vissuto vent'anni a Shanghai, ora abita qui con la moglie, i figli, i nipoti. Guarda Shirley con interesse assai frivolo, dice: «Mi par di conoscerla, lei. Assomiglia alla MacLaine». «No, no: mi chiamo Parker» risponde Shirley. «Però le assomiglia.» «Lo dicono tutti.» «Dove vive?» «A Tokyo, Giappone.» «Che fa?» «La giornalista per un settimanale italiano. Questa è la mia aiutante.» «Allora no, non è la MacLaine» si convince il reverendo Thomas Daly. «I signori clienti vogliono accomodarsi in cappella?» I signori clienti si avviano, la signora Olson li accarezza con gli occhi: «Poverini, sono nervosi. È la prima volta che si sposano, entrambi, non ci sono abituati». Poi siede all'organo e incomincia a suonare. Pam-pam-parà! Pam-pam-paraaà! Il reverendo sale su una specie di altare: «Mike Wehr! Vuoi tu prendere Ruth come legittima sposa… per tutti i diavoli! I testimoni! Ci siamo dimenticati dei testimoni!». Shirley alza un dito: «Se io e la mia aiutante possiamo esser d'aiuto…». «Le signore conoscono questi due tipi?» «Dalla nascita!» grido. «E posson giurare che nulla si oppone a questo matrimonio?» «Sulla mia vita e il mio onore!» grido. «Allora riprendiamo: Mike Wehr, vuoi tu prendere Ruth come legittima sposa, da amare confortare onorare, mantenere in salute e in malattia, ricchezza e povertà, per il bene di entrambi e finché la morte

161

non vi divide?» «Lo voglio» dice Mike, nient'affatto convinto. «Lo voglio anch'io» dice Ruth, convintissima. «Ok. Allora è fatta.» Il reverendo scende dall'altare, mentre gli sposi si baciano perdutamente come al cinematografo, e si avvicina a Shirley: «Veloce, eh? Fate così anche in Italia». «Oh, no!» dice Shirley. «Lì le pubblicazioni durano un mese e poi c'è il rinfresco, i parenti...» «Cretinate» dice il reverendo e va via. Vanno via anche gli sposi, inciampando, bruttissimi. La signora Olson li accarezza con gli occhi e ripete: «Poverini, sono così nervosi. È la prima volta. La prossima volta saranno più disinvolti». E questa è Las Vegas. Il nostro viaggio continua, è arrivato Bjorn, l'amico svedese. Prende il posto di Lori che parte stasera. Prossima tappa, gli indiani.

# Il sentiero dei Navajo

Gallup, New Mexico, novembre

Da lontano sembrava un fiore: giallo rosso e azzurro. Nel deserto dell'Arizona, d'autunno, i cactus sbocciano a volte in quelle fiammate di arcobaleno. Poi il fiore s'è messo a correre, lesto, verso di noi, e non era un fiore era un bambino: indiano, col costume Navajo, copricapo di penne gialle rosse e azzurre, braccialetti collane cintura d'argento e pietre turchesi. Immediatamente siam scesi dall'automobile: io, Bjorn, lo svedese, e Shirley MacLaine. «Good morning» ha detto Shirley. Il bambino non capiva l'inglese. Ci ha voltato le spalle, pentito, e s'è rifugiato sotto una delle tettoie che sorgono lungo la strada, ogni tre o quattro miglia, per offrire un quadrato di ombra. Sotto la tettoia c'era sua madre: un fagotto di seta bluette, un volto ottuso di terracotta, e tanti bigodini di plastica per mettere in piega i capelli neri, untuosi, sui quali ronzava uno sciame di mosche impazzite. «Good morning» ha ripetuto Shirley. Ma neanche la donna capiva l'inglese. S'è guardata intorno quasi per accertarsi che parlassimo a lei, quasi ignorasse che per miglia e miglia non c'era nessuno, all'infuori di loro e di noi, ha abbassato vergognosa la testa e ha sussurrato qualcosa al bambino: in lingua Navajo. Il bambino ci ha dato un foglio perché si leggesse. A caratteri stampatello era scritto in inglese: «Il mio nome è Robert Johnson, il mio indirizzo è casella postale 57, Cameron, Arizona. Ho cinque anni e fra un anno andrò a scuola. Farmi fotografare è l'unico modo per guadagnar dollari.

Un dollaro è il minimo, grazie». Noi l'abbiamo fotografato e l'abbiamo pagato: sei dollari che la donna ha infilato in uno scatolone di latta accanto a un fagotto più piccolo, coperto da un cencio. Shirley ha chiesto cosa ci fosse sotto quel cencio, lo ha chiesto in Navajo di cui conosce qualche parola, e la donna ha alzato il cencio: nascondeva un altro bambino, sui diciotto mesi all'incirca, coperto di mosche anche lui. Shirley ha chiesto quanti bambini contasse la famiglia e la donna s'è messa a far strisce sulla sabbia: ha fatto diciannove strisce. Ha chiesto dove abitasse questa famiglia e la donna ha alzato un braccio di terracotta, ha puntato un dito di terracotta verso un punto lontano: il Grand Canyon. Non mi va via dalla testa quel fagotto che esige soldi per far fotografare suo figlio, quel figlio che si chiama Johnson come il presidente degli Stati Uniti ma porta un copricapo di penne: quasi giocasse agli indiani. Non riesco a pensare ad altro mentre la nostra automobile corre verso quella zona d'America che ha nome Indian Country: l'ultimo rifugio cioè di quel popolo cui rubammo la terra, gli alberi, i fiumi, per confinarlo come gli stambecchi e i fagiani in riserve cintate.

«Bè, cosa pensi?» brontola Shirley a un tratto. «Penso che questa era la loro terra,» rispondo «era la loro patria, e noi gliela rubammo. Per insegnargli cosa? A chiedere un dollaro ogni fotografia. Non ti senti colpevole, Shirley?» Shirley soffia dal naso, mette il pollice in bocca come fa quando pensa o vuol scatenar guerra, le sue parole cadono lente: è così delicato parlare agli americani di indiani. «Colpevole di aver scoperto un continente e di averlo civilizzato? Colpevole di averci costruito le case i ponti le ferrovie gli aeroporti gli ospedali le scuole? Colpevole di averci portato il progresso?» «È una colpa chiuderli nelle riserve» rispondo «e mandarli a morire quando scoppia una guerra ma non farli votare per scegliere il governo che li manderà alla guerra.» «Ok» ammette Shirley. «È una vergogna, se vuoi. Ma non è una vergogna che le riserve appartengano a loro, che non paghino le tasse, che ogni mese il governo federale gli paghi il salario che gli consente di vivere senza lavorare, che la scuola sia gratis. Non c'è bisogno di mendicare lungo le autostrade per andare a scuola.» «Credevo che tu li rispettassi gli indiani.» Di nuovo Shirley soffia dal naso, si mette il pollice in bocca: «Li rispetto, li rispettiamo per come si difesero, come ci attaccarono quando passammo per le loro terre coi carrozzoni e i fucili. Basta andare al cinematografo per capire come li rispettiamo: muoiono sempre bene in quei film, e mai da traditori. Li rispetto, li rispettiamo come si rispetta la pioggia e il tuono, le furie della natura. Li rispetto, li rispettiamo, perché li abbiamo sconfitti e umiliati. Ma qualcosa in loro mi dispiace, lo ammetto». «Cosa, Shirley?» Shirley mi guarda un po' ostile. «Te lo dirò quando ci fermeremo nel primo villaggio, dopo il Grand Canyon.» Prima degli indiani, Shirley vuole che veda il Grand Canyon. Come per il deserto, sostiene che non si può capire l'America se non si vede il Grand Canyon. L'America intatta, l'America bella, l'America degli spazi immensi e non dei grattacieli, della tecnologia, della fantascienza applicata.

Il Grand Canyon è monumento nazionale in America: come una chiesa, una statua, un palazzo. «E questo è qualcosa che ci riscatta,» dice Shirley «che ci ripulisce del nostro materialismo, del nostro amore per il denaro. Non sono molte le cose per cui meritiamo d'essere applauditi, noi americani. Ma questo sì, questo inchinarci dinanzi ai miracoli della natura: come bambini o selvaggi. Noi siamo giovani: senza la vostra *sofistication*, la vostra finezza, il vostro cinismo, le vostre opere d'arte. Non abbiamo le Piramidi, noi, né la Cappella Sistina, né il Colosseo, né le sculture del Partenone, né le moschee di Granada. Non abbiamo avuto il tempo e forse neanche la capacità di costruirli, i monumenti. E così eleggiamo a monumenti quelli che la natura ci ha dato. Se potessimo, renderemmo monumento nazionale la pioggia e il vento.» Pene severissime infatti puniscono chi strappa una foglia, chi sposta una pietra da questo paesaggio: non difendiamo con tanta cura i musei, gli affreschi di Leonardo e di Giotto, noi italiani. Nessuno qui può costruire, deturpare con réclame, cartelli: l'unico albergo è un insieme di chalet di legno, nascosti fra gli alberi, di cui son proprietari gli Harvey: eredi di Fred Harvey, postino, che nel 1700, a cavallo, portava la posta da El Paso a Las Vegas, e per primo aprì dentro quel bosco una locanda-osteria. Chi vuol scender laggiù, nelle valli, non può farlo senza una guida: dentro quegli abissi preistorici esistono ancora ottanta villaggi Navajo.

Di notte, puoi scorgerne i fuochi, qua e là tra le rocce, un palpitare di lucciole. Sono i villaggi dove si vive si parla si prega come duecento, trecento anni fa: davvero non tutta l'America è fatta di grattacieli, tecnologia. Per raggiungerli quei villaggi ci vogliono dai tre ai quindici giorni: si scende nel Canyon solo a dorso di mulo. Pochi ci vanno: è rischioso. Quanto a loro, i Navajo, non salgono che una volta al mese per riscuotere la famosa pensione. Mi chiedo se è questo che dà fastidio a Shirley, e cerco il suo sguardo. Ma Shirley è impegnata a farci la predica, non c'è niente che ami quanto farci la predica, ce ne fa circa tre al giorno, e ora ci raccomanda di lasciar l'automobile aperta quando arriveremo a Tuba dagli Hopi. «Gli indiani non sono mai ladri e si offendono se chiudi a chiave la porta. La prima cosa che i pionieri impararono qui fu di non chiudere a chiave le porte.» Ci raccomanda di non fotografarli senza il loro permesso: «Gli indiani sono convinti che insieme all'immagine gli rubi anche l'anima». Ci raccomanda di parlare pessimo inglese: «Odiano ancora gli americani...».

Odiarli magari no: ma amarli pazzamente nemmeno. La prima cosa che accade appena arrivi a un villaggio, questo di Tuba ad esempio, è un fuggi fuggi poi uno sbatacchiare di usci. La strada era piena quando ci siamo fermati: ora è vuota. S'è vuotata in un baleno, con ira, e a guardarci è rimasta soltanto una giovane coppia con un neonato che dorme. I volti di terracotta son fermi e gli occhi a mandorla, scuri, ci fissano con durezza, con sfida, quasi a dire cosa vuoi, vediamo che vuoi. Come certi paesani in Sicilia o in Calabria: anche il villaggio del resto assomiglia a un villaggio della Sicilia, della Calabria: una fila di casucce a un piano, un odor di mangiare, e in lontananza un disco che suona una vecchia canzone. Chi tenta l'approccio? Tu, Shirley? «Neanche per sogno.» Tu, Bjorn? «Scusa, non me la sento.» Così ci provo io, buonasera, che bel bambino, lei è la mamma, lei è il babbo, congratulazioni, come si chiama? Il bambino è legato con lacci di pelle a due assi di legno: la culla indiana per crescer diritti. Apre gli occhi, mi osserva sdegnoso anche lui, come a dir cosa vuoi, vediamo che vuoi. Io insisto, noiosa: i signori mi posson capire? Il mio inglese è cattivo, lo so. Non sono americana, sono italiana, mi spiego? L'Europa… E così… Dove sia l'Italia non lo sanno davvero, e nemmeno l'Europa. Ma a giudicare dai gesti che fo dev'essere un posto lontano, oltre i monti, oltre il mare, non in America insomma: e improvvisamente la donna sorride, l'uomo sorride, il bambino sorride. Si chiama Supia, vengo informata, e la mamma Dalma, il babbo Frank Honahni. Prego, entri in casa. Prego, con i miei amici. Anche il signore non è americano? No, no: svedese. E quest'altra signora? Oh, lei vive in Giappone. Quasi fosse suonato un segnale di cessato allarme si versano, dalle case vicine, altri Honahni: le donne coi vestiti a fiori, gli uomini con la camicia a quadri e i blue jeans, i bambini legati coi lacci di pelle alle due assi di legno. Anche questo succede in Sicilia, in Calabria, e le stanze sono le stesse: povere, sporche, coi ritratti dei defunti sul muro. Solo che in cucina c'è il frigorifero e in camera la televisione. Nel cortile, poi, c'è l'automobile: non esiste indiano di una riserva che non possegga almeno un camioncino. I pellerossa che danzano coi *tomawak*, coperti di penne, gioielli d'argento e turchesi, il volto nascosto dietro una maschera, li trovi solo nelle danze tribali che la Camera di commercio organizza ogni domenica sera per i turisti. E tuttavia...

Tuttavia guarda Ramson Honahni, capo della famiglia Honahni: anni quarantacinque, pittore, e cieco da un occhio. L'occhio lo perse in Corea. Quando egli parla, ciascuno tace: in rispetto. E quando Shirley gli chiede di vedere i suoi quadri, si alza solenne e le porge i medesimi quadri che faceva suo nonno e il nonno di suo nonno, indietro fino al giorno in cui Francisco Vázquez de Coronado arrivò: per sciupare ogni cosa. Riproducono, puntualmente, guerrieri, ma ciascun guerriero è un dio: il dio del sole, il dio della pioggia, il dio della luna. «Signor Ramson, lei è religioso?» «Sì, certo.» «A quale chiesa appartiene?» «Questa è la mia chiesa.» E punta il dito marrone sul dio della pioggia, il dio del sole, il dio della luna. Vi sono un mucchio di chiese intorno al villaggio: quella cattolica, quella metodista, quella presbiteriana, ma gli Hopi restano ostinatamente pagani, fedeli alla religione dei padri, alle tradizioni della tribù. Parlano inglese con noi: ma fra loro parlano Hopi. Si chiamano Violet, Wilbert, Helene: ma fra loro si chiamano Yonimana, Maricopa, Hoskinnini. Si vestono all'occidentale: ma quando si sposano indossano il costume di pelle. Perdono gli occhi in Corea ma appena tornati a casa si mettono a dipingere la pioggia e il sole. «Arrivederci, signor Ramson Honahni: spero di rivederla.» «Oh, non credo che ci rivedremo se lei non passa ancora di qui. Io non lascio il villaggio.»

«È questo, Shirley, che ti dispiace in loro?» Shirley si arrabbia: «Sì, è questo! La loro rassegnazione a te sembra poesia, per me è tradimento. Restando chiusi in quelle riserve, in fondo al Grand Canyon, tradiscono il sogno: l'American Dream. Il sogno americano, l'American Dream, era muoversi, andare avanti, mischiarsi agli altri, cambiare, lottare. Il sogno che bruciava i pellegrini del Mayflower, i pionieri del West, il sogno che brucia i negri quando reclamano i diritti civili, il sogno che brucia gli astronauti quando vanno sulla Luna, su Marte. E gli indiani invece restano lì: paghi del risarcimento mensile che gli versiamo per aver rapinato la terra che possedevano, amavano. Perché? Possono uscire in qualsiasi momento dalle riserve, possono diventare in qualsiasi momento cittadini americani come gli altri: basta che rinuncino a quell'elemosina che gli permette di vivere senza far nulla. Perché non lo fanno, perché? Perché non sputano sui nostri soldi? Qualcuno lo ha fatto, Jim Thorpe, ad esempio, il campione olimpionico, era un Cherooke. Perché non dicono basta, voglio diventare un banchiere un pilota un cantante? Le riserve appartengono a loro e non ci fanno nulla. Spesso non sanno leggere e scrivere, della civiltà che è a portata di mano accettano solo i frigoriferi, la televisione, le automobili, le case in cemento. Non l'American Dream, il sogno di giocare di osare di disubbidire! Perché?». Forse, Shirley, perché c'è una forma di orgoglio che si chiama silenzio, una forma di amore che si chiama rimpianto, una forma di grandezza che si chiama fedeltà. Fedeltà alle tradizioni, al passato. Solo gli indiani ne sono capaci, in America: e questa è una cosa su cui, io italiana tu americana, non ci capiremo mai proprio mai. Guarda che gli succede agli indiani quando scordano orgoglio, silenzio, rimpianto, e imparano il Nuovo dagli uomini di oggi. Guarda che gli succede.

Il cartello è pomposo. Dice: "Alza la testa, fratello: sei in un Paese fatto per gente alta, per gente fiera. Respira profondo, uomo: l'aria qui è buona, ha nutrito i primi emigranti.

Cammina orgoglioso, amico: stai posando i piedi dove posarono i piedi i conquistadores, gli audaci pellerossa...".
Siamo nel New Mexico, terra dei Pueblos: gli indiani che imparano il Nuovo dagli uomini d'oggi. Siamo a Gallup, popolazione quindicimilanovecentosettanta, Indian Capital of the World. «Un vero villaggio Pueblo?» si gratta la testa il cittadino di Gallup. «Mi faccia pensare, sì, andate ad Acoma. Acoma vi darà un'idea molto esatta.» Acoma è la prima comunità che raggiunse frate Marcos de Niza, una delle città d'oro inseguite da Vázquez de Coronado. Acoma vuol dire Città del Cielo e sorge arroccata su un monte, nel mezzo di una vallata color rosso ruggine, senza un albero, un filo di verde, interrotta soltanto da rocce a forma di campanile, di torre, e bruciata da un sole, perpetuo, accecante.
Fino a pochi anni fa vi abitavano mille persone, ora appena cinquanta: lassù si è tagliati dal mondo. Chi sale lungo quel sentiero di sabbia dove l'automobile affonda, chi vive in quel passato remoto? Qui non c'è luce elettrica, né telefono, né televisione, le case sono ancora di pietra, a terrazze, e di terrazza in terrazza si va con le scale a pioli, di legno. Il pane si cuoce ancora in certi forni rotondi, di sasso, scaldati con le fascine, le donne si vestono ancora con le gonne larghe, lunghe fino ai piedi, che portò Coronado, i vecchi hanno ancora la fascia che copre la fronte. La sola industria è quei vasi di terra che cuocion nei forni del pane e dipingono con disegni geometrici: gli stessi di quando il denaro era considerato lo sterco del diavolo e chiunque lo toccasse moriva. «Da questa parte, prego» ci aggredisce un'indiana sui diciott'anni: bigodini in testa, blue jeans. Poi ci introduce in una specie di ufficio e ci scaraventa dinanzi un registro. «Scrivere, prego. Nome, cognome, età, ragione del viaggio, indirizzo, targa dell'automobile, marca dell'automobile, numero delle macchine fotografiche, tipo delle macchine fotografiche, numero dei rotolini, numero delle fotografie che intendete scattare. Il prezzo per vedere il villaggio è tre dol-

lari a testa, la tassa per ogni macchina fotografica è due dollari e mezzo, la tassa per ogni fotografia scattata è un dollaro e settantacinque. La mancia per la guida è a parte. La guida sono io. Il mio nome è Alla Vajo.» Parla un inglese perfetto, il suo volto marrone, camuso, sputa furbizia e disprezzo: in un battibaleno ci spenna di quaranta dollari tondi. Poi afferra un lapis e un taccuino, onde segnare ogni fotografia che scattiamo, e ci porta a vedere la chiesa che costruì Coronado: spiegando che gli abitanti di Acoma son tutti cattolici. Dinanzi alla chiesa che è una chiesa come ce ne son tante, nel Sud, primitiva, c'è un cimitero abbastanza speciale: sopra ogni tomba, accanto alla croce, c'è un piatto di carne e verdura, una fetta di dolce, una mela, una banana, due o tre peperoni, colazione completa cioè affinché l'anima del trapassato si possa sfamare, di notte, quando nessuno lo vede. E le date di nascita, le date di morte raccontano un fatto insieme esaltante e agghiacciante: nessuno muore, ad Acoma, prima dei centodue anni. Ammenoché, si capisce, non sia ammazzato o si ammazzi. E il più vecchio di quei fortunati vegliardi sapete chi è? Un italiano. Il suo nome era Lorenzo Pino, nacque il 6 settembre 1849 e morì il 7 luglio 1965: a centoquindici anni. Per fotografar la sua tomba si paga un supplemento di due dollari e mezzo. «Ma abbiamo già pagato un dollaro e settantacinque per fotografia!» Shirley protesta. Senza battere ciglio, senza aprir bocca, la ragazza spalanca la mano. Tutto ha un prezzo ad Acoma, il villaggio che impara il Nuovo dagli uomini d'oggi. Un dollaro e mezzo per fotografar questa vecchia che vende ceramiche, Mary Istia si chiama e ha novantadue anni, tre dollari per fotografar le due donne sopra quella terrazza, dieci dollari per fotografar Geremia, il vecchio più vecchio di tutti, seduto sopra una roccia con il suo panno rosso intorno alla testa. Geremia è cieco e ha ben centoun anni ma i suoi orecchi son più sensibili di un radar spaziale: quando ode il clic di uno scatto grida in spagnolo: «Dinero, dinero!».

171

Infatti parla spagnolo, non conosce l'inglese. Shirley gli dà i dieci dollari: Geremia li tasta, ne fa una pallina, e la getta al di là della roccia dentro un precipizio. «Cosa es esta carta de mierda. Quiero argento, no carta.» Succede una rissa. Shirley, di solito così rispettosa, garbata, si sente offesa fino alla cinquantesima stella della sua bandiera e replica che quello è buon denaro americano, dannatamente buono perbacco, e siamo in America dove i dollari in carta sono moneta corrente, Geremia strilla: «Quiero argento, no carta», io insulto in italiano, Bjorn polemizza in svedese, la ragazza ci minaccia in inglese: «O pagate in argento o chiamo mio fratello e vi faccio menare». S'è adunata una piccola folla intorno a noi, donne, bambini, e ciascuno dice la sua, in inglese, in spagnolo, in dialetto Pueblo, chi vuol farci arrestare, chi ci vuole picchiare, fino a quando stremati indignati e un poco impauriti torniamo alla nostra automobile e scappiamo via. «Vergognatevi!» commenta Alla Vajo. «L'anno scorso son venuti quelli del cine e ci hanno dato cento dollari a testa.»

Addio indiani Pueblo, addio Acoma, Città del Cielo dove il denaro era considerato lo sterco del diavolo, peccato mortale. A metà sentiero l'auto resta insabbiata: ci vuole oltre un'ora per liberarla e rimetterci in moto. Appoggiato a una roccia, un Pueblo ci guarda: il cappello texano calato sugli occhi. Non muove un dito, non fa nemmeno il gesto di porgerci aiuto. Ma quando rimettiamo in moto sghignazza: «Portatela via un po' di sabbia, è gratis quella». Shirley sorride, depressa, io divertita. Sto pensando alla storia che racconta John Gunther nel suo libro *Inside USA*. La storia del primo soldato indiano che sbarcò in Italia, durante l'ultima guerra, e appena sbarcato urlò con ferocia: «Cristoforo Colombo! Son qui!».

Laguna, un villaggio vicino ad Albuquerque, è l'ultima tappa nella terra dei pellerossa. Il ricordo si chiama Edith

Martínez, nonna di tanti nipotini color della ruggine, proprietaria di un campo di grano e di alfalfa, che cuoce il pane dentro un forno rotondo e ci invita con un sorriso dolce: il pane caldo ci piace? Può offrircelo, dunque? Edith ha settantasei anni e sei figli: il più giovane è a combatter laggiù, nel Vietnam. La sua casa è pulita, la sua voce graziosa: «L'uomo bianco passa spesso di qua. Lor signori dove sono diretti?». «A New York.» «È davvero così grande New York?» «Sì, molto grande.» «E ci sta tanta gente?» «Nove milioni.» «Oooh! E anche qualche Pueblo?» Arriva un autobus giallo, quello della public school. Si ferma dinanzi alla casa e ne scendono i sei nipotini: Jessica, Carol, Maria, Michael, Larry, Edward. Puliti, ridenti, con la cartella dei libri: la nuova generazione che cresce. Ha ragione Shirley, non si può mai dir nulla di troppo assoluto su questo Paese: l'America è così vasta, paurosamente vasta. Laggiù, oltre i monti, c'è Alamagordo e il deserto dove Fermi Teller Oppenheimer provaron l'atomica. Scoppiò un'alba di luglio di vent'anni fa, tra i cespugli di *mesquite*, sotto la Sierra Bianca. Oggi è un gran buco coperto di scaglie di trinitrit e molti Pueblo fanno ancora soldi vendendo ai turisti scaglie di trinitrit. Poi, oltre le dune di Alamagordo c'è White Sands, dove fanno i missili e li provano. Molti Pueblo lavorano al Centro missili. L'America è così vasta, paurosamente vasta: c'è di tutto in America, ha ragione Shirley. Domani saremo tra i cowboy, nel Texas.

# L'ultimo cowboy

Paris (Arkansas), novembre

Il fatto è che nessuno di noi si era accorto dell'imbecille che ci sorpassava ogni due o tre minuti. Andavamo forte, questo sì: la Highway 66 è un'autostrada larga, diritta, e vien voglia di accelerare quando ci sei. Inoltre eravamo distratti dalla canzone che trasmetteva la radio: «Oh, yes, it's plastic, it's always plastic...». Sì, certo, è plastica / è sempre plastica / seni di plastica, muri di plastica / luna di plastica, baci di plastica / presto faremo bimbi di plasticaaa. Una canzone di protesta, mi spiego, sul tipo di quelle che cantano i Beatles, e Shirley sosteneva appunto che il ritmo dei Beatles è un ritmo texano, i Beatles l'hanno rubato dai cori del Texas, quando il poliziotto ci è piombato addosso e ci ha arrestato insieme all'imbecille che si chiama Jim, ha vent'anni, una faccia bionda da babbeo e viene dal Nevada. Ci ha arrestato presso la città di Goodnight, Buonanotte, di fronte a un cartello sul quale era scritto "Benvenuti a Buonanotte, una calorosa ospitalità è il tesoro del magnifico Stato del Texas", e ora eccoci qui. Jim l'imbecille lo hanno già portato dinanzi al giudice Leo R. Byard, noi tre ci hanno messo in quest'ufficio pieno di *grinte* fotografate di profilo e di fronte, mentre uno sceriffo ci guarda severo, e Shirley è color della brace: se si accorgono che Shirley Parker e Shirley MacLaine sono la stessa persona, i giornali domani ci fanno un titolone così. «Shirley, cosa ci faranno?» «Il processo per direttissima, ovvio.» «Per due o tre sorpassi? Grottesco.» «Il sorpasso è delitto.» «Ma via! Se fosse delitto, l'Italia intera sarebbe in prigione.» «Con meno morti sulle autostrade. Quel poliziotto ci ha probabilmente salvato la vita.» Shirley è così americana: un poliziotto per lei non è qualcosa da odiare, è qualcosa da amare, perché ti protegge, ti fa del bene anche quando ti mette in prigione. Tutti gli americani, è lo stesso: guarda Jim l'imbecille che esce dal suo processo, ormai condannato. Ride e saltella come se gli avessero fatto un regalo. «T'è andata bene, Jim?» «Come meritavo. Trentun giorni di buona prigione.» «Trentuno?!» «Eh, sì. Non ho i soldi per pagare la multa. Sceriffo, posso telefonare a mio padre per avvertirlo che vado in prigione?» «Prego, ragazzo, e digli di non stare in pensiero: le nostre celle sono pulite, il cibo appetitoso. Stasera, stufatino e fagioli. Avanti gli altri tre! Chi guidava dei tre?» Guidava Bjorn. Rassegnato più di un san Sebastiano, Bjorn si avvia al sacrificio e dinanzi ai miei occhi si svolge qualcosa che serve a capire l'America più di tutti gli indiani, i deserti, i cowboy.

Il tribunale è una stanza con un tavolo e poche sedie: niente crocifissi o scritte solenni. Il giudice Leo R. Byard è un vecchio vestito di grigio, senza cravatta, ridente. Si alza, ridente, chiede a Bjorn di accomodarsi, ridente, e a noi di stare zitte. Infine incomincia il processo. Nome, cognome, nazionalità, guarda guarda, è svedese, benvenuto nel Texas, speriamo che il Texas gli piaccia, si mangiano buone bistecche nel Texas, le piacciono le bistecche, a me sì, l'accusa: «Speeding and racing», eccesso di velocità facendo alle corse. «Risulta dal radar che lei andava oltre le cento miglia, il limite era sessanta. Si dichiara innocente o colpevole?» Bjorn si volta, interroga Shirley con gli occhi, Shirley annuisce. «Bè, vostro onore: se lo dice il radar... Colpevole.» «Ok. Trentacinque dollari soli, è contento? Visto che non conosce le leggi del Texas. Venti per la multa e quindici per il disturbo che questa corte si prende. Se non ha i soldi però deve andare in prigione.» «Ce li ho, ce li ho!» «E promette di non farlo più?» «Prometto, prometto!» «Ok, accusa numero due. Non si volti e non chieda consigli: è proibito. Lei faceva alle corse con l'altra automobile. Si dichiara innocente o colpevole?» «Innocente!» strilla Bjorn. «Innocente?!» «Innocente al mille per mille, vostro onore, lo giuro!» «Oh, nooo!» geme Shirley. «Come no? Sta dicendo la verità» io mi arrabbio. «Lo so, ma se nega di aver fatto le corse deve affrontare il processo con gli avvocati e nel frattempo finire in prigione.» Il giudice ride. «Devo informarla, ragazzo, che se si dichiara innocente io la metto in prigione. Se si dichiara colpevole le affibbio una multa e la lascio andare.» «Vostro onore, che dice? Quando mai un innocente si mette in prigione e...» «Mi dia retta, ragazzo. Si riconosca colpevole.» «Ma io sono innocente.» «Forse non mi sono spiegato, ragazzo. Se lei si dichiara innocente...» «Ma io sono innocente.» «Ok, ricominciamo daccapo, ragazzo. Dal momento che il radar...» Vanno avanti così per un'ora, il giudice è mezzo sudato e non fa che asciugarsi con un gran fazzoletto: possibile che questo svedese sia pronto a entrare in prigione per difendere il suo punto di vista? Possibile che possa perdere un mese in attesa di un processo normale? «E va bene: mi dichiaro colpevole però sono innocente» esplode alla fine Bjorn. «Non può dichiararsi colpevole e poi dirsi innocente. O tutto colpevole o tutto innocente.» «Allora colpevole, tutto colpevole, tutto!» Succede una festa. Shirley scatta in piedi, felice, il poliziotto scatta in piedi, felice, Shirley esclama bravo, il poliziotto esclama bravo, il giudice esclama bravo, l'America intera esclama bravo, l'America che non vuol perdere tempo, l'America per cui il tempo è denaro, l'America che non capisce come le questioni di principio valgano il tempo e il denaro, a volte la vita. Un vecchio polacco ci ha rimesso la vita, giorni or sono, a New York. Gli avevano fatto una contravvenzione sbagliata e volevano che si dichiarasse colpevole: per non perdere tempo in un vero processo. Lui ha detto no, sono innocente e voglio il processo. Lo hanno messo in prigione. C'è stato il processo e ha perso il processo. Lui ha voluto un altro processo. E poi un altro processo, e poi un altro: sempre restando in prigione, ripetendo sono innocente. Dopo un anno e mezzo che stava in prigione, perché si convincessero che era innocente, che il radar poteva sbagliare, ha fatto lo sciopero della fame. Ed è morto. «Trentacinque dollari: venti per aver fatto alle corse e quindici per questa corte» dice il giudice sempre ridente. «Il che fa un totale di settanta dollari tondi.» Paghiamo in silenzio. Ma sulla porta Shirley chiede a Bjorn: «E a quel poliziotto non gli dai nemmeno di figlio di cane?» «Potrei?» balbetta Bjorn. «Ma certo.» «Senza andare in prigione?» «Sicuro.» Bjorn si avvicina al poliziotto, scandisce: «Bugiardo figlio di cane, lo sapevi che sono innocente.» E il poliziotto sapete che fa? Sputa tranquillo per terra, risponde: «Get out of Texas, will you?». Vattene via dal Texas, ti spiace? «Get out. All of you.» Fuori di qui, tutti e tre.

Se gli avessimo tirato un bel pugno ci avrebbe rispettato di più: magari invitandoci a bere. Formalismi, raffinatezze, diplomazie qui non sono apprezzati: come dice John Gunther questa è la terra di Pecos Bill, è il Paese dove gli uomini dormono nella carta vetrata anziché nelle lenzuola, dove per farsi vento si prende un uragano e si usa come ventaglio, dove i limoni son così grossi che ne bastano nove per fare una dozzina, dove l'orgoglio d'esser texani è tale che alla fine della Seconda guerra mondiale il governatore ebbe a dire: «Il Texas accetterà la resa dei giapponesi senza chieder la pace separata». Non vedremo molto di più del magnifico Texas, uno Stato la cui superficie è quattro volte l'Italia, ma nello sputo di quel poliziotto trattato con eccessiva dolcezza potevi scorger parecchio: i cappelli "più grandi del mondo", le ragazze "più belle del mondo", i fanfaroni "più audaci del mondo", i miliardari "più miliardari del mondo", l'America lievitata in tutto il suo bene, il suo male. Il resto, poi, lo vediamo in questo paesaggio lungo la 66: un pascolo senza principio né fine, popolato di vacche il cui muggire ti accompagna ostinato finché non lo senti più, ci fai l'abitudine come al rumore del mare. Ci sono più vacche nel Texas che in tutto il resto del mondo compresa la pampa argentina; la bistecca qui la mangi al mattino col caffelatte, a mezzogiorno con i fagioli, a merenda con il gelato, a cena con il granoturco, la bistecca è il loro distintivo il loro stemma la loro bandiera. «Una bistecca da quattro libbre (due chili circa) vi basta?» dice la cameriera della trattoria di Amarillo dove ci fermiamo a mangiare. «Quattro libbre in tre?!» «Ma no, quattro libbre per uno.» E tuttavia non cercare i cowboy qui nel Texas: non esistono più, sono in via di estinzione come gli indiani. «I cowboy» dice Shirley «sono sempre stati una minoranza esigua, non hanno mai avuto il valore di un simbolo. Considerare il cowboy come tipico degli Stati Uniti non ha più senso di quanto ne avrebbe considerare un pecoraio abruzzese come tipico dell'Italia. Fu il cinema, Hollywood, a far del cowboy un simbolo di questo Paese: perché è una figura teatrale, colpisce la fantasia, e rende bene l'idea di un continente aperto, rurale. Ma se ciò era inesatto venti o trenta anni fa, oggi è addirittura menzogna. Dei cowboy son rimasti gli speroni, i cappelli: la realtà del Texas è il petrolio. È il petrolio, non l'erba, che nutre milioni e milioni di vacche: perché sono i miliardari del petrolio, non i cowboy, che posseggono i ranch ormai organizzati come imprese industriali, meccanizzati come succursali della General Motors. Nel Texas i ranch assomigliano più a laboratori spaziali che a ranch: rincretinite dalle vitamine, ingrassate al punto da sembrar disossate da un dottor Frankenstein, sorvegliate coi camion e le jeep anziché coi guardiani a cavallo, le vacche non hanno più bisogno dell'hollywoodiano cowboy che gli corre

dietro col lazo. Io nel Texas ne ho visti tanti di ranch e
mi sembrava di stare in una fabbrica di Chicago o Detroit.
Oltretutto i bulldozer hanno pelato ogni bosco, ogni foglia
di verde.» Così, se vuoi ancora vedere un cowboy, è meglio
che vieni qui in Oklahoma dove non ti arrestano per un
sorpasso e dove i bulldozer non hanno straziato un paesaggio che è tra i più belli del mondo: coi suoi cento laghi, i
suoi trentun fiumi, i suoi duecento tipi di alberi, quel verde
perpetuo, quel frusciare di foglie che ti riporta in Toscana
in Brianza in Italia. Non a caso metà degli indiani abitavano nell'Oklahoma, terra del popolo (*okla*) rosso (*homma*),
prima che li cacciassero nelle riserve dello Utah del New
Mexico dell'Arizona: con quelle marce di trasferimento
che ancora chiamano Pista delle Lacrime.

Sì, anche qui il petrolio è sgorgato sporcando di grasso
e miliardi: le dannatissime torri di ferro le vedi dovunque,
l'ultramiliardario Paul Getty nacque in Oklahoma. Ma la
realtà qui non è il petrolio, sono ancora i ranch i poderi che
le famiglie si tramandano di generazione in generazione e
coltivan da sé. «Noi» dice Shirley, orgogliosa «non abbiamo mai avuto bisogno della riforma agraria. La mezzadria
non l'abbiamo mai conosciuta: come il feudalesimo. La
parola "peasant", contadino, non ha senso per noi: è una
parola inglese, non americana, e noi la usiamo per dire
cafone. Colui che coltiva la terra si chiama "countryman",
uomo di campagna. Vuoi una figura tipica degli Stati Uniti? Scegli il countryman che duecento anni fa giunse con
un cavallo, agguantò un pezzo di terra o di bosco, lo cinse
di pali, disse questo mi appartiene, mise su una famiglia
e insieme a quella se lo coltivò. Sì, grattacieli, torri per
pompare il petrolio, aeroplani, astronavi, Paul Getty, Henry Ford, Wall Street, cosmoporti, ma l'anima degli Stati
Uniti resta l'agricoltura, la sfida costante alla terra, le be-
stie, il gusto di domarla, piegarle. Col granturco, l'alfalfa,
il cotone, il grano che è tanto da non saper cosa farne:

179

potremmo sfamare il mondo, l'Europa, l'Africa, l'Asia, col grano raccolto nelle nostre campagne, potremmo nutrire i bambini del mondo col latte delle nostre mucche. Lo spreco in America non è solo un sistema economico, uno strumento politico: è una conseguenza del solido countryman. Vuoi chiamarlo cowboy? Bè, pronuncia cowboy. Ma il cowboy non va visto, ricorda, come un Gary Cooper o un John Wayne che spara svelto e diritto. Va visto come un countryman, un tipo rozzo, pacifico.» «Questo, Shirley, ad esempio?»

Sì, questo che troviamo alle porte di Oklahoma City in un ranch. Guardagli il volto bruciato dal sole dal vento, le mani gonfie callose, le gambe arcuate: Gary Cooper, John Wayne diventan fantocci paragonati a Dewett Morgan, quarant'anni, una moglie e tre figli, sessanta acri di terra, centoun vacche e sessantacinque cavalli. Morgan ci spiega che suo padre faceva il cowboy, i suoi fratelli fanno il cowboy, i suoi figlioli faranno il cowboy, ed è bello alzarsi alle cinque, andare a letto alle nove, la televisione lui non la guarda, in città ci va ogni tanto per comprare la roba, non gli piace la gente che corre, strombetta, non gli piace neanche viaggiare, dal ranch lui c'è uscito soltanto due volte. Una volta che aveva anni diciotto e lo mandarono soldato in un posto che si chiama Italia, anzi Roma gli pare, cioè un posto di case rotte ma rotte, un'altra volta che aveva anni trentotto e andò per suo conto a Parigi. «Parigi? E ti piacque, Morgan?» «Bè, mi parve piccina.» «Piccina? E come ci andasti? Con la nave, l'aereo?» «Con l'automobile andai.» «A Parigi?» «Sì, mezza giornata ci misi.» «Ma se da New York ci vogliono sei ore di jet!» «Io non passai da New York, che bisogno c'è di andare a New York per andare in Arkansas?» Sta parlando di Parigi, Arkansas: non di Parigi, Francia. E così la sera ci mettiamo a studiare la carta, io e Shirley, e scopriamo che esiston ben sette Parigi in America: nell'Arkansas, nell'Illinois, nel Kentucky, nella

Pennsylvania, nell'Idaho, nel Tennessee, nel Texas. Così come ci sono ben dodici Firenze, otto Atene, sette Roma, quattro Mosca, quattro Varsavia, tre Venezia, due Napoli, due Verona e due Odessa, e solo una Londra, una Madrid, una Addis Abeba, una Berlino, una Vienna... Noi comunque scegliamo Parigi, Arkansas.

Ha ragione il cowboy: se parti all'alba da Oklahoma City arrivi a Parigi verso mezzogiorno. Parigi è subito dopo Fort Smith dove avvenne la famosa battaglia durante la Guerra civile e ti accorgi d'esserci arrivato quando odi un gran coccodè: infatti la sua economia, non ricca ma stabile, è essenzialmente basata sulle galline e le uova. Non esiste abitante, fra i tremilatrecento che conta Parigi e dintorni, che non possegga un pollaio: e ciò da quando Parigi venne fondata, da un gruppo di ex francesi, nel 1875. Dopo il gran coccodè entri subito in una piazza che è anche l'unica piazza, e qui c'è praticamente ogni cosa. Il tribunale-municipio-ufficio dello sceriffo, anzitutto, che è un grande edificio in mattoni rossi e antico: conta ben centodue anni. Poi il cinematografo dove si dà un film con la Loren, poi la sede delle due squadre di baseball, Le Aquile di Parigi e i Bulldog di Parigi, poi la Camera di commercio, un negozio di abbigliamento, la redazione dei due giornali locali: il «Paris Progress» e il «Paris Express». Parigi non è una città frivola, alla moda per esempio non dà alcuna importanza, però è una città che legge molto: il «Progress» esce ogni lunedì e l'«Express» ogni giovedì. La ragione è che Gene Shields il postino ci mette tre giorni a distribuirli con la sua vecchia Ford e Miss Kinney ha bisogno di tempo per fare gli articoli. Miss Kinney, una signorina ormai sui settanta, è il solo giornalista che ci sia mai stato a Parigi e anche un tipo assai particolare: che muoia un papa, ammazzino un presidente, scoppi una guerra, a lei non importa. Lei scrive

solo ciò che accade a Parigi ed è un vero peccato, accidenti, che Miss Kinney sia andata proprio oggi a Fort Smith
per farsi togliere un dente: per via d'un dente non posso conoscerla. Non posso conoscere neanche il sindaco
Johnny Van Pennington della Pennington and Pennington Insurance Company che è andato a pescare: e va da sé
che Johnny è sempre a pescare, uno lo cerca per un documento magari o per sposarsi e lui è a pescare laggiù nella
Senna. Meno male che Shirley arriva con lo sceriffo: lo ha
trovato mentre metteva una letterina sul parabrezza della
nostra automobile, scritta a mano su carta rigata, così:
"Benvenuto, straniero. Vedo che sei straniero e non ti fo
contravvenzione però l'automobile potevi anche metterla
un poco più in là, non lo vedi che qui non c'è parcheggio.
Tuo Pete Carter sceriffo di Paris, Arkansas". Davvero in
America esistono da qualche parte i grattacieli, le torri
per pompare il petrolio, gli aeroplani, le astronavi, Paul
Getty, i Ford, Wall Street, i cosmoporti?

Lo sceriffo ha occhi ironici e duri, passo lento e spieta-
to, parla con parsimonia e assomiglia a Spencer Tracy di
venti anni fa. «Un goccetto di Moonshine Whiskey, straniero?» Il whisky Raggio di Luna è una specie di grappa
che qui si fa in casa e una stilla ti basta a rotolar sotto
il tavolo. «No, grazie, sceriffo.» «Ok.» Lo sceriffo se ne
versa in gola lo stesso, un quarto di bottiglia diciamo, poi
si asciuga le labbra col dorso della mano e chiede in cosa
può servirci. «Bè, sceriffo, c'è lavoro in città?» «Molto poco. Semmai il sabato sera quando si innaffiano col Raggio
di Luna. Sono almeno quattr'anni che non si fa un processo per furto e ventinove per un assassinio. Parigi è una
città tranquilla: quando la gente si annoia, qui va in chiesa
a pregare. Di chiese ce ne son sette, capisce: la cattolica,
la metodista, la battista, la presbiteriana, la cristiana, l'as-
semblea di Dio e la chiesa di Nostro Signor Gesù Cristo.
Di nightclub invece non ce ne sono, a Parigi, l'unico bar

chiude alle dieci di sera. Quanto al resto, guardi: l'unica, a mio parere, è la Dolly che dicon si faccia pagare ma la prova non c'è e a ogni modo non dà fastidio a nessuno. Le ripeto: una città tranquilla, non c'è neanche una prigione a Parigi.» «Non c'è?» «Bè, quasi. C'è la Cipolla Rossa, Red Onion, quella dove fu impiccato Bill Pierre. Ma se viene il bisogno preferisco portarli a Fort Smith. Da quando quei tre mascalzoni... Volete veder la Cipolla?» «Sì, certo, sceriffo.» Attraversiamo la Senna, un torrente di circa due metri, tagliamo per un sobborgo, casette di legno dipinto di bianco col tetto a pandizucchero e la veranda con le sedie a dondolo, giungiamo alla Cipolla che è un casotto rosso con una vecchia davanti: la guardiana Cass Rogers. «È permesso, Cass?» «Prego, sceriffo.» «Ecco, questa è la prigione: questa gabbia di ferro. Il buco al soffitto lo fecero quei tre mascalzoni, l'anno scorso a Natale. L'automobile era rubata, io li misi dentro e loro si misero a grattare il soffitto. Scapparono con la medesima auto rubata. Il fatto è che Cass è ormai troppo sorda: potrebbe scoppiare una bomba e lei non se ne accorge. Ai tempi di Bill non la imbrogliavano mica. Vero, George?» Insieme a Cass c'è anche George che è il più vecchio a Parigi: ottant'anni suonati. Così vecchio che conobbe perfin Jesse James, il bandito: sai, quando Jesse venne a Parigi ormai novantacinquenne e ovunque c'erano striscioni "Jesse James vivo in persona tra noi". Girava l'America per tenere discorsi alla gioventù, dire che si comportassero bene i ragazzi, glielo raccomandava Jesse il Bandito. Vero, George? George sputa tabacco: «Sì, ma l'impiccagione di Bill fu più emozionante: oltre tutto fu l'ultima impiccagione che ebbe luogo a Parigi». «E che aveva fatto quel Bill?» «Bè, aveva fatto fuori la sua fidanzata siccome questa era incinta. Ecco, il capestro era rizzato lì, accanto all'albero. Il ragazzo era mezzo briaco quando ce lo portarono, a braccia. Poi d'un tratto si mise a gridare non son stato io, è stato mio padre, io andai all'appuntamento e lui le sparò: ma il giudice disse chi è stato è stato, figlioli, non tiriamola tanto sottile. E lo impiccò. Crak! fece il collo. Come il collo delle galline, io ero pronto per la fotografia e anziché scattarla caddi lungo disteso. Era il 14 luglio 1928, ricordo.» «Il 14 luglio?!» «Sì. Perché?» «Ecco, il 14 luglio è una gran festa a Parigi, Francia.» «Parigi, Francia? E dov'è? Mai sentito parlare di una Parigi, Francia.» «E lei, sceriffo?» «Sì, vagamente.»

Molti a Parigi, Arkansas, non lo sanno nemmeno che c'è Parigi, Francia. Semmai i giovani della high school che studiano un po' di francese malgrado a Parigi nessuno parli francese: se qualcuno conosce una lingua straniera conosce il tedesco, per via di un gruppo di cattolici tedeschi che emigrarono qui nel 1890 e lavoravano nelle miniere di carbone; «A quel tempo usava il carbone». «E non c'è stato nessuno, sceriffo, a Parigi, Francia?» «Oh. Sì, ci andò tempo fa quel Bob Pierce, impiegato postale, insieme a Harold Rodgers, titolare della lavanderia: per via di un congresso. E poi ci andò il padre di Phillis Wyatt, Miss Parigi, per trovar la sua cognata che aveva sposato un francese.» «E cosa dissero al ritorno, sceriffo?» «Uhm. Bob e Harold non dissero molto, solo che si faceva una gran confusione in questa Parigi, Francia, dove tutti parlavan francese che è una lingua assai strana. Il padre di Phillis invece tornò tutto eccitato dicendo che per interessante la città era interessante: anche come donne, mi spiego. Il padre di Phillis fece un mucchio di foto, a colori, e poi le proiettò al Club Kiwanics: fra grande silenzio e stupore. C'eran seicento persone a vederle, il padre di Phillis aveva rizzato un telone come al cinematografo. Si vide la torre, quei grandi palazzi, e anche i ponti eran grandi, le strade. La Senna non pareva la Senna ma un mare. Poi successe un gran pandemonio per via delle ragazze, mi spiego. Non avrebbe dovuto proiettarle, mi spiego. C'eran le signore e a Parigi di quelle c'è solo Dolly, ripeto, che però è sempre correttamente vestita. Il padre di Phillis dovette scusarsi e uscì fuori che a Parigi, Francia, era sempre ubriaco per via di quel vino che non è nemmen dolce. A Parigi, Arkansas, il vino si fa con l'uva fragola, zucchero in quantità, ed è un vero giulebbe.»

Sì, mi piace Parigi, Arkansas. Mi piace di più Parigi, Francia, e sapete che faccio? Nei prossimi giorni vado a Mosca, Tennessee, e a Firenze, Alabama. Pazienza per Shirley che ha deciso di andare a ogni costo nel Mississippi, a trovar certi negri di cui è amica: ci ritroveremo ad Atlanta, in Georgia, e ci scambieremo i racconti.

# Paura a Mosca

Mosca (Tennessee), novembre

Noi europei non possiamo certo capirlo girando per Harlem, quel dramma. Il dramma d'essere nato color della notte in un Paese dove oltre l'ottanta per cento ha il colore del giorno e ai bambini si dice ancora se-non-stai-buono-chiamo-l'uomo-nero-e-ti-mangia. Bisogna scendere nell'America amara, nel Sud, per rendersi conto: nella Louisiana, nel Mississippi, nell'Alabama, nella Georgia, nella Carolina, nel Tennessee, negli Stati in cui vive la gran maggioranza dei diciannove milioni di negri. «Ti ho mai raccontato» dice Shirley MacLaine, guidando sulla strada di Memphis «la storia della ragazzina che conobbi in Louisiana sei mesi fa? Le scuole erano state integrate e trentaquattro scolari color della notte vennero ammessi nelle classi dei bianchi. Trentatré vi rinunciarono subito, per le sevizie che ricevevano. Delma, questo è il suo nome, volle restare. Nove anni, due trecce crespute, due occhi colmi di coraggio. La maestra era bianca. Delma, disse la maestra, vai nell'ultima fila e aspetta che gli altri siano seduti. Delma andò nell'ultima fila e aspettò che gli altri fossero seduti. Ora, Delma, puoi sedere. Delma guardò la sua sedia e disse: non posso, signora. La sedia era coperta di sputi. E la maestra: allora stai in piedi, Delma. Delma rimase in piedi: dalle otto a mezzogiorno. A mezzogiorno ci fu l'intervallo per la colazione. Delma, tu no, disse la maestra: non puoi mangiare coi bianchi. Ma non ho portato neanche un panino, signora. Non mangerai, Delma.

Il banco di Delma era vicino alla porta: i ragazzi bianchi dovevan passare dinanzi a lei per uscire. Passarono e ognuno, ognuno di loro, le tirò una spinta, un colpo, una pedata. Delma svenne e finì all'ospedale. Le leggi federali, credi, le truppe federali non servono a nulla: il Sud è un altro pianeta. Appartiene allo stesso Paese, ha la stessa lingua, le stesse leggi, le stesse tasse: ma è un altro pianeta. Capisci quando ci sei perché quella ragazza negra rispose a chi le chiedeva quale fosse secondo lei la punizione da infliggere a Hitler: tingetelo di nero e portatelo qui.»

Non che basti avere i capelli biondi e gli occhi azzurri, intendiamoci, per andare all'inferno. Esiste un razzismo alla rovescia, spesso altrettanto cupo, altrettanto malvagio, e se non posso seguire Shirley che domani parte per Jackson, Mississippi, vi resta tre giorni con quelli dei diritti civili, lo devo a un negro: Harry Belafonte. Lo devo all'incontro che ebbi con lui nel settembre scorso, a New York. Nel Sud volevamo prender contatto, io e Shirley, con esponenti del movimento e il solo mezzo per riuscirci era Belafonte che è un loro capo. Belafonte ci accolse nel suo ufficio, dove non c'è neanche un bianco, ci fece ascoltare autocongratulandosi molti suoi dischi, ci fece vedere l'album delle sue glorie, si chiuse in sprezzante silenzio quando parlai con simpatia di Sammy Davis che ha sposato una bianca, ci invitò a cena nel suo lussuoso appartamento in West End Avenue e… Bè, non fu esattamente una cena malgrado il vino francese, la cucina perfetta, il maggiordomo che serviva coi guanti. Fu un processo kafkiano, una tortura alla *1984*, il libro di Orwell. Da una parte ero io, l'imputata, la bianca colpevole d'essere bianca, di non appartenere alla razza eletta che presto dominerà il mondo, insomma la razza negra, dall'altra era lui, il Sommo Giudice: bello, bellissimo, elegante, sapiente, ammirato, bruciato da chissà quali ambizioni oltre l'ambizione evidente di voler passare alla storia come una specie di Spartaco che ha letto (almeno sostiene) Karl Marx.

Il Sommo Giudice interrogava, io rispondevo: ma niente gli andava bene di ciò che rispondevo, né le opinioni politiche, né le scelte morali, né una certa amarezza sintetizzata nella conclusione che la maggior parte degli uomini sono cattivi e i cattivi vincono spesso se non quasi sempre. Non gli andava bene neanche il mio amore per la democrazia, il mio odio per le dittature: alcune delle quali, ripeteva irritante, son buone e indispensabili. Finché, in cerca di un verdetto, di una condanna che escludesse ufficialmente la mia pelle bianca, il mio odio per le dittature, la mia certezza che nessuna razza è la razza eletta, quindi neanche la razza negra lo è, il Sommo Giudice sentenziò che ero una conformista incapace di ribellioni, una cinica senza ideali, senza speranza, un elemento di corruzione, di male, e che perciò non m'avrebbe permesso di contagiare il suo popolo. «Vada pure tra la mia gente: troverà tutte le porte sbarrate. Perché sarò io che gli dirò di sbarrarle. Vada pure nel Sud: parlerà con i bianchi, coi negri mai.» E ora me ne vo lo stesso nel Sud, senza il permesso del signor Belafonte, a cercare i negri che non assomigliano al signor Belafonte, non hanno i suoi miliardi, i suoi sogni di gloria, e son buoni malgrado l'umanità sia cattiva: come concludi a Mosca, Stato del Tennessee. Vuoi capire l'America amara? Vieni a Mosca, Tennessee: perdi immediatamente la voglia di scherzare su questo gioco di nomi, Parigi Atene Roma Firenze Berlino Madrid Cordova Napoli Vienna Varsavia Mosca, i nomi che gli emigrati europei dettero alle nuove città e che nel Sud sono così frequenti. Vieni a Mosca, ripeto: e ricordati che hai una rivoltella con te. Siamo in viaggio da dodici giorni io e Shirley e ci eravamo dimenticate di averla, quella rivoltella. Ma ora che la nostra automobile corre fra i campi di cotone del Tennessee, Shirley allunga un braccio, la cerca, e dice: «Ok, è sempre qui. Il fatto è che abbiamo la targa Los Angeles. La California qui è considerata uno Stato liberale».

Campi di cotone per decine, per centinaia di miglia. Il cotone è tutto fiorito d'autunno, i suoi rami son tutti coperti di bambagia soffice, bianca. E il vento la ruba in fiocchi leggeri che poi depone lungo la strada. Da lontano non sembra neanche cotone, ma neve che qualcuno ha spalato per non farti slittare. E a volte sembrano nubi cadute dal cielo per terra. Banchi di candide nubi dove i negri affondano fino al ginocchio e con abili dita le colgono a ciuffi che depongono nei sacchi di iuta, cantando. Le nostre mondine fanno lo stesso nelle risaie quando piantano il riso, cantando. Solo che i negri non cantano canzoni allegre o gli antichi spiritual: *Jesus Jesus Alleluja.* Sul motivo dei blues i negri cantano oggi inni di protesta, come questo ad esempio: *In these hands stays all my power, in these hands stays all my force...* In queste mani sta tutta la mia potenza, in queste mani sta tutta la mia forza... «La rivoluzione negra è la cosa più importante, più significativa che avvenga oggi in America» dice Shirley. «Meglio, è una guerra: che puoi paragonare soltanto alla Guerra di indipendenza, quella che noi combattemmo per liberarci dai vincoli della madrepatria, l'Europa. Ecco perché non ti approvo quando osservi che gli indiani sono le vere vittime, ecco perché i negri io li rispetto più degli indiani. Gli indiani non hanno più orgoglio, i negri lo stanno trovando. Gli indiani non hanno mai reclamato i loro diritti, i negri li reclamano, invece. Sono giovani quanto gli altri sono vecchi, agguerriti quanto gli altri son stanchi. E il comunismo di alcuni non c'entra. Il comunismo è introdotto dall'uomo bianco ed essi non vogliono esser strumenti dell'uomo bianco. Non vogliono neanche il cibo che il comunismo promette: il cibo ce l'hanno. Vogliono la libertà. Da vent'anni. Da quando tornarono dalla guerra in Asia, in Europa, e come ringraziamento venivan linciati. Uno, in media, la settimana. Oggi i linciaggi sono rari. Uno, in media, ogni tre o quattro mesi. I negri hanno imparato a non aver paura e, se è necessario, a metter paura.» Davvero, Shirley? A Mosca, Tennessee, non si direbbe.

Mosca è al di là di quelle nuvole scese per terra, oltre quel cartello che dice "Welcome to Moscow": benvenuti a Mosca. Non la puoi mancare sebbene più che una città sia un villaggio: trecentosessanta abitanti sparsi su una superficie di tre miglia quadrate. Mosca è praticamente una piazza quadrata, pochi edifici di legno allineati lungo i tre lati di questa piazza: il quarto è occupato dalla ferrovia e la stazione dove da cent'anni, ogni giorno, il treno si ferma per agganciare i vagoni rossi verdi e azzurri in cui hanno scaricato il cotone. La periferia con le case dei ricchi, di legno anche quelle, ma bianche, e con la tipica veranda a colonnine, è proprio dietro la piazza. Nella piazza c'è tutto: la locanda che Jim Guy, giocatore di poker, impiccato per truffa, costruì nel 1900 e che ora cade a pezzi, non ci vivono che i topi; il supermarket dove si vendono ancora i cappelli da donna come li portavano negli anni Trenta; la bottega del barbiere dove i muri son tappezzati dagli avvisi "Wanted", ricercato, ma chissà perché il ricercato non è mai un bianco, è sempre un negro; l'osteria dinanzi alla quale un gruppo di bianchi ci guarda ostile. Chi siamo? Cosa vogliamo? Cos'è quella targa Los Angeles? «Parchiamo qui, Shirley?» «C'è poco da scegliere. Qui o là non c'è che sperare che non ci taglino le gomme.» «Ok, e dove andiamo?» «Mah! Io direi di provare col sindaco.» Bene, avanti, coraggio. «Buongiorno. Il sindaco dove sta, per favore?» Silenzio. «Buongiorno. Il sindaco dove sta, per favore?» Silenzio. Proviamo con questo negro che va a testa bassa? Forse è più ciarliero dei bianchi. «Buongiorno. Il sindaco dove sta, per favore?» «Io non so nulla, non devo dir nulla, io sono un negro ignorante, non so neanche leggere, io, non mi metto nei guai.» Poi subito scappa, inseguito da una risata. La risata viene da un negro vecchio ma vecchio, sporco ma sporco, che siede sull'orlo di una panca: onde occupar meno posto, suppongo, nel caso che un bianco voglia sedersi ed è noto che i bianchi non voglion sedersi vicino a un negro. «Buongiorno. Il sindaco dove sta, per favore?» «Dietro la piazza, bianchi. La casa di mattoni.» «Grazie, signor...?» «Samuele, senza signore» risponde il vecchio. E di nuovo ride, ride, ride coi suoi denti gialli, le sue gengive gialle: avrà novant'anni a far poco e a novant'anni non si ha più paura di ficcarsi nei guai. Ci ficchiamo noi, nei guai: a comprargli quella Coca-Cola, a offrirgli quella sigaretta. Le notizie volano a Mosca: quando arriviamo dal sindaco, lei lo sa già.

Il sindaco si chiama Clotilde. Signora Clotilde Morton. Tra i quaranta e i cinquanta, una vedova. Possiede due terzi dei campi di cotone intorno a Mosca ed è la quarta volta che viene rieletta. Una donnina che sa il fatto suo malgrado quell'aria fragile, dolce, gentile: in testa ha una gran treccia a diadema. «Lei non viene mica da Washington?» brontola a Shirley. «No, no, le assicuro.» «Mi sembrava di averla già vista.» «Strano, davvero.» «E perché viene a Mosca?» «Sa: Mosca in Russia, Mosca nel Tennessee... siamo giornalisti.» Shirley è una vera attrice: se volesse, convincerebbe i suoi familiari che non è la MacLaine, che il suo mestiere è scriver su un certo settimanale italiano. Risultato: Clotilde si arrabbia: «Ah! Come quei reporter sovietici che vengono continuamente a cercarmi con i loro pregiudizi, le loro sciocche domande, e poi si mettono a familiarizzare coi negri?» «Vengono reporter sovietici a Mosca, signora Morton?» «Continuamente. Della TASS, della "Izvestia", della "Pravda". Un'ossessione, antipatici! E sempre a chiedermi se vorrei andare a Mosca in Russia.» «Ci andrebbe, signora Morton?» «Che dice? Morirei di paura. Non ne ho davvero il coraggio.» La signora Morton non è un'ignorante, non è nemmeno una stupida. Ha viaggiato, è stata a Londra, a Roma, a Venezia, a Parigi, capisce benissimo cosa cerchiamo e tiene a chiarire che Mosca nel Tennessee non ha niente a che fare con Mosca nell'URSS: "moscow" è una parola indiana che vuol dire "incrocio tra i fiumi". «Andate alla banca dove c'è la biblioteca. Leggete la storia di Mosca. Ve ne convincerete.» E noi andiamo alla banca, che è attaccata all'ufficio postale ed è il solo edificio moderno di Mosca, in cemento. Sulla porta della banca c'è una bambina di circa tre anni, negra, stupenda. Mi fermo a tirarle le treccine e lei ride, si nasconde dietro Shirley che la prende in braccio e la bacia: «You, marvellous piece of chocolate!». Tu, splendido pezzo di cioccolata! Dietro la porta a vetri una donna, la cassiera, ci guarda.

«Buongiorno, signora, è lei che dirige la biblioteca?» Silenzio. «Vorremmo leggere la storia di Mosca.» Silenzio. «È il sindaco che ci ha mandato.» Silenzio. «Ci sente, signora?» Due labbra cattive si muovono: «Sì». «Potremmo leggere la storia di Mosca?» «No.» «Come no?» «No.» «E perché?» «Perché no.» «Guardi, signora, forse c'è un equivoco. Poiché siamo tre giornalisti...» «Voi siete tre del governo.» «Ma no, signora. Siamo giornalisti.» «Ah. Ah.» Pazienza, proviamo col padrone dell'ufficio postale. Bianco anche lui, si chiama John Simmons ed è anche il becchino della città. «Buongiorno, signor Simmons. Siamo giornalisti e vorremmo...» «"Mosca" vuol dire "incrocio tra i fiumi", se siete pagati dal governo di Washington per fare la réclame a quei russi, avete sbagliato indirizzo.» E ci volta le spalle: era lì anche lui quando Shirley ha baciato la bambina negra. Pazienza. Proviamo dal barbiere. Anche il barbiere è bianco. Secco, ostile, bizzoso, è anche sovrintendente dell'acqua, assistente ai funerali, segretario del locale centro massone; sua moglie, Mattie, è la maestra di Mosca. A Mosca ci sta da cinquant'anni, da quando è nato cioè. Di Mosca sa tutto: che fu fondata nel 1860 quando la gente non si vestiva di nailon e il cotone rendeva, che attraversò un'era di grande splendore, dovete sapere che alla locanda c'erano ben due saloon e otto donnine allegre, che Clotilde il sindaco è stata imposta dai cotonieri dei villaggi vicini, veri padroni di Mosca... «E bambini negri, a scuola, ci sono?» «Eh, purtroppo. Ce ne sono sei. Niente da fare: quei ficcanaso del governo federale ce li impongono. Voi non venite mica da Washington?» «No, no. E come si comportano i negri di Mosca, signor Browning?» «Eh! Eh! Qualcuno male, malissimo. Quelli di Washington gli hanno lavato il cervello e di conseguenza qualcuno s'è montato la testa. Storie, diritti civili. Ma un po' per volta capiscono d'aver commesso un errore e tornano a fare i bravi ragazzi ubbidienti.» «Chiaro. E lei gli è amico?» «Guardi, io la barba non gliela faccio davvero: ci mancherebbe anche questa, che facessi la barba a un negro. Ma quando son morti li seppellisco proprio come i bianchi, e senza sovrapprezzo.» «E lei, signor Boswell?» Emerett Boswell, altro bianco, è il padrone del supermarket: sorride tutto perché spera che gli compriamo qualcosa. «Io, guardi, per me, io vendo ai negri come ai bianchi: purché paghino presto in soldoni. Io gli do la stessa roba ai negri, presa dagli stessi sacchi dei bianchi, ecco, mica marcia. Io basta che si mettano in fila! Fila a parte, evidente.» «Evidente.» «Siete pagati dal governo federale, voi tre?» «No» dico io. «No» dice Shirley. «No» dice Bjorn. «Ehi, gente, fra noi: vogliamo dircela la verità?» «È la verità, glielo giuro.» «Venduti!» Shirley, che stava comprando un pacco di sigarette, le posa. Non l'ho mai vista così cupa, così inferocita. Perfino le sue lentiggini sono pallide mentre dice: «Bè, non c'è un negro con cui parlare quaggiù? Una persona perbene?».

C'è. Si chiama Salomone Price. È quel gigante color del carbone, chiuso dentro una tuta azzurra da meccanico. È il meccanico del paese e la sua officina è una specie di stalla vicino alla piazza. Paga venti dollari al mese di affitto per quella stalla e ne guadagna novanta. Il fatto è che i servizi piccoli come avvitare un bullone o lavare un'automobile «non può mica farli pagare all'uomo bianco». «E perché, Salomone?» «Perché uno ha bisogno di stare tranquillo, di non cacciarsi nei guai.» La voce di Salomone è cavernosa, ed esce da due labbra viola, piegate sempre all'ingiù, così tristi. «Prego, si accomodino» dice porgendo tre cassette di legno. «Non hanno avuto una grande accoglienza a Mosca, nevvero?» «Eh, no, Salomone.» «Io l'ho capito subito quando ho visto la targa e quando poi la signora ha baciato la mia nipotina...» «Era la sua nipotina? Complimenti, Salomone.» «Sì, ho cinque figli e sono già nonno.» «E i suoi figli dove stanno, Salomone?» «Tutti scappati. Uno a Saint Louis, uno a Chicago, due a New York. Qui c'è solo il più giovane che ha diciott'anni e tra un poco scappa anche lui. Appena finita la scuola: non ne può più. È un ragazzo sveglio, si batte pei diritti civili. Voi tre venite da Washington?» «Ma no, Salomone.» «Non siete del governo federale?» «Ma no, Salomone.» «Ve l'hanno chiesto, i bianchi?» «Sì, Salomone.» «Già, tutti pensano che siate pagati da quelli di Washington per la propaganda. Il fatto è che non viene nessuno a Mosca, solo quelli di Washington. Che poi non fanno nulla, discorrono e basta. Siamo venticinque famiglie di negri, a Mosca, e si ha sempre paura che ci succeda qualcosa.» «Cosa, Salomone?» «Bè, sai come succede da queste parti nel Sud. Noi abitiamo tutti al di là del fiume e basta un fiammifero buttato sul tetto. Il partito nazista qui è forte.» «Il partito nazista?» «Sì, quello con la svastica al braccio.» «E alle elezioni votate?» «Ecco, il voto ora c'è, ma i più non andranno mica a votare. Tanto a che serve? I candidati son tutti bianchi, i bianchi fanno quello che vogliono sempre, e noi a farci vedere che si dà il voto ci si mette nei guai.» «Ma ci sono i federali!» «Già, ma quelli ripartono a elezioni finite.» Dinanzi all'officina si sono fermati due bianchi, due giovanotti. Ci guardano con le mani in tasca, masticando chewingum, e non fanno nulla ma fanno paura. «Salomone, lo sa che è intelligente?» gli dice Shirley alzandosi dalla cassetta e prendendolo sottobraccio: per sfida. I due giovanotti la fissano e poi vanno a sedersi sul muricciolo di fronte, con le mani in tasca, masticando chewingum. «Oh, signora! Ecco una cosa che non avevo mai udito!» canta Salomone. «E siccome è intelligente, perché non lascia Mosca?» «Oh, signora, ecco una cosa che non posso fare» canta Salomone. «Oh, signora, signora! Io la lasciai questa dannata città. Fu quando mi mandarono a fare la guerra in Italia e si sbarcò in quel posto chiamato Anzio. Un inferno, signora, però mai un inferno come Mosca nel Tennessee. Morivano tutti, signora, e anch'io sarei morto se Dio m'avesse ascoltato. Io per non tornare a Mosca, Tennessee, ci sarei morto così volentieri in quel posto chiamato Anzio. Feci tutto per riuscirci, signora, ma non ci riuscii e mi dettero quella sciocca medaglia. Poi la guerra finì, con la speranza di morire alla guerra, e dove andavo, signora? I miei genitori stavano qui, la mia Nancy stava qui. Tornai all'inferno. E Dio sa se questo è inferno. Mio fratello fu trovato in un campo di cotone, bruciato con la benzina.» I due giovanotti ci guardano ancora, masticando chewingum. Salutiamo Salomone, ci avviamo verso la piazza per risalire sull'automobile, scappar via dall'inferno, e loro ci vengono dietro. Con le mani in tasca, masticando chewingum. Entriamo in un drugstore, tanto per stancarli, e loro entrano dentro il drugstore, ammiccano al padrone del drugstore, questo ci urla: «Fuori di qui, dal mio drugstore!». Usciamo dal drugstore ed escono naturalmente anche loro, con le mani in tasca, masticando chewingum. Non ho mai fatto un viaggio così lungo come quei cento metri che vanno dall'officina di Solomone alla piazza. «Speriamo di non trovare le gomme tagliate» mormora Shirley. Le gomme non sono tagliate, l'automobile è lì, sembra intatta. Ma la piazza è vuota, di tutta la gente di prima non è rimasto che un cane giallo e, seduto sulla stessa panchina, un poco più fuori dell'orlo, il vecchio Samuele. Sembra lo zio Tom. I due giovanotti si fermano, uno ci sputa il chewingum sul parabrezza, l'altro ci dice: «Go home, Washington's servants». Andate a casa, servi di Washington. Bjorn mette in moto, partiamo. «Fortunati, eh?» «Sì, fortunati.» Ma dopo mezzo chilometro, poco di più, ci accorgiamo che una gomma perde: di più, sempre di più, e ora è a terra. Sono stati loro? È stato il barbiere? Il padrone del supermarket? Il becchino dell'ufficio postale? La bibliotecaria? Sono stati tutti. E forse c'è stata anche una riunione cui ha partecipato Clotilde.

Cambiamo con qualche parolaccia la ruota, riprendiamo ad andare lungo il confine con l'Alabama. Laggiù è il centro invernale di Chattanooga: ricordi Glenn Miller, la sua canzone che fischiettavamo dopo la guerra. Alla nostra sinistra è il miracolo della Tennessee Valley Authority, l'ente per il potenziamento del bacino fluviale del Tennessee che era il fiume più rabbioso d'America e straripando allagava ogni volta quattro milioni di acri, distruggeva i campi e le case. Ora le sue dighe titaniche proteggono la vallata più salubre degli Stati Uniti, quasi duecento fattorie elettrificate, coltivazioni di tutte le specie, un miracolo di agricoltura, di tecnica, di buona volontà. Che strano Paese è l'America, che sfinge incomprensibile. Siamo giunte quasi alla fine del nostro viaggio e io non ci ho capito un bel nulla. Domani Shirley ci lascia: Harry Belafonte la assolse, magnanimo, e così va a Jackson a vedere i negri che si battono pei diritti civili; ci ritroveremo ad Atlanta, Georgia, oppure a Washington dai suoi genitori. Io e Bjorn invece andiamo a Firenze, nell'Alabama. Una fiorentina non può resistere a tale tentazione.

# Oltrarno in Alabama

Florence (Alabama), dicembre

La voce del professor Stanley Rosenbaum, insegnante di letteratura internazionale all'università di Firenze, Alabama, è quasi strozzata per l'indignazione: «In Italia hanno tolto il latino dalle scuole medie?!?». «Sì, professore.» «Ma non è possibile!» «Invece sì, professore.» Il professore si copre il volto pallido, secco, con due mani pallide, secche. «Ma lei si rende conto del peso che il latino ha sulla nostra cultura? Perfino il linguaggio spaziale ricorre al latino: le parole "cosmos", "astronaut", "terrestrial", "lunar"! E come hanno chiamato i vari progetti? Mercury, Gemini, Apollo. Non sono nomi latini?!» «Eh, sì, professore.» «L'avevo sentito dire, in realtà, che da voi le università più affollate son quelle di medicina, di chimica, di ingegneria... Incredibile! Davvero, incredibile!» «Eh, sì, professore.» «E Homerus, e Virgil, e Dante, e Ariosto, e Francis Petrarca, e Saint Augustine: non li studiano, quelli?» «Un po' meno, professore, un po' meno.» Stanley Rosenbaum si alza, ha una pancetta petulante e invereconda come il mio professore di greco quand'ero al ginnasio, con dita nervose agguanta due copie della *Divina Commedia* in inglese. «Lei sa perché è avvenuta una importante riunione all'università di Firenze, Alabama, questo pomeriggio?» «No, professore.» «Per decidere quale traduzione adottare della *Divine Comedy*. La scelta era grave, è stata rinviata: io stesso son così incerto. Mi segua, la prego.» Si raschia la gola, si mette a declamare: «*Midway my journey*

197

*I was made aware / that I stayed into a dark forest / and the right path appeared not anywhere...* Nel mezzo del cammin di nostra vita / mi ritrovai in una selva oscura... Ecco, a me sembra che la terza rima qui sia brutalizzata. Forse è meglio così: *Far the right path whence I had stayed...*». La moglie e il figlio ascoltan compunti, seduti in mezzo al soggiorno dove perfino gli scaffali dei libri furon disegnati da Frank Lloyd Wright. L'intera casa fu disegnata da Wright: dalle mura ai mobili ai soprammobili. Il professor Rosenbaum gliela commissionò nel 1947, per quattordicimila dollari che includevano anche il frigidaire e il pianoforte: in America ce ne sono altre due come quella, una a Chattanooga nel Tennessee e una nel Mississippi. È una casa geometrica, di una lucidità cartesiana, eppure calda come poche altre che ho visto. È la casa di un uomo imprevedibile, un intellettuale del Sud. «Noi del Sud» ha detto il professor Rosenbaum, quando me la mostrava «siamo spesso accusati di vivere dentro il passato. Ciò non è esatto: siamo in molti a rifiutare le graziose casette in stile coloniale, siamo in molti a pensare che il passato cui chieder consiglio non è più quello di *Via col vento*. È un passato molto remoto: Homerus, e Virgil, e Dante, e Ariosto, e Francis Petrarca, e Saint Augustine... È attraverso di loro che impari a rispettare un vicino chiuso a chiave nella sua pelle nera.»

Ora immagina d'esser fiorentino e di colpo, mentre la tua automobile corre fra i campi dell'Alabama, trovarti a Florence: insomma a Firenze. Sono due settimane che attraversi l'America, che i tuoi occhi bevon deserto, cactus, indiani Pueblo e Navajo, torri di petrolio, sceriffi, cowboy, negri che piangono e bianchi che li fanno piangere: la tua ultima tappa è stata un villaggio chiamato Mosca, sì, dove t'hanno bucato la gomma perché la tua targa appartiene a una città "liberale"; il tuo ultimo incontro è stato con Salomone, sì, il negro che voleva morire ad Anzio per non tornare a Mosca, a Mosca gli bruciaron vivo il fratello. Sei stanco. Non ne puoi più del Sud, dell'America amara. Stamani hai saputo che due colleghi di «Look» ci hanno quasi rimesso la vita a far ciò che tu stai facendo. A Bogalusa, Louisiana. Il giornalista Christopher Wren e il fotografo Art Kane. Un gruppo di giovinastri bianchi li ha circondati: imponendo loro di «levarsi dai piedi». Wren e Kane hanno ubbidito ma tutte le uscite dalla città eran bloccate da altri giovinastri con l'automobile. Sono infine riusciti a imboccar l'autostrada: i giovinastri li hanno inseguiti e ben presto un'automobile li ha accostati a destra, un'altra a sinistra, una terza li ha tamponati: nel colpo finestrini e parabrezza sono andati in frantumi, ferendo Christopher Wren e Art Kane. Wren e Kane sono scesi e i giovinastri addosso: impugnando bottiglie rotte di Coca-Cola, decisi a sfregiarli. Wren veniva dal Vietnam. Ha detto che il Sud è peggio del Vietnam. Lo è anche per te. Sei davvero stanco. Il Sud ti ha stremato, questo Sud così bello, coi suoi laghi i suoi fiumi le sue foreste, e tuttavia così cupo, ignorante. T'ha preso un attacco di nostalgia: basta con l'epica western, basta con un problema razziale di cui non hai colpa, non fosti tu a strappare quei negri alla giungla, ridurli in schiavitù, vuoi tornartene a casa, nel luogo dove sei nato, dove è nata la tua cultura che è la vera cultura, Dante Giotto Masaccio Leonardo da Vinci: e allora a che serve fermarti a Firenze, Alabama? A far del sarcasmo? Dell'umorismo? Troppo facile, via, Firenze, Alabama: trentamila abitanti, una dozzina di chiese fra cui la più vecchia ha ottant'anni, questo cotone che t'entra nel naso nella bocca negli orecchi, questo muggire di vacche che la notte ti impediscono il sonno, infine una storia di appena centocinquantatré anni di vita. La città fu fondata infatti nel 1818 per volere di Jackson. Jackson incaricò un architetto fiorentino, Ferdinando Sannoner, e quando costui l'ebbe disegnata gli disse hai fatto un buon lavoro, architetto, chiamala come ti pare, architetto: Sannoner la chiamò Florence, Firenze.

Con ciò? Che può darti Florence, Firenze? Altre gomme bucate, altro analfabetismo, la certezza indiscutibile che la cultura, la nostra cultura, è ormai morta e non si sopravvive senza di essa? Ecco: ti dà, consolante, questo colpo di scena, quest'uomo che si preoccupa di non brutalizzare la terza rima di Dante in inglese. Come sempre in America quando credi d'essere giunto a una conclusione e poi, invece, t'accorgi di non essere giunto a un bel nulla: perché qualcosa accade che capovolge ogni tuo convincimento, ogni tua certezza.

«Professore,» gli chiedo «lei è mai stato a Firenze, Italy?» «Certo» dice il professore. «È il sogno di tutti, quaggiù. Ci andai con altri cittadini cinque anni fa e il sindaco ci ricevette in Palazzo Vecchio, quel sindaco piccolo piccolo, e ci fece un lungo discorso di cui non capimmo una sola parola e io gli risposi con un altro discorso di cui lui non capì una sola parola. Così divertente. Poi visitammo gli Uffizi e girammo ovunque quella squisita città e anzi mi ricordo, sì, fu a Firenze, Italy, che qualcuno mi parlò della maggioranza che studia medicina chimica ingegneria. Incredibile, davvero, incredibile. Noi quel problema lo avemmo molti anni fa ma ormai è superato.» «Superato?» «Oh, sì. Vi sono venticinquemila studenti a Firenze, Alabama, e due terzi studiano materie umanistiche. Come in gran parte degli Stati Uniti, del resto.» «Gran parte degli Stati Uniti?!» «Oh, sì. Noi chiamiamo il fenomeno New Renaissance, Nuovo Rinascimento. Straordinario come i giovani di oggi si interessino più di filosofia, storia, letteratura che di tecnologia: tra i corsi supplementari che dovrò fare quest'anno ce n'è uno di tre mesi su Dante, uno di due mesi su Homerus, uno di un mese su Boccaccio e uno di tre settimane su Saffo. Soprattutto nel Sud e fra i negri. Si direbbe che la tecnologia non gli basta più per assumer coscienza.» «E ve ne sono molti di studenti negri a Firenze, Alabama?» «Moltissimi. Vengono da tutto lo Stato e anche da Stati vicini. Sono un po' indietro in confronto ai bianchi perché hanno incominciato, di solito, in pessime scuole: però se la cavano bene, dopo un po' che son qui. Vede, a Firenze ci siamo integrati assai prima che la legge ce lo imponesse.» Più tardi vado al «Florence Times», il quotidiano di Firenze, Alabama. Mi riceve un omino gentile che si chiama Louis Eckl, «sa ora son direttore ma trentà anni fa ero fattorino, qui dentro, poi proto, poi cronista, insomma la mia città la conosco», e costui mi spiega che non c'è mai stata una dimostrazione razziale a Firenze dove le piscine le scuole le chiese i ristoranti i teatri gli alberghi non hanno mai respinto chi è negro. Il direttore della Coffee High School, fondata dal generale Coffee subito dopo la Guerra di secessione e perciò abbastanza antica, è da moltissimi anni il professor Lewis, un negro. Il presidente della Medical Association è un altro negro, il dottor Hicks. «Razzisti ne abbiamo, evidente, anche noi: non dimentichi che dei quattro assassinii avvenuti quest'estate in America per odio razziale tre li dobbiamo all'Alabama. Cioè ad Anniston, a Jacksonville, a Hayneville: città vicine. Ma ovunque nel mondo v'è un'isola di conforto, speranza, e nel Sud quest'isola si chiama Firenze. Vada in giro, guardi, e mi crederà.»

È il sindaco che mi ci porta, con la sua automobile. Il sindaco è tondo, rosa come una mela, si chiama Carl Putteet e fa il farmacista: la sua farmacia è la più bella della città perché ci si trova di tutto, bambole, dolci, macchine fotografiche, libri, calze, giornali, biancheria da signora, e annesso c'è anche lo snack bar in quanto «una farmacia deve essere allegra, festosa, non deve far pensare alle malattie». Il sindaco non è mai stato a Firenze, Italy, però ci son stati gli Williams che sono amici suoi e gli hanno narrato incredibili cose: ma è vero che a Firenze, Italy, non c'è nemmeno un negro, che le farmacie vendono medicine e nient'altro? Il sindaco ha il radiotelefono che usa molto anche per dimostrare che è sindaco, e così chiama continuamente qualcuno, i pompieri, la polizia, l'ospedale, e chiede notizie dei suoi cittadini. C'è Bill, ad esempio, che è caduto nel bagno e s'è rotto una gamba, c'è Carolyn che sta per mettere al mondo un bambino, c'è John Smith che s'è addormentato con la sigaretta accesa e ha dato fuoco alla casa: «Un sindaco si deve occupare di questo, le pare, mica di farsi eleggere a Washington». «Certo, signor sindaco. E coi negri come va, signor sindaco?» «Guardi: se vuol sapere chi è Bill, è il mio amico d'infanzia. Bill il calzolaio. Ed è negro, mi spiego? Una volta è venuto qui Faubus il governatore, sì... quello di Little Rock. Ha detto che strano, qui i negri non mi guardano male: perché? Gli ho detto perché, caro governatore, questa non è Little Rock.» Il sindaco sembra quasi offeso per la domanda che ho posto. E per qualche minuto si chiude in silenzio, guida pensieroso lungo le strade orlate di moderne villette che di anno in anno sostituiscono quelle coloniali, di legno, mentre la gente lo riconosce e gli grida: «Ehi, Carl! Ciao, Carl!». Allo stadio un gruppo di ragazzi in tenuta da baseball lo circonda, lo ferma: «Il campo è pieno di buche, va rifatto, Carl». «Va bene, ragazzi.» I ragazzi sono negri. Sono negri anche molti pazienti che aspettano di essere visitati dal dottor Schaeler all'ospedale di otorinolaringoiatria. Il dottor Schaeler ha ottant'anni, lo chiamano il Dolce Schaeler e siccome è ricco non si fa mai pagare. «È venuta in una buona città,» mi dice il suo assistente che è negro «una città di gente che si rispetta: sia bianca, verde, rossa, viola, a strisce o a pallini. Io mi auguro che lei se ne ricordi quando scrive del Sud.» Ecco, me ne son ricordata. È opinione comune che le buone notizie non faccian notizia: che sarebbe mai di un giornale che racconta solo di gente che s'ama, che non ammazza, non ruba? Nessuno lo comprerebbe. Così si usa dire, e così accade purtroppo: scrivendo di gente buona un cronista si scopre perfino goffo, imbarazzato. Ma per una volta, una volta sola, che sollievo avere una buona notizia da dare come notizia. Io non vedo l'ora di raccontarla a Shirley, domani.

Shirley MacLaine la ritrovo ad Atlanta, Georgia, dopo quattro giorni che ci siamo lasciate: lei per andare, col beneplacito di Harry Belafonte, a raccoglier notizie nel Mississippi. È stanca, sconvolta: da quattro giorni non si lava e non dorme, il suo visino buffo è tirato come se avesse avuto la febbre. Mi ascolta incredula, scuotendo la frangia che le pende oleosa sopra gli occhi. «Io ho avuto meno fortuna nel Mississippi.» «Perché, Shirley? Che hai visto?» «Te lo dirò più tardi. Ora ho bisogno di un lungo sonno.» E si accascia, vestita, sul letto della sua stanza d'albergo. Lentamente le sfilo gli stivali, la giacca. Nella giacca ha un taccuino d'appunti: scritti con la sua calligrafia pendente, prolissa. Ha promesso che avrebbe fatto la giornalista e l'ha fatta davvero: brava, Shirley. Riposati, Shirley, il nostro viaggio è finito: domattina io e Bjorn consegniamo alla ditta Hertz l'automobile che noleggiai a Los Angeles e poi compriamo tre biglietti d'aereo per tornare a New York. Niente Washington, niente Virginia: andiamo a New York. Io ho un tale bisogno di vedere New York, questo ponte teso tra la vecchia Europa e l'allucinante mistero che chiamano America; e più cerchi di penetrarlo, quell'allucinante mistero, più diventa fitto perché come dicono nel Sud «chiunque non v'abbia vissuto cent'anni è straniero». Atlanta è la città di Rossella O'Hara e di Martin Luther King: certo avrebbe da narrarmi molto se mi ci fermassi. Ma il taccuino di Shirley mi promette abbastanza, e forse di più. Ecco. Siamo sull'aereo che ci porta a New York: Shirley lo apre e lo scorre con occhi ancora assonnati. Ma di colpo i suoi occhi si svegliano, la sua voce si sveglia e incomincia il racconto.

«Lei si chiamava Unita e aveva la pelle più nera che avessi mai visto: di un nero polveroso, cupo, mi spiego? Suo marito si chiamava Geremia ed era quasi bianco. Si sarebbe potuto scambiar per un bianco appena abbronzato se non fosse stato per i capelli cresputi. Lui faceva il cuoco su uno Show Boat del Mississippi, lei si occupava dei diritti civili: sono tre anni che si batte per i diritti civili, e non pensa ad altro, come un *maquis* nella guerra contro i tedeschi. La loro casa era alla periferia. Ci vivevano col loro bambino, di nove anni, alcuni parenti e amici, e forse non dovrei dire casa: ritrovavi l'idea di una casa normale, lì dentro, solo attraverso il televisore e il telefono, non avevano neppure il gabinetto. Bisognava uscire all'aperto per andare al gabinetto: ma avevano il televisore e il telefono. Ci vuole, capisci, per sapere cosa accade altrove e informare su ciò che accade lì. È un'arma di lavoro, capisci, uno strumento di difesa, capisci, come il fucile quando sei alla guerra. Lì c'è la guerra. Per installare il telefono avevano messo i soldi da parte durante non so quanti mesi, Unita e Geremia: i bianchi fanno pagare prezzi esagerati a un negro che chiede il telefono, il contratto normale è trenta dollari ma per Unita e Geremia fu duecentocinquanta.» Shirley accende una sigaretta, nervosa. «Li conobbi attraverso due negri che mi presentarono come loro amica: se non dici "amica, amico" non t'apron la porta, non ti tendon la mano, c'è la guerra laggiù, ti ripeto. Non mi chiesero nulla. Solo che lavoro facessi ma alle mie risposte confuse si misero in testa, mi pare, che fossi una prostituta o qualcosa del genere. Ciò non li indignò ma fu abbastanza per non riaffrontar l'argomento: né sospettarono mai che fossi un'attrice. Al cinema, sai, non ci vanno. Mi dissero solo che per dormire c'era poco posto: sul materasso per terra avremmo dovuto riposare a turno, due ore ciascuno. Di giorno uscivo con loro, con Unita soprattutto che andava nei posti, nei bar per esempio, a "parlar con la gente, spiegare le cose". A volte era suo marito a dirle: "Unita perché non vai a bere una birra; stai lì una oretta, parli con la gente, e spieghi le cose". Proprio ciò che non piace a quelli del Ku Klux Klan. Così, quella sera... Noi non ci accorgemmo quando entraron nell'orto, con le loro tuniche bianche, i loro cappucci bianchi, fatti di costosissima seta. Non ce ne accorgemmo perché camminano con passi felpati, sembrano gatti nel buio, ti accorgi che sono venuti solo quando sono partiti. Non li sentimmo nemmeno montare la croce: sai, prendono due pezzi di legno e ci fanno una croce, più o meno grande a seconda del significato che intendono dare alla loro minaccia. Se vogliono spaventarti un poco fanno una piccola croce. Se vogliono spaventarti di più fanno una croce più grande, se vogliono annunciare un assassinio fanno una croce grandissima. Poi, quando l'hanno fatta, la fasciano bene di stoffa e inzuppan la stoffa con la benzina perché bruci meglio e alla svelta. Poi piantano la croce nell'orto, ad esempio, e le danno fuoco. Bè, ce ne accorgemmo quando si accese la prima fiammata, ed era una grandissima croce: Unita diceva che ce ne sono di più grosse ma a me parve una grandissima croce, ed era così spaventoso vederla bruciare nel buio. Una croce, non so, una croce t'hanno insegnato che è qualcosa di puro, un simbolo di amore, ecco: e invece quella croce era talmente impura, colma di odio, capisci? Io non so come facessero, Unita e gli altri, a guardarla bruciare e tenere quel sorriso sopra le labbra. Unita, Geremia, i parenti, il bambino: sorridevano tutti, ci credi? Sorridevano e dicevano quanto sono grotteschi, che gesti da bimbi incoscienti. Ma come, Unita, rispondevo, ma come, non chiami la polizia? E lei: a cosa serve? Il novanta per cento dei bianchi è nel Ku Klux Klan e la polizia è nelle mani dei bianchi. Lo sceriffo è inefficiente, le truppe federali arrivano e vanno subito via, la giustizia è una farsa qui. Te ne accorgi ai processi: non c'è un solo processo per l'assassinio di un negro dal quale un bianco ne sia uscito con la condanna. Un negro si condanna per niente, un bianco neanche per assassinio, e non c'è niente da fare: solo resistere, dimostrargli che non hai paura. E non hai paura, Unita? No, non ne ho. Era una donna piena di ingenuità, di speranza. Era giovane, giovane, malgrado i suoi trentotto anni, il suo grande corpo maturo, era una bambina, piena di fede come una bambina. In fondo è bene che tu non l'abbia vista: come dice Harry, l'avresti contagiata con la tua amara sapienza europea.» «Non dire sciocchezze, Shirley, anche tu.» «Sciocchezze?! Non sanno che farsene loro di voi: voi che avete visto già tutto, e perciò siete sapienti e amari. Non sanno che farsene della vostra amara sapienza, di Giotto Masaccio Dante e Leonardo da Vinci. Hanno bisogno d'essere ingenui, loro, non amari, sapienti, per credere che il giusto esiste e trionferà. Hanno bisogno di credere: se non credessero avrebbero paura e se avessero paura resterebbero schiavi.» «Non lo sono rimasti a Firenze, Alabama, e non lo sono mai stati a Firenze, Italy, Shirley.» Shirley però non mi ascolta. Quella croce che bruciava nell'orto di Unita annunciando forse la morte ha avuto su lei il medesimo effetto che ebbe su me, bambina, il primo bombardamento. E non mi ascolta, non mi segue, non può ascoltarmi, non può seguirmi: è ormai un'americana che pensa americano e niente altro. «Quella notte, quando finalmente la croce s'è spenta e io mi sono gettata sul materasso a pensare cosa avrebbero fatto a Unita, ho pensato a mio padre: che vive in Virginia, è un intellettuale, anche lui, e parla al passato remoto, anche lui, di cultura umanista, anche lui, e non capisce me che vado a Jackson, Mississippi, non capisce Warren che è identico a me. Come non ci capisce mia madre che dice con un sorriso che figlioli matti abbiamo, che matti. Sì, ho pensato a mio padre e gli ho detto, padre, ecco l'errore che tu commetti, che tanti americani commettono, l'errore di temere le rivoluzioni degli altri, il bisogno di indipendenza degli altri: dimenticando che chi si ribella, chi avanza diritti ripete la lezione che noi gl'insegnammo. Noi che rompemmo per primi le catene del colonialismo, noi che ci staccammo dalla madre patria e facemmo la guerra, noi che fummo sempre una nazione di disubbidienti! E ora che gli altri fanno lo stesso con noi, ora che hanno imparato il nostro insegnamento, noi non li comprendiamo e gli accendiamo le croci, e gli mandiamo soldati, e tradiamo noi stessi...»

New York, dove un membro del Ku Klux Klan s'è appena ammazzato per avere scoperto d'essere ebreo, ci salta addosso coi suoi grattacieli, i suoi ponti, le sue navi ancorate lungo lo Hudson: c'è da fare un bilancio di questo viaggio? Guardo Shirley che ora siede a casa mia e telefona in Giappone, ancora in Giappone, per dire a Steve suo marito che torna a casa, il viaggio è finito, e concludo che il bilancio lo fece già lei: quando partimmo e mi disse ricordati che sintetizzare è impossibile perché l'America è tutto. Tutto. È l'uomo di Rhyolite con la zampa del suo dinosauro, è l'avvocato divorzista di Las Vegas, le slot machine di Las Vegas, la famiglia Navajo di Tuba, i Pueblo imbroglioni di Acoma, il giudice di Buonanotte, il cowboy di Oklahoma, lo sceriffo di Parigi, la sindachessa di Mosca, il professor Rosenbaum di Firenze, Unita la negra di Jackson. Tutto. Ma soprattutto, mi sbaglierò, soprattutto è questa donna appassionata, arrabbiata, orgogliosa, intelligente, irritante, disubbidiente che m'ha accompagnata per oltre due settimane fin qui. Forse non ho visto molto in queste due settimane, forse ho capito ancor meno, ma una cosa l'ho capita eccome: attraverso di lei. L'allucinante mistero che chiamano America ha ancora da insegnarci qualcosa: a disubbidire, ad esempio, e a studiare il latino.

Parte quarta

Istantanee
(1966)

# Gli americani sono matti

New York, febbraio

Mi piomba in casa all'una del mattino: cappotto nero, cappello nero, così elegante che non sembra più lui ma un agente di Wall Street. Nella mano destra tiene un centesimo nuovo, lucente, col profilo di Lincoln. Nella mano sinistra, un fagottino di formaggio groviera: gliene è venuta la voglia e così l'ha comprato. «Che fatica, però. Come si dice groviera in inglese? Ho dovuto dipingerlo, lì, nel negozio, e il senso del volume a me manca.» È a New York da tre giorni, è venuto insieme a De Sica per decidere tre film. «Cose grosse, eh! Cose grosse.» Non c'era mai stato a New York, e gli ho chiesto di raccontarmi che ha visto. Chissà cosa ha visto questo squisito umorista, questo delizioso poeta, questo paradossale fanciullo di sessantatré anni. Ascoltiamolo senza fargli domande, così come parla. Ora s'è tolto il cappotto, s'è buttato su una poltrona e mangia il suo cacio bevendo la Coca-Cola. Lui non l'ha comprata, ha capito che ce l'avevo «perché una che sta in un grattacielo, in prigione, beve per forza la Coca-Cola».

«Il problema è la mancia. La mancia, guarda, è la preoccupazione più grande. Prima che lasci Roma mi chiamano quelli della tv, voglion sapere che penso io della mancia. Guardate, rispondo, io vado a New York e non mi preoccupo mica della geografia, mi preoccupo della mancia. Ho cercato nel libro di Raymond Cartier, in fondo c'è scritto che bisogna dare il quindici per cento. D'accordo ma le

211

divisioni, le moltiplicazioni chi le fa? Io non so, sbaglio sempre, nei numeri non son mai stato forte. E nemmeno nei soldi, vado a simpatia. Per il tuo portiere ho scelto questa graziosa moneta che brilla e ha un volto nobile, sopra. Mi è sembrata di un certo valore, me l'ha restituita con sgarbo. Quanto vale?»
«Un centesimo. Sei lire circa.»
«Per questo. E dire che mi sembrava di un certo valore. Brillava. Bisognava chiederlo ma parlano solo americano, americano e basta, ho avuto tali peripezie con la lingua, ho passato momenti avvilenti. Arrivo, ad esempio, e mi accorgo che ho lasciato a Roma la corda del rasoio, come si chiama, sì, insomma, la corda, il filo. Problema difficilissimo. E se lo spagnolo qui non lo sanno? Io quando sono nei guai tiro fuori le mie dieci parole in spagnolo: adiós, hasta la vista, mañana, olé. Pigio il bottone e arriva la negra: non capisce nemmeno un olé. Mi guarda come se fossi pazzo, fa cenni, ride, e non posso farmi la barba. A Londra è lo stesso. Ricordo quella volta a Londra, mi dissero cosa vuole di aperitivo, risposi in francese, la cameriera non sapeva il francese: e tutti bevvero l'aperitivo, io no. Io lì, rattrappito, muto come un cretino, a pensare che tutti bevono l'aperitivo e io no. Ma a Londra qualcuno che parla francese lo trovi, qui nulla. Dico: *parlez-vous français?* Rispondono: *très peu.* Poi più nulla, o un farfugliare penoso perché effettivamente lo sanno poco e lo so poco anch'io. Non si può andare avanti così, non si combatte ad armi pari. Ho scritto ai miei figli: imparate la lingua, imparate l'inglese. Uno di loro lo sa, gli ho scritto di perfezionarlo. E, appena tornato a Roma, prendo lezioni anch'io: un'ora al giorno di inglese. Tanto per leggere i titoli sui giornali, per dare la mancia giusta, per non sentirti ridicolo. L'unica cosa in cui me la sbrigo è l'ascensore; ho la fortuna di abitare al settimo piano e sette si dice *seven*. È una parola che pronuncio bene perché in Italia c'è una gazosa che mi piace

tanto e si chiama Seven-up. *Up* per l'appunto vuol dire su. Dico: *seven-up!* E l'ascensorista mi porta su. Al telefono comunque non serve, telefonare agli amici è impossibile. Dico: *s'il vous plaît, je voudrais un numéro.* Rispondono: *uan momént* e cercano uno che cerca un altro, a catena, e intanto passano venti minuti e infine silenzio. Sono riuscito soltanto ad avere il consolato: cercavo un tale ma non c'era più, era andato in pensione. Allora sai cosa ho fatto? Ho preso la penna e ho scritto agli amici: lettere espresso. L'indomani giù telegrammi, cablogrammi, e poi loro: gli amici. È venuto anche Saul Steinberg, sta preparando una mostra a colori: ha scoperto il colore, pensa, il colore non ce l'aveva mai fatto vedere. Ma gli amici eran troppi, così li ho messi uno di faccia all'altro, gli ho detto evviva, sono felice, ci vedremo a Roma, e sono andato a teatro. No, questo è successo la sera dopo: ho perso il filo della prima sera, dov'ero rimasto? Ah, sì: alla negra che ride. Bè, dopo un poco è venuto un tipo alto alto alto e s'è messo a parlare nel più stretto argot abruzzese. In americano era meglio. Però ha compreso la storia della corda, del filo, ed è andato a comprarmi un rasoio nuovo. Era un rasoio così complicato, così intelligente, che nessuno dei due è riuscito a usarlo e così l'abbiamo reso sebbene avessimo tolto lo scotch. Ma il pugliese mi ha dato una lametta e ho potuto farmi la barba. Si vede?»

«Sì, sì. Si vede.»

«Fatta la barba ho tirato il colpo e sono uscito, da solo, nella *Fif Aveniù.* Vittorio e la María son rimasti in camera ma non m'è dispiaciuto perché preferisco uscire da solo sebbene Vittorio un po' di inglese lo sappia. Faceva freddo. Ma un freddo lucido, buono, un freddo come dire?»

«Da ricchi.»

«Ecco, brava, da ricchi. In quel freddo da ricchi c'era un silenzio tremendo e c'è voluto un po' per capire che il silenzio l'avevo io nelle orecchie ferite dal ronzio

213

dell'aeroplano. Mi hanno fatto impressione le luci, quei negozi illuminati come se fossero aperti: capisci, uno viene da Roma dove appena si esce da una stanza si spenge l'interruttore con la scusa delle zanzare. E poi mi hanno fatto impressione le donne: belle, ma belle, e più eleganti che a Londra e a Parigi. Dinanzi a un ristorante c'era una fila di donne distintissime: tutte col visone. Una fila di pellicce di visone, hai capito. Distintissime. E poi mi hanno fatto impressione i grattacieli. Li guardi con la testa rovesciata all'indietro come quando sei al *varieté* e sei in prima fila. Ma per quanto tu pieghi la testa all'indietro, non basta: perché non finiscono mai. A un certo punto sai che succede? Sto guardando il *building* di Time-Life, la testa sempre un poco più indietro, e mi vedo alle spalle un cavallo. Un cavallo fra i grattacieli. Un cavallo vero, come se tu fossi a Roma, hai capito. Un cavallo con un poliziotto a cavallo, così, all'improvviso; non hai nemmeno il tempo di realizzare. Mi son spaventato e sono scappato in chiesa. Sì, in chiesa: ti sembrerà strano perché io non ho fama di uno che ha simpatia grandissima per certe forme che... insomma. Ma volevo vedere Saint Patrick. La prima cosa che ho visto è stato il papa di cera. Sta lì, seduto, di cera, con gli occhiali e tutto: mi ha spaventato come il cavallo. La seconda cosa che ho visto sono state le bandiere: quella americana e quella del papa, sai, accanto. Fa un certo effetto vedere quelle bandiere in chiesa: un bellissimo effetto. Come quella piramide di lumini accesi, quel bagliore puro, tremolante: roba da cambiare idea, mi spiego? La chiesa era vuota, c'era soltanto una signora con le mani sulla faccia che faceva i fatti suoi, come si dice, pregava. E poi centinaia e centinaia di Bibbie, vedessi quante Bibbie, pensa che nessuno le ruba, e poi centinaia e centinaia di cuscini che sembrano torte: alti una spanna, per posarci i piedi. Mica in terra li mettono i piedi: sopra i cuscini, come i cardinali. Anche questo è da ricchi. Poi sono uscito e m'hanno offerto del cioccolato. Per ragioni di beneficenza, non di cortesia. Non ho capito e me ne sono andato pensando ai fusi orari e al dramma di un uomo geloso. Che c'entra, dirai. C'entra. Quando qui son le sei del pomeriggio, in Italia è già mezzanotte. L'uomo geloso è abituato a stabilir paralleli fra la sua vita e la vita della sua donna. Alle sei del pomeriggio che pensa? Pensa: sono le sei e lei sta lasciando l'ufficio, ad esempio. No! Non sta affatto lasciando l'ufficio perché per lei è mezzanotte e chissà cosa fa. Magari è a letto chissà con chi. Il problema non vale solo per l'uomo geloso che ci ha la donna in Italia o in Francia o in Germania. Vale anche per l'uomo geloso che ci ha la donna in America: insomma per gli americani, capisci? I fusi orari cambiano continuamente in questo Paese, quando a New York è mezzogiorno a Los Angeles sono le nove del mattino, nel Kansas sono le dieci: uno deve star sempre lì a fare i conti, come per le mance, e se non è forte nei numeri sai che sbagli fa? Telefona al momento sbagliato, dice buonanotte al momento sbagliato. Così pensando sono tornato in albergo e indovina chi c'era? Dalí. E che aveva in capo? Un elmetto. Di che colore? Bianco. Faceva fracasso per farsi notare, baciava le signore, correva: mi ha dato fastidio. Come artista, bada, ho gran stima di lui, altro che storie, ma cos'è questo fracasso? È scoppiata la guerra! No! Sono i pompieri. I pompieriii!»

Zavattini corre alla finestra, solleva il vetro, e quasi mi ruzzola giù dal ventesimo piano: sulle autocisterne di rosso fiammante.

«Bello! Bello! Voglio andare anch'io, voglio seguirli! Su, andiamo, corriamo, il cappotto! Ma come?! Loro passano e tu resti lì, come se niente fosse, impietrita? Ma non ci tieni a sapere dove vanno, e perché? Brucia qualcosa? E come sarebbe a dire: brucia qualcosa? Andiamo a vedere che brucia, porco mondo birbone, dove brucia: io metto il cappotto. Io scendo. Ma come sarebbe a dire: passano continuamente? Se passano continuamente vuol dire che la città brucia continuamente. Interessante. Ecco, non si sentono più, me li hai fatti andar via, chissà cosa ho perso.»

Zavattini si toglie di nuovo il cappotto e gira per la casa, scontento. «Queste case da uccellini. Sembrano gabbiette per chiuderci dentro un uccellino che piange. Ci perdi la prospettiva, mi spiego? Ti infili in un grattacielo di cento piani ed è come varcare la soglia di via Merici 40. Non te ne ricordi mica che hai cento piani sul capo. E se cascano? Perché pesano, sai, pesano. Noi quanti piani abbiamo sul capo?»

«Una trentina.»

«Speriamo che regga. Però i grattacieli mi piacciono. Stamani in albergo ho tirato la tenda e indovina che c'era di fronte? Un grattacielo. E giro giro, in cima, i ghiaccioli; qua e là certe belle striscettine lasciate dalla neve. Che finezza, questa città. Mi son messo a contare le finestre, indovina quant'erano. Le ho segnate qui, sul taccuino: trecento. Hai capito? Trecento. Trecento finestre. Erano belle perché non erano uguali, a ogni fila diventavan diverse. Una fila eran tutte schiene in camicia, la fila di sotto eran tutte gambe, la fila di sopra eran tutte teste che telefonavano fumando la pipa. Ti parlo di un fatto visivo, evidente, ma era assai più di un fatto visivo. Un signore con la pipa s'è accorto che lo stavo guardando: mi ha fissato con rimprovero. Di certo ha pensato: spionaggio industriale. Mi spiace. L'ho lasciato solo, per tranquillizzarlo, mi son messo con la tv. Che sorpresa, tutti quei canali. E il modo in cui funzionano. Ce n'è uno che viene come i bassorilievi: stupendo. Un altro viene come se ci piovesse sopra: fantastico. È arrivato il tipo alto alto alto e nel suo argot abruzzese ha osservato che non la sapevo adoperare, che così la guastavo. Poi l'ha messa a posto ma io l'ho guastata di nuovo e in cinque minuti ho visto tre omicidi sotto la pioggia. I bassorilievi invece parlavano e sotto le facce c'erano i nomi. Doveva trattarsi di qualifiche degne ma è scoppiato un temporale tremendo e li ha disintegrati in bagliori. Deluso, sono andato all'ONU. Il fiume era pieno di lastre di ghiaccio che anziché dirigersi al mare salivano controcorrente: come i salmoni. Ho chiesto all'autista perché il ghiaccio a New York va come i salmoni e lui mi ha spiegato che è per l'alta marea. Di fuori l'ONU era bello. Che ricchezza di linee, che genialità. Ho detto subito: voglio vedere i gabinetti, chissà come sono i gabinetti dell'ONU. M'hanno deluso, veramente deluso. Voglio dire che all'ONU ci si aspetta gabinetti superbi e invece sono modesti: non c'è proporzione. Inoltre per aprire la porta uno deve infilarci una monetina da dieci e se non ce l'ha? Io non l'avevo. Ho provato a infilarci quella da venticinque, senza chiedere il resto, ma lei non c'è entrata e io non ho potuto fare pipì. Però l'ONU mi ha fatto molta impressione, enorme impressione, l'impressione di una grande inutilità. Quelle cuffiette, quei turisti che passano come le galline in San Pietro, e la cosa peggiore è quell'orribile affresco nella sala delle assemblee. Come si può imporre una pittura così: diventa pericolo di guerra una tale mancanza di gusto. La non-guerra è una questione di gusto. Loro guardano dalla mattina alla sera l'orribile affresco, si abituano al cattivo gusto, e fanno scoppiare la guerra. Forse per questo le decisioni le pigliano in una stanza bianca che poi chiudono a chiave, così per vederli bisogna guardarli dal buco ma loro mettono un tappo nel buco e buonanotte. Non so, all'ONU ho sentito come un'angoscia, un pericolo. Diresti che si annusa la guerra lì dentro: ma la gente che dice? Non riesco a saperlo per via della lingua. Avevo comprato anche il magnetofono, per saperlo. M'ero fatto scrivere le domande in inglese e volevo fermare la gente, incidere ciò che diceva, e poi farmelo tradurre. Il magnetofono non ha funzionato. Come il rasoio: troppo intelligente, troppo complicato. C'erano troppi bottoni e non pigiavo mai quello giusto: ripartirò col silenzio. Ma tu la senti quest'angoscia nell'aria?» «Certo. Siamo al fronte, qui.» «Ecco, sì, al fronte! Per questo, forse, mangiano tanto. Per dimenticare d'essere al fronte. Ma non mangian mai pane. Eppure il pane è buonissimo qui: quei panini di piuma, bianchi bianchi, preziosi. Quanta farina devono avere, come sono ricchi, hanno tutto. C'è stato un pranzo per me e per Vittorio, in un posto che si chiama Le Quattro Stagioni. Entro e rimango rincoglionito: sulla parete di fronte lo sai cosa c'è? Un affresco di Picasso: da terra al soffitto. Ma quanto costa, chiedo. E loro: cento, duecento milioni. Capito? Vo nell'altra stanza e che vedo? Uno Chagall. Come sono ricchi. Però sono anche gentili: vicino allo Chagall avevan messo Vittorio e me. Due fotografie alte così, ora capisco perché il fotografo Secchiaroli mi fece la fotografia due giorni avanti che partissi. È per l'America, diceva. L'hanno ordinata, fatta spedire, ingrandita: come sono svelti. Però niente vino. Dico: e il vino qui non si beve? Dice: tutto il vino che vuole. Me l'hanno portato francese, che prezzi. In confronto costano meno i gioielli. Sono stato da Tiffany: ci compri i gioielli come i salami. Li trattano anche come salami: una naturalezza, una disinvoltura. Noi invece trattiamo i salami come gioielli. Non so se mi spiego: voglio dire che da noi la necessità è un lusso e da loro il lusso è una necessità. Guarda, l'ho scritto anche sul taccuino: salumeria Tiffany. Mi ci ha portato un autista simpaticissimo, con la faccia da criminale. Forse voleva rubare ma poi s'è accorto dei poliziotti in borghese: peccato. Niente è più dolce di un criminale quando ci vai d'accordo. Mi ha portato anche alla Riserva federale dei dollari: gli girava la testa a pensare i dollari che c'erano lì dentro. A me invece è sembrato il palazzo della Banca d'Italia, uscivano solo persone normali. E poi mi ha portato a girare, senza mai fermarsi però. *Arrêtez, arrêtez*, gli dicevo. Sembrava sordo, magari lo era. E così quelle visioni mi schizzavan via svelte, inafferrabili: un grande cartello della United Fruit, una montagna di immondizia bruciata, ma il fumo, dimmi, dove va?, e lo *Stocche Exciang*, e la famosa Wall Street. D'un tratto, nella famosa Wall Street, il disastro del Ventinove eccetera, che salta fuori? Un negozino con un gran reggipetto. Capisci la pop art e capisci che l'arte arriva sempre in ritardo: come ripetizione di una realtà assai più affascinante. E infine siamo andati al porto dove caricavano la Coca-Cola. Le Pepsi-Cola no, perché sono in sciopero da ben sei mesi. Pensa, sei mesi. M'è dispiaciuto non veder caricare anche la Pepsi-Cola, è uno spettacolo veramente bellissimo. Queste navi che partono, tùùù-tùùù, tagliando solenni le acque, tùùù, e vanno in Sud America a portare la Coca-Cola, la Pepsi-Cola. Al porto c'era una giapponese. *Japonaise!* ho gridato. E lei: no, americana. Ma come è possibile che una giapponese sia americana? Ma ammettiamo che sia americana: non ha paura a essere americana? Pensa alla responsabilità. Volevo dirle: ma lei si rende conto, signora, che essere americani significa avere in mano le redini del mondo? Ma è capace, lei? Perché se non è capace ci rimettiamo tutti la buccia. Resti giapponese, signora. Ah, vorrei tanto restare in questo Paese, è un Paese contagioso, ti piglia. Soprattutto New York. Ma devo andare a *Los Angheles*.»

«Los Angeles, non *Los Angheles*.»

«Bè, come si dice si dice. Devo andare a *Los Angheles* per verificar certe cose perché, a quanto pare, ho scritto un mucchio di inesattezze: trentacinque anni fa. Devi sapere che trentacinque anni fa io scrivevo, con lo pseudonimo di Jules Parma, *Le cronache di Hollywood*: incendi, furti, adulteri, tutte balle insomma, niente di vero. Una volta scrissi che Douglas Fairbanks, geloso di Mary Pickford, camminava da un capo all'altro di *Sunsèt Boulevàrd* due volte al giorno. Bene: pare che questo *Sunsèt Boulevàrd* sia lungo ottanta chilometri. Povero Fairbanks. Però mi dispiace lasciare New York. Mi è piaciuta più di Londra, più di Parigi, mi è piaciuta enormemente e ti dico perché. Qui c'è tutta l'infanzia di una classe borghese alla quale appartengo. Qui io ci trovo malgrado la guerra tutto ciò che la mia infanzia ha sognato. Il pane di piuma, la gente che compra con estrema naturalezza i salami, voglio dire i gioielli... Mi ci riconosco e l'America, mi par di capire, va accettata così: come una poesia, senza critica. Si può forse criticare i bambini che l'hanno inventata? Domenica torno nel mondo vecchio per la rotta polare. Voglio vedere gli orsi. Li vedrò? Che ne dici? Non mi imbroglieranno mica?»

Sono quasi le cinque quando se ne va. Sulla città albeggia e il portiere lo guarda severo: alla sua età, che vergogna! Un taxi si ferma, Zavattini ci salta dentro felice: vuol esser portato all'*Empìr Stet Bildìng* perché tanto la notte non dorme e all'alba nemmeno. Lo vedo gesticolare, mentre l'autista scuote la testa. Poi il taxi si allontana, sparisce nel freddo.

# Un marxista a New York

New York, ottobre

Eccolo che arriva: piccolo, fragile, consumato dai suoi mille desideri, dalle sue mille disperazioni, amarezze, e vestito come il ragazzo di un college. Sai quei tipi svelti, sportivi, che giocano a baseball e fanno l'amore nelle automobili. Pullover nocciola, con la tasca di cuoio all'altezza del cuore, pantaloni di velluto a coste nocciola, un po' stretti, scarpe di camoscio con la gomma sotto. Non dimostra davvero i quarantaquattr'anni che ha. Per ritrovarli, quei quarantaquattr'anni, deve andare verso la finestra dove la luce si abbatte spietata sul viso e schiaffeggia quegli occhi lucidi, dolorosi, quelle guance scarne, appassite, la pelle tesa agli zigomi fino a rivelare il suo teschio. Per la stanchezza, suppongo. La notte scappa agli inviti e se ne va solo nelle strade più cupe di Harlem, di Greenwich Village, di Brooklyn, oppure al porto, nei bar dove non entra nemmeno la polizia, cercando l'America sporca infelice violenta che si addice ai suoi problemi, i suoi gusti, e all'albergo in Manhattan torna che è l'alba: con le palpebre gonfie, il corpo indolenzito dalla sorpresa d'essere vivo. Siamo in molti a pensare che se non la smette ce lo troviamo con una pallottola in cuore o con la gola tagliata: ma è pazzo a girare così per New York? È a New York da dieci giorni. È venuto pel festival cinematografico, vi davano due dei suoi film. Sono proprio curiosa di saper se l'America piace a questo marxista convinto, a questo cristiano arrabbiato, insomma a Pasolini. Dieci giorni son

221

pochi per dare un giudizio, è ben vero, ma Orson Welles una volta m'ha detto che per capire un Paese ci vogliono dieci giorni o dieci anni: all'undicesimo giorno ti abitui e non vedi più nulla. All'undicesimo giorno, domani, riparte. L'ho pregato per questo di venire da me a bere un drink.

«Whisky?» gli chiedo. «Birra? Cognac?»

«Coca-Cola» risponde.

La finestra s'apre lungo una strada di grattacieli, uno accanto all'altro, uno dopo l'altro, dall'East River allo Hudson. Ti gira la testa a guardarli, ti senti in trappola come una bestia che ha sete di verde. O di silenzio. Entra, dal vetro socchiuso, l'inferno: brontolar di motori, squillare di clacson, martellare di perforatrici, sirene. La città ha acceso i termosifoni e la polvere nera ti si attacca perfino alle ciglia, rendendoti cieco. Piove, è una di quelle giornate in cui tutto ti irrita, ti nega entusiasmo. Ma lui beve con gusto la sua Coca-Cola e d'un tratto esclama: «Vorrei aver diciott'anni per vivere tutta una vita quaggiù».

«Quaggiù?! A New York?»

«È una città magica, travolgente, bellissima. Una di quelle città fortunate che hanno la grazia. Come certi poeti che ogniqualvolta scrivono un verso fanno una bella poesia. Mi dispiace non esser venuto qui molto prima, venti o trent'anni fa, per restarci. Non mi era mai successo conoscendo un Paese. Fuorché in Africa, forse. Ma in Africa vorrei andare e restare per non ammazzarmi. L'Africa è come una droga che prendi per non ammazzarti, una evasione. New York non è un'evasione: è un impegno, una guerra. Ti mette addosso la voglia di fare, affrontare, cambiare: ti piace come le cose che piacciono, ecco, a vent'anni. Lo capii appena arrivato. Arrivai da Montréal, con il treno. Scesi a un'enorme stazione affogata nel buio, una sotterranea. Non c'eran facchini e la mia valigia pesava. Eppure andavo come se fosse leggera.

Mi muovevo verso una luce accecante, in fondo al tunnel c'era una luce accecante, e quando fui fuori la città mi aggredì come un'apparizione. Gerusalemme che appare agli occhi del Crociato. Non mi sentivo straniero, imparai subito a girare le strade neanche ci fossi nato: eppure non la riconoscevo. Perché nessuno ha mai rappresentato New York. Non l'ha rappresentata la letteratura: a parte le vignette di Arcibaldo e Petronilla, su New York esistono solo le poesie di Ginsberg. Non l'ha rappresentata la pittura: non esistono quadri di New York. Non l'ha rappresentata il cinema perché... Non lo so. Forse non è cinematografabile. Da lontano è come le Dolomiti, troppo fotogenica, troppo meravigliosa, e dà fastidio. Da vicino, da dentro, non si vede: l'obiettivo non riesce a contenere l'inizio e la fine di un grattacielo. Ma non è solo la sua bellezza fisica che conta. È la sua gioventù. È una città di giovani, la città meno crepuscolare che abbia mai visto. E quanto sono eleganti, i giovani, qui.»

«Eleganti?!»

«Hanno un gusto favoloso: guarda come sono vestiti. Nel modo più sincero, più anticonformista possibile. Non gliene importa nulla delle regole piccolo-borghesi o popolari. Quei maglioni vistosi, quei giubbotti da poco prezzo, quei colori incredibili. Non si vestono mica, si mettono in maschera: come quando da piccola ti mettevi la palandrana della nonna. E così mascherati se ne vanno, orgogliosi, coscienti della loro eleganza che non è mai un'eleganza mitica o ingenua. Ti vien voglia di imitarli e magari li imiti perché dove puoi vestirti così? A Roma? A Milano? A Parigi? Io là ho sempre paura che la gente si volti, mi guardi. Qui non ho alcun complesso, posso andarmene vestito come voglio, senza che nessuno si volti e mi guardi. Qui invece nessuno ti turba con la sua curiosità. Ieri sulla Quarantacinquesima ho visto un uomo che stava morendo. In mano aveva un pacchetto: l'ha fissato e poi l'ha scaraventato con una tale violenza che il pacchetto s'è rotto. Chissà che c'era dentro. Dopo s'è appoggiato al muro, ha messo la testa sull'avambraccio, è scivolato piano piano per terra ed è rimasto lì a piangere. Anzi a morire. Senza che nessuno si fermasse a guardarlo, neanche per offrirgli un bicchier d'acqua, un aiuto. La sera avanti, poco lontano dal Metropolitan, ho visto un vecchio disteso sul marciapiede: coperto da un plaid. Accanto gli stava un ragazzo, bello, elegante come dici tu: scarpe di cuoio perfetto, calzini leggeri, pantaloni ben tagliati, un pullover favoloso. Il vecchio stringeva sul petto la mano del giovane e il suo volto era bianco, già levigato dalla morte. La gente passava e non si fermava, qualcuno rideva. Ma è male questo? O non è male il nostro fermarsi a curiosare? Non è detto che il loro silenzio sia mancanza di pietà, forse è una forma superiore di pietà. La pietà di non avvicinarsi, non curiosare...»

L'America è proprio una donna fatale, seduce chiunque. Non ho ancora conosciuto un comunista che sbarcando quaggiù non abbia perso la testa. Arrivano colmi di ostilità, preconcetti, magari disprezzo, e subito cadon colpiti dalla Rivelazione, la Grazia. Tutto gli va bene, gli piace: ripartono innamorati, con le lacrime agli occhi. Sì o no, Pasolini? Lui scuote le spalle, sdegnoso.

«Io sono un marxista indipendente, non ho mai chiesto l'iscrizione al partito, e dell'America sono innamorato fin da ragazzo. Perché, non lo so bene. La letteratura americana, tanto per fare un esempio, non mi è mai piaciuta. Non mi piace Hemingway, né Steinbeck, pochissimo Faulkner: da Melville salto ad Allen Ginsberg. L'*establishment* americano non ha mai potuto conciliarsi, ovvio, con il mio credo marxista. E allora? Il cinema, forse. Tutta la mia gioventù è stata affascinata dai film americani, cioè da un'America violenta, brutale. Ma non è questa

America che ho ritrovato: è un'America giovane, disperata, idealista. V'è in loro un gran pragmatismo e allo stesso
tempo un tale idealismo. Non sono mai cinici, scettici,
come lo siamo noi. Non sono mai qualunquisti, realisti:
vivono sempre nel sogno e devono idealizzare ogni cosa. Anche i ricchi, anche quelli che hanno nelle mani il
potere. Il vero momento rivoluzionario di tutta la Terra
non è in Cina, non è in Russia: è in America. Mi spiego?
Vai a Mosca, vai a Praga, vai a Budapest, e avverti che la
rivoluzione è fallita: il socialismo ha messo al potere una
classe di dirigenti e l'operaio non è padrone del proprio
destino. Vai in Francia, in Italia, e ti accorgi che il comunista europeo è un uomo vuoto. Vieni in America e scopri
la sinistra più bella che un marxista, oggi, possa scoprire. Ho conosciuto i giovani dello Snic, sai gli studenti
che vanno nel Sud a organizzare i negri. Fanno venire in
mente i primi cristiani, v'è in loro la stessa assolutezza
per cui Cristo diceva al giovane ricco: «Per venire con me
devi abbandonar tutto, chi ama il padre e la madre odia
me». Non sono comunisti né anticomunisti, sono mistici
della democrazia: la loro rivoluzione consiste nel portare
la democrazia alle estreme e quasi folli conseguenze. M'è
venuta un'idea, conoscendoli: ambientare in America il
mio film su san Paolo. Voglio trasferire l'intera azione da
Roma a New York, situandola ai tempi nostri ma senza
cambiar nulla. Mi spiego? Restando fedelissimo alle sue
lettere. New York ha molte analogie con l'antica Roma di
cui parla san Paolo. La corruzione, le clientele, il problema dei negri, dei drogati. E a tutto questo san Paolo dava
una risposta santa, cioè scandalosa, come gli Snic...»
    Alle sette ha un appuntamento con Herbert Blau, il
direttore teatrale del Lincoln Center, che lo ha invitato a
cena. Non si trovano taxi a quest'ora e così andiamo a piedi. Cade una pioggia sottile, esasperante. Ma lui cammina
senza sentirla, o apprezzandola forse, e ripete vedi le case

di Arcibaldo e Petronilla, in fondo è come tornare fanciulli. Gli è quasi sparita dagli occhi quella tristezza gonfia di mille amarezze.

«L'aspetto più importante di questa città è la miseria»
«Miseria?! A New York?!»
«Sì. Lo stesso tipo di miseria, o povertà, che si trova nelle ex colonie divenute indipendenti da poco. Lo stesso tipo di povertà che trovi a Calcutta, a Bombay, a Casablanca. Mi spiego? Non una miseria economica, la miseria di chi non ha da mangiare: una miseria, ecco, psicologica. Quella sporcizia diffusa, quella provvisorietà. Le strade male asfaltate che quando piove si riempion di gore. I muri neri o marroni, costruiti in fretta per esser buttati giù in fretta. E mai un angolo tirato a lucido, destinato a durare. C'è anche Park Avenue, siamo d'accordo, ci sono gli splendidi grattacieli di vetro: ma quelle son le piramidi. Esser qui oggi è come trovarsi in Egitto quando gli schiavi costruivano le piramidi. Sai, non è mica detto che gli schiavi in Egitto vivessero male. Magari erano allegri, nella disperazione, e la sera andavano a spasso, bevevano... Non c'entra. L'aspetto importante resta questa miseria da ex colonia, da sottoproletariato.»
«Sottoproletariato? A New York?»
«Sicuro. V'è in tutti le stigmate della medesima origine sottoproletaria: a colpo d'occhio non la vedi mica la differenza di classe. Come a Mosca quando cammini pensando che son tutti uguali. Naturalmente la differenza esiste ma non se ne rendono conto, non ce ne rendiamo conto. E lo sai perché? Perché non v'è in loro la coscienza di classe. Per uno che vien dall'Italia lo smarrimento è più fondo che in Africa, in India. Voglio dire che entri a Calcutta, a Khartum, ed entri nel cuore di una razza, di un contesto sociale: la classe operaia, borghese, piccolo-borghese, e ciascuna con la sua coscienza di esistere. Entri a New

York e cosa trovi? Un fuoco d'artificio di razze assimilate e rese analoghe dallo stesso sistema, dal medesimo fondo: il sottoproletariato. Guarda l'operaio americano, questa mescolanza mostruosa e affascinante di sottoproletariato e di piccola borghesia. Non esiste l'operaio in quanto tale perché non esiste in lui la coscienza della classe operaia. Una voragine. Ma ovunque ti affacci, in America, in un'anima come in una strada come in un ambiente, ti affacci su una voragine. Quasi tu ti sporgessi da un grattacielo. Ciò è bene, ciò è male? Non so, mi sento confuso. In Europa mi sembrerebbe negativo, qui no. Ammiro il momento rivoluzionario americano, ovvio che il mio cuore è per il povero negro o il povero calabrese, e contemporaneamente provo rispetto per l'*establishment*, il sistema americano... Devo tornare, devo approfondire.»

Il ristorante dove incontriamo Herbert Blau è famoso per le aragoste alla griglia. Cena? Aragoste? Pasolini esce come un sonnambulo dal dedalo delle sue confusioni e ordina un bicchiere di latte, una macedonia di frutta ma senza le arance. È afflitto da un'ulcera, dovrebbe farsi operare, si nutre come un bebè. Parlando di teatro, progetti, Blau lo fissa un po' sbalordito: questo rivoluzionario che si nutre come un bebè. Si saluteranno presto, reciprocamente annoiati. Conclusa la cena Blau lo ha accompagnato dentro il Lincoln Center, a vedere le prove di una commedia in costume. Ma a Pasolini non importa nulla delle commedie in costume, dell'apparato elettronico che sposta in pochi secondi le scene, gira il palcoscenico, alza la platea: nel suo mondo non c'è posto per simili meraviglie. Come non c'è posto per i grattacieli di vetro, Park Avenue, un razzo che parte, il trapianto chirurgico di un cuore vivo: l'America bella, pulita, comoda che piace a chi spera nel paradiso. Come Rimbaud (o certi martiri) lui vuol sempre tornare all'inferno, ai quartieri dove si rischia un colpo di rivoltella nel cuore, incontri tragici e magari perversi, la punizione, il Greenwich Village come glielo descrisse Elsa Morante, Harlem come l'ha visto ieri sera ed è stata una bellissima sera. Gli presentarono un sindacalista negro, di estrema sinistra, sai, quelli che non accettano il sistema della non violenza propagandato da Martin Luther King, e son pronti a uccidere. Il sindacalista lo portò a casa di un operaio caduto dal quarantaseiesimo al quarantaduesimo piano dove restò appeso miracolosamente a un filo. L'operaio era un vecchio negro, disteso in un letto e rideva felice, felice, ed era così commovente. D'un tratto mi saluta, impaziente, una stretta leggera di mano, e se ne va tutto solo nel buio.

Oggi parte e ha molte cose da fare: anzitutto posar per un tale che ha molto insistito e gli pare si chiami Avalon. «Dick Avedon?» «Sì, qualcosa del genere.» «Non sai chi è Dick Avedon?» «No, chi è?» «Forse il più grande fotografo che esista in America, senza dubbio uno dei più grandi nel mondo.» «Ah, sì?» Avedon lo ha pregato di venire al suo studio verso le undici ma lui è giunto in ritardo perché sulle scale c'era un vagabondo ubriaco dall'alba, e un vagabondo ubriaco dall'alba vale cento fotografie di Avedon.

L'ascoltava con pazienza materna, dolcezza, prima di lasciarlo gli ha dato non so quanti dollari, e certo ora guarda con meno interesse la immensa istantanea che copre una intera parete dello studio Avedon: Charlie Chaplin ritratto come un demonio, gli indici e i mignoli ritti sopra le tempie a mo' di corna o forconi. «La scattai l'ultimo giorno che passò negli Stati Uniti,» spiega Avedon «poche ore prima che gli partisse la nave diretta in Europa. Venne qui e…» Ma a Pasolini preme più la storia di altre fotografie: questo ragazzo negro, ad esempio, che morì di botte per essere stato aggredito dal Ku Klux Klan. O questo mulatto che al Parlamento fu eletto due volte ma non riuscì mai a entrarci perché è contro la guerra in Vietnam. O questo

Allen Ginsberg che posa nudo, coperto solo della sua barba e i suoi peli, e lo induce a un'altra dichiarazione d'amore: «Gli intellettuali americani, capisci. Magari son pieni di
contraddizioni; incontri un allievo di Morris che ha dato la
laurea sulla poesia del Petrarca, discute di semiotica e poi
incontri due studentesse che ignoran perfino Apollinaire
o Rimbaud. Quali sono i poeti che preferisce, ti chiedono. Rimbaud, rispondi, Apollinaire, Machado, Kavafis. Ti
guardano cieche. Che Kavafis non lo conoscano, passi. Per
Machado è già grave, per Apollinaire è assurdo, per Rimbaud addirittura scandaloso. Però hanno un tale rispetto
per la cultura! Un rispetto pieno di timore, umiltà: è una
gran dote. Considera gli italiani: sono sempre padroni del
sapere, anche quando sono ignoranti. Non c'è mai un attimo di timidezza, negli italiani, verso il sapere. Un tipo
come Umberto Eco, ad esempio. Conosce tutto lo scibile
e te lo vomita in faccia con l'aria più indifferente: è come
se tu ascoltassi un robot. Un americano erudito come Umberto Eco è un uomo umile, invece, non si considera mai
padrone della sua sapienza, è quasi spaventato dalla sua
cultura. Ciò è giusto, mi piace...».

E intanto Avedon scatta foto che suppongo destinate
alle frivole lettrici di «Vogue». Che scena, vale quella del
Village.

Al Village ci va subito dopo per comprare i pantaloni e
i giubbotti che trova così eleganti e che a Roma non in-
dosserà mai: ossessionato com'è dal complesso d'esser
riconosciuto, criticato, guardato. Lo attrae soprattutto
una certa camicia che è la copia esatta di quelle in uso
nelle prigioni. Sul taschino sinistro c'è scritto: «Prigione
di Stato, galeotto Numero 3678». La sta provando, sedotto, quando all'angolo della Decima Avenue scorge una
dimostrazione in favore della guerra nel Vietnam. Uomini
e donne passano cupi con grandi cartelli dove è scaraboc-

chiato: "Bombardate Hanoi"; qualcuno ha un distintivo che dice: "Ammazzateli tutti, quei rossi". Ed ecco che un'automobile arriva, ne scendono due giovanotti e una ragazza bionda in calzoni. La ragazza ha una chitarra. Si appoggia al cofano dell'automobile, mentre i due giovanotti le si mettono ai lati, e incomincia a suonare qualcosa di triste. Poi, insieme, tutti e tre attaccano una canzone di protesta. Continueranno finché gli altri continueranno a sfilare coi loro cartelli: e non una rissa, non un insulto, un gesto di ostilità. Pasolini resta fermo a fissarli, con la sua camicia da galeotto, i suoi occhi sono umidi, buoni, quando sussurra: «Questa è la cosa più bella che ho visto nella mia vita. Questa è una cosa che non dimenticherò finché vivo. Devo tornare, devo star qui anche se non ho più diciott'anni. Quanto mi dispiace partire, mi sento derubato. Mi sento come un bambino di fronte a una torta tutta da mangiare, una torta di tanti strati, e il bambino non sa quale strato gli piacerà di più, sa solo che vuole, che deve mangiarli tutti. Uno a uno. E nello stesso momento in cui sta per addentare la torta, gliela portano via».

È l'istantanea di un marxista a New York.

Parte quinta

# Inchiesta sui teenager americani
## (1966)

*Ventiquattro milioni di ragazzi dominano ogni aspetto della vita americana. Spendono somme che fanno stare in piedi grandi industrie, le loro opinioni (quando esistono) determinano le elezioni e persino provvedimenti politici.*

## Nota per il lettore

La parola *teenager* è stata inventata dagli americani e nessuna altra lingua fuorché l'inglese ne possiede una simile. Di conseguenza è intraducibile. Teenager è colui o colei la cui età oscilla fra i tredici e i diciannove anni. *Teen* sono le ultime lettere che compongono in inglese i numeri tredici, quattordici, quindici, sedici, diciassette, diciotto, diciannove: thirteen, fourteen, fifteen, sixteen, seventeen, eighteen, nineteen. *Age* significa età e anche crescere, invecchiare. È opinione comune che la parola teenager abbia un suono sinistro. Ma l'opinione è certamente influenzata dal fatto che sinistro sia il suo significato: i teenager americani costituiscono, come vedremo, la più spietata irriducibile indistruttibile dittatura del mondo.

# I minorenni terribili

Chicago, febbraio

Prima di venire a Chicago per conoscere Miss Teenage America 1966 ho fatto un giretto tra gli esperti in teenager e il più esperto di tutti è il vignettista Al Capp che da anni tiene conferenze sull'argomento. L'ultima conferenza l'ha tenuta in dicembre all'Università di Los Angeles dove i teenager volevano picchiarlo e uno gridò: «Ma insomma, non crede che l'opinione dei teenager debba essere ascoltata?». E Al Capp rispose: «Sì, sulle cose che conoscono bene, come il furto delle targhe delle automobili». Allora un altro teenager chiese perché fosse andato a parlargli e Al Capp rispose: «Perché mi hanno dato duemila dollari che è una somma decente anche per parlare ai teenager. Ma per ascoltarvi non vi ascolterei neanche per quattromila». Capp è un omone sui cinquanta, con la gamba sinistra più corta della destra, un lussuoso appartamento in Park Avenue, un maggiordomo inglese che lo aiuta a vestirsi e le idee chiare come il suo conto in banca. Mi ha subito scoraggiata dicendo che sono molto sciocca a occuparmi dei teenager per una somma inferiore ai duemila dollari e mi ha spiegato che i teenager sono sempre esistiti: soprattutto come sottospecie umana. L'unica differenza è che oggi registriamo al magnetofono i loro strilli, fotografiamo i loro capelli sudici, discutiamo la loro maleducazione, e insomma abbiamo scoperto che sono più divertenti dei negri e più irritanti del Vietnam. Tuttavia, e al di sotto dei duemila dollari, non dovremmo pubblicizzare le loro sciocche crociate bensì evitarli con cura e ricordarci che non hanno nulla da dire fuorché quello che sentono dire. I teenager sono giovani animali che vogliono rifare il mondo senza conoscerlo e ciò provoca giovani idealisti come Fidel Castro che dice d'essere anticonformista e poi porta la barba come la portava suo nonno. Per concludere è una vergogna che si scrivano articoli, al di sotto dei duemila dollari, per spiegare agli adulti come sono i teenager anziché scrivere gratis articoli per spiegare ai teenager come sono gli adulti: e da ciò consegue che i teenager andrebbero scrupolosamente ammazzati quando incominciano ad avere tredici anni. Se lui, Capp, non li ammazza è perché quei bastardi meritano una punizione più crudele e sottile: diventare adulti e genitori a loro volta.

Tale incontro mi ha molto depressa, soprattutto per la faccenda dei duemila dollari, e me ne sono andata chiedendomi se Al Capp non avesse ragione, se non fosse meglio occuparsi di argomenti più sani. La sera stessa però ho interrogato un altro esperto in teenager, Eugene Gilbert, autore del libro *Come pubblicizzare e vendere alla gente giovane*, e costui mi ha restituito grande entusiasmo affermando che ignorare i teenager sarebbe vile come ignorare il generalissimo Franco, il muro di Berlino, le brutte figure che facciamo all'estero con La Pira. Vi sono in America ventiquattro milioni di teenager, quasi la metà della popolazione italiana, e nel 1970 ve ne saranno trenta: essi crescono al ritmo di settemila al giorno. Questi ventiquattro milioni spendono per i loro capricci o piccoli bisogni ben dodici miliardi di dollari all'anno, quasi la somma che gli USA spendono per le paghe dei loro militari: costituiscono da soli una delle forze commerciali più potenti d'America. Cervelli elettronici lavorano instancabilmente per decidere cosa preferiscono i teenager e scoprire che comprano il quaranta per cento dei dischi, il quarantacinque per cento degli strumenti musicali, il dieci per cento delle automobili nuove e il trenta per cento delle automobili usate, il cinquanta per cento dei cosmetici: la Bonne Bell di Cleveland, Ohio, s'è arricchita fabbricando esclusivamente prodotti antiacne dedicati ai teenager. Essi costituiscono il cinquantuno per cento del pubblico al cinematografo, il sessanta per cento degli spettatori televisivi. Si sposano al ritmo di un milione per anno, oltre la metà delle spose americane sono teenager. E cosi dominano il mercato dalle pistole ad acqua alle culle: ovvio come si preferisca tacere sul fatto che il sessantatré per cento dei furti di automobili, il venti per cento degli assassini, il dodici per cento delle violenze carnali vengano compiute dai teenager. V'è troppo bisogno di loro: un'altra ditta di cosmetici, la Cutex, è riuscita a vendere in poche settimane ben otto milioni di rossetti al sapore di ananasso usando lo slogan "Siate baciabili come una teenager che ha mangiato l'ananasso". La Mustang della Ford, la Monza della General Motors, la Barracuda della Chrysler sono state costruite e lanciate su consiglio dei teenager: ogni fabbrica di automobili interroga i teenager prima di decidere un nuovo modello. "Think young". Pensa giovane, è il motto: la pubblicità non è mai rivolta agli adulti, è sempre rivolta ai teenager. "Tell Mummy to buy": di' alla mamma di comprare. "Have Daddy try it": fallo provare a papà.

Il signor Gilbert è un bell'uomo sui quaranta, molto triste. Anche perché essendo padre divorziato di un diciassettenne gli è successo di sposare la madre divorziata di un altro diciassettenne. Mi ha detto queste cose con le labbra in giù, una smorfia che definirei di disgusto, e mi ha chiesto se in Italia succede lo stesso. Ho risposto di no, non direi, e lui è esploso in una risata agghiacciante aggiungendo: «Succederà. Dia tempo al tempo, succederà». Dopodiché mi ha fornito altre notizie cupe, che riporterò nel corso di questa inchiesta, e io mi sono recata da Macy's per comprare una camicia da notte. La volevo lunga, convenzionale. Non l'ho trovata. Le camicie lunghe, convenzionali, non usano più: perché alle teenager non piacciono. Piacciono corte, accollate, in cotone a quadretti bianchi e rossi come le tovaglie delle trattorie. E così vengono vendute. Sul tardi sono andata con un gruppo di amici al The Scene che è una discoteca nella Quarantaseiesima Strada, cara a Liza Minnelli, Sammy Davis jr., Sal Mineo. Volevamo ballare qualcosa di calmo ma non ci siamo riusciti perché sulla pista c'erano tutti teenager e ai teenager non piace ballare qualcosa di calmo. L'età dei teenager variava fra i tredici e i sedici anni, sebbene fossero le due del mattino. Si agitavano molto e facevano molto rumore. Nessuno di loro aveva pagato i cinque dollari a testa che sono il minimo della consumazione. Steve Paul, il proprietario ventitreenne, ci ha detto che i teenager entrano gratis perché al Scene come in qualsiasi altra discoteca la gente ci va per vedere i teenager. Così siamo usciti, con un gran mal di testa e un gran complesso di inferiorità. È duro abitare in America e non essere più una teenager. Ma eccomi a Chicago da Miss Teenage America che è venuta a presenziare un congresso di cinquecentosessanta angioletti lasciati in vita da Al Capp, per vendetta.

Si chiama Colette Daiute, compie oggi diciassett'anni. È vestita di rosa e molto bellina. Gambe lunghe, dorate: fa la ginnastica dall'età di sei anni. Corpo snello, perfetto: fa la dieta dall'età di otto anni. Viso liscio, pulito: fa la cura antiacne dall'età di dieci anni. Il rossetto invece prese a usarlo sui dodici, il rimmel per gli occhi sui tredici, e a quattordici mise i tacchi alti. Siede in una camera d'albergo e accanto a lei c'è la madre che assomiglia alla madre di Rosanna Schiaffino malgrado stia sempre zitta. Mi parla del Dottor Pepper il quale non è un dottore, non è nemmeno un uomo, è una bevanda che assomiglia alla

Co... bè ormai l'ha detto, Coca-Cola, ma non dovrebbe dirlo perché il Dottor Pepper è assai meglio della Coca-Cola. Il Dottor Pepper finanzia il concorso Miss Teenage America, in collaborazione con l'American Airlines, i magazzini Gimbels, le automobili Comet, ed è grazie al Dottor Pepper che Colette ha vinto il titolo, una borsa di studio da diecimila dollari, cinquemila dollari in banconote, cinquanta azioni della Dottor Pepper, dieci azioni della American Airlines, una Comet Caliente convertibile, un intero guardaroba di Gimbels: e dire che la nonna non voleva farla partecipare: «Te lo do io Miss Teenage America, ceffoni ci vogliono, il rispetto si ottiene coi ceffoni». La nonna è italiana, ogni pretesto le è buono per minacciare ceffoni: ad esempio quando lei, Colette, va ai pijama party e torna al mattino. I pijama party sono quella cosa fantastica che avviene quando dieci ragazze si riuniscono in casa di una ragazza e stanno su tutta la notte, in camicia da notte, a chiacchierar di ragazzi, mi spiego, tu sei pazza per Jim io son pazza per John, mi spiego, ma a volte si chiacchiera anche di cose profonde. Naturalmente ai pijama party una non dorme mica e al mattino ha sonno, è nervosa, può darsi che risponda di traverso alla mamma, o al babbo, o a tutti e due: e la nonna si arrabbia. Non capisce che il rispetto non c'entra, c'entra l'uguaglianza: noi teenager i genitori li trattiamo da uguali, non da superiori, né i nostri genitori si aspettano reverenza o ubbidienza da noi, si aspettano solo amicizia, no, mamma? La signora Daiute annuisce, bevendo Dottor Pepper. A quanto ho capito, quando una diventa Miss Teenage America, il Dottor Pepper si mette a mandarle bottiglie di Dottor Pepper e Miss Teenage America deve bersele tutte, sennò il Dottor Pepper si offende. Poiché Colette non ne beve, beve la mamma. «I genitori americani,» dice Eugene Gilbert «sono i genitori più deboli del mondo, l'autorità paterna qui è scomparsa da tempo. Consapevoli della propria potenza economica, i teenager li trattano come vassalli: ed essi ubbidiscono. Non si comportan così tutti gli altri genitori? È la storia del cane che fa pipì dove l'hanno fatta altri cani. O forse sentono che non v'è scelta, e hanno paura. Una sola comunità in America mantiene inalterato il rispetto dei teenager verso i genitori: quella dei cinesi. Un teenager cinese non oserebbe mai esser sgarbato col padre e infatti fra loro non vi son *teddy boys*. Ma fra gli italiani, i portoricani, gli spagnoli! Straordinario come malgrado la loro educazione cattolica, il loro culto per la famiglia, diventino identici a noi: una volta trasferiti quaggiù.»

La nonna non capisce tante cose, del resto. Non capisce che una teenager deve avere le chiavi di casa per tornare a mezzanotte e anche all'una, se vuole, non capisce che una teenager deve avere il boyfriend. Brontola ma cos'è questo boyfriend, te lo do io il boyfriend: ma senza boyfriend chi ti porta alle feste, al cinematografo, alle partite di baseball? È una questione di sicurezza psicologica, nonché di prestigio. Dimmi che figura ci fa con la gente e con gli stessi genitori una ragazza senza boyfriend. Una ragazza deve avere il boyfriend a dodici anni: lei, Colette, ce l'aveva a undici. Funziona così. A scuola, per esempio, c'è John e alla ragazza John piace. La ragazza lo dice a un'altra ragazza, sai che John mi piace, è proprio bellino, e l'altra lo racconta a John. Allora, e ammesso che John ci stia, John compra l'anello o il braccialetto o la catenina: e lo dà alla ragazza diventandone il boyfriend. Ufficialmente, mi spiego? I due vanno fisso. Per un anno, magari, o anche due. Però possono anche lasciarsi, due o tre volte in un anno. E comunque quando si lascia le scuole medie per le scuole superiori il boyfriend si cambia del tutto e non è indispensabile averne sempre uno uguale che ti porta nei posti. È utile anzi averne due o tre: per i paragoni, la scelta. Lei, Colette, abbandonò il boyfriend fisso a quattordici anni: un'età in

238

cui si deve dare appuntamento a molti ragazzi e incominciare una seria educazione sentimentale. No, mamma? La signora Daiute annuisce: bevendo il Dottor Pepper. Anche il babbo, a casa, beve il Dottor Pepper. E anche la sorella minore: l'unica a ribellarsi è la nonna che dice ma cos'è questo Dottor Pepper, ve lo do io il Dottor Pepper. L'educazione sentimentale comporta, ovviamente, anche una certa educazione sessuale. Ma il più delle volte si tratta di baci, o poco più. La nonna si arrabbia. Disgraziata, urla, ma come le sai certe cose? La nonna non crede che certe cose si imparino a scuola, nei corsi di sessuologia, l'ultimo anno delle superiori. I corsi durano otto settimane: quanto i corsi di guida. Anche a guidar l'automobile Colette ha imparato a scuola. Prima sui libri, il motore eccetera, poi con le lezioni di pratica. La scuola ha quattro automobili e quattro istruttori: l'insegnamento è obbligatorio dopo i sedici anni, sapevo che il programma scolastico americano è fra i più duri del mondo? Cibernetica, biofisica, astrofisica, neuropsichiatria, analisi sistematica: «I nostri genitori vivevano in un'ostrica ma noi navighiamo dentro un oceano». In tale oceano però si dimenticano di studiare la Seconda guerra mondiale e Colette, tipica rappresentante dei teenager americani, simbolo di una generazione, non sa bene che accadde a Hiroshima. «Ci fu una bomba o mi sbaglio?» Non sa bene neppure cosa fossero i lager. «Quei posti, mi faccia pensare, quei posti dove il cibo non era moltissimo, il posto da dormire era scomodo, sicché i tipi eran spesso infelici ma la gente non lo diceva.» L'eroina di Miss Teenage America è Jacqueline Kennedy perché «è bella, intelligente, e parla le lingue». Subito dopo Jacqueline vengono i Beatles. Dopo i Beatles vengono i Rolling Stones. Squilla il telefono, Colette si interrompe e risponde con voce di flauto a un ragazzo che l'ha invitata a pranzo per festeggiare il suo compleanno: scendo subito, caro. Il ragazzo si chiama Jim ed è uno dei cinquecentosessanta angioletti del congresso. Se scendessi anch'io a dare un'occhiata? Ma certo, buona idea. Così ce ne andiamo, io e Colette, mentre la signora Daiute resta a bere il Dottor Pepper. Sola sola, grassa grassa, silenziosa. Ai suoi piedi, una decina di bottiglie vuote. Vi sono tanti modi, mio Dio, di sacrificarsi pei figli.

Il congresso dei cinquecentosessanta angioletti si tiene nell'albergo di fronte. Il tema è "Giovane America e Problemi del mondo". I teenager vengono da tutti gli Stati compreso l'Alaska, e appartengono al Club 4H: associazione nazionale di giovani agricoltori. Sul petto hanno piastre di riconoscimento e sul volto numerose bollicine. Rappresentanti della crema antiacne Naxima li aggrediscono offrendo campioni in tubetti. Commercianti di vacche, giunti dal Texas e dall'Oklahoma, si aggirano coi grandi cappelli e gli stivali a sperone offrendo invece fotografie di quadrupedi. Ogni anno, al congresso dei 4H, fanno affari d'oro: l'acquisto di mandrie è spesso delegato dai genitori ai teenager e, nel peggiore dei casi, c'è la presa di contatto. *"Tell Daddy to buy"*... di' a papà di comprare. Jim è un coso bruttacchiolo, biondastro, assolutamente inadeguato a Colette, e ha un grande frignolo sulla tempia sinistra. Però agisce spavaldo e sorride non appena Colette gli racconta il mio stupore pei corsi di sessuologia. «L'errore,» dice «è tenere quei corsi nell'ultimo anno, quando sappiamo già tutto: proiettano quelle fotografie sullo schermo e chiunque sghignazza, a che serve? Ti spiegano la fertilizzazione dell'uovo, la suddivisione dei cromosomi che daranno vita all'embrione, insomma l'aspetto biologico della faccenda, e non ti spiegano l'unica cosa importante: come non fertilizzarlo, quell'uovo. Oppure proiettano un film, d'amore s'intende, ma roba da scoraggiare un neonato. L'altro giorno il film era su due scemi che si davano appuntamento senza combinar nulla sebbene lui arrivasse con una scatola di cioccolatini. Torno a casa e dico a mio padre: da quel che ho capito, l'unico modo per evitar guai è mettersi a mangiare cioccolatini. E mi aspetto una risposta ma lui volta le spalle e se ne va. I genitori ci tengono continuamente lezioni sul denaro, sul successo, sulle azioni in borsa, e non ci parlano mai dell'unica cosa che ci prema veramente. Si illudono, forse, che ce lo spieghino al corso di cui perfino il nome è grottesco: Family Living, Vita in Famiglia.»

Jim ha diciassette anni e per sua ammissione è vergine. Una statistica ha di recente appurato che il settanta per cento dei teenager si sposano vergini, ragazzi o ragazze, e che il venticinque per cento si sposa perché la ragazza attende un bambino. La medesima statistica ha appurato che il teenager americano discute di sesso più di qualsiasi altro teenager del globo terrestre ma pratica il sesso meno di qualsiasi altro teenager del globo terrestre: «Malgrado l'argomento non sia più soffocato sotto un velo di vergogna o di segretezza, essi restano puritani convinti che il sesso sia strettamente legato al matrimonio». Jim vuol sposarsi entro due anni e vuole sposare una ragazza illibata, li suo programma coincide con quello della maggioranza, almeno qui fra i 4H: nel bar dove conversiamo è andata formandosi una piccola folla di 4H e tutti inneggiano a Jim gridando che afferma cose giustissime. La situazione è imbarazzante anche perché alcuni adulti mi guardano male, come a dire che la colpa è tutta mia. Per evitarli scelgo cinque teenager, a casaccio, e li porto in una saletta. Sono due ragazze e tre ragazzi: Mary, Gretchell, Bob primo, Bob secondo, e Karl. Vengono dalla California, dal Colorado, dall'Illinois. Studiano agricoltura o veterinaria ma allo stesso tempo lavorano per pagarsi la scuola. I due Bob sono impiegati come contadini nei ranch dei rispettivi genitori che li pagano secondo le disposizioni sindacali.

Karl fa il contabile, Mary e Gretchell aiutano in casa ma con lo stipendio di una cameriera. Come Jim non hanno esitazioni a informarmi sul loro stato anatomico: Mary, Gretchell, Karl e uno dei Bob si dichiarano subito vergini. Bob secondo, no: però ci tiene a sposare un'illibata. «In tal modo non sei obbligato a fissare la data del matrimonio e vivi tranquillo.» Le ragazze hanno naturalmente il boyfriend e i ragazzi hanno naturalmente la girlfriend: per flirtare usano l'automobile. Una domanda brucia loro le labbra: «È vero che i teenager italiani vanno molto in Vespa e in Lambretta?». «È vero,» rispondo. «E allora come fanno a flirtare?» «Dietro le siepi, quando si fermano.» «Oh! Ed è igienico?» Tutti e cinque vogliono sposarsi entro un anno o al massimo due «perché il sesso è buono ma l'amore è meglio». E poi sposandosi possono liberarsi dei vecchi che non li capiscono: «I nostri genitori non dovevan far altro che occuparsi dei cavalli e delle vacche, noi invece siamo venuti al mondo guidando l'automobile e guardando la tv. Sappiamo tutto anche vivendo in un deserto della California o su una montagna del Colorado. Apparteniamo a una generazione che guarirà il cancro, sbarcherà su Marte e morirà nella Terza guerra mondiale». Tutti e cinque sono certi che la guerra scoppierà: contro la Cina e in alleanza coi russi. «Sono gli adulti che litigano coi russi, non noi. Di sicuro i teenager russi assomigliano moltissimo a noi. Noi ignoriamo magari le cose in cui loro credono ed essi ignorano le cose in cui noi crediamo: ma i nostri problemi devon esser per forza gli stessi.» Un uomo di mezz'età si ferma ad ascoltare, indignato, poi si allontana scotendo la testa. In una sconcertante intervista che farò fra qualche giorno a cinque teenager di New York, uno mi dirà: «Oh, lo diceva anche Socrate che i teenager del suo tempo avevano idee sbagliate e mancavano di rispetto per gli adulti: questa è una accusa che colpirà sempre le nuove generazioni. Ma cambiare significa ribellarsi e ribellarsi significa mettere da parte il rispetto, mettere da parte il rispetto significa a volte sbagliare». Ce ne andiamo anche noi, dietro l'uomo indignato. Il vicepresidente Humphrey sta per arrivare e tenere un discorso ai 4H. Viene apposta da Washington.

La ragione per cui il vicepresidente degli Stati Uniti viene apposta da Washington e si scomoda a tenere un discorso ai teenager che non votano, in America si vota a ventun anni, è che il vicepresidente degli Stati Uniti ha paura e bisogno dei teenager: la dittatura dei teenager americani non è solo economica, è anche politica. È opinione comune che Eisenhower, Kennedy, Johnson abbiano vinto le elezioni perché piacevano ai teenager, che John Lindsay sia sindaco di New York perché piace ai teenager, che Bob Kennedy sia senatore perché sembra egli stesso un teenager. Io stessa vidi a New York comizi di Bobby e di Lindsay diretti esclusivamente a teenager, nonché mandrie di teenager impegnate a far la campagna per Bobby o per Lindsay. Erano ragazzi di tredici, quattordici, quindici anni, e Bobby gli parlava con una deferenza che non avrebbe usato per un vescovo sopra gli ottanta, Lindsay gli stringeva la mano come se fossero stati professori d'università poi gli diceva: «La vostra collaborazione è preziosa, indispensabile direi». Non credevo ai miei occhi. Lo dissi anche, a Lindsay: «Scusi, ma che se ne fa? Non votano mica». E Lindsay rispose: «Lo dice lei. Non votano ma votano. Perché i genitori in America votano sempre i candidati dei figli».

I teenager costituiscono, con la loro vivacità politica, il più forte gruppo di protesta dell'intero Paese. Non sono i teenager a organizzare dimostrazioni, rivolte, marce di protesta per il Vietnam? Non sono i teenager a esploder tumulti dinanzi alla Chase Manhattan Bank per disapprovare gli investimenti in Sud Africa? Non sono i teenager a bruciare le cartoline di richiamo sulla pubblica piazza? Son riusciti perfino a far infuriare il Congresso con la storia della sottoscrizione per la vecchia vietcong. La tv aveva mostrato un marine che dava fuoco, con l'accendino, alla capanna di una vecchia vietcong: loro fecero una sottoscrizione e misero insieme non so quante migliaia di dollari perché la vecchia si ricostruisse una casa. E più Al Capp si indigna, più la nonna di Colette si arrabbia, più i politici li prendon sul serio accettando dibattiti alla televisione, lasciandosi insultare dinanzi a milioni di spettatori, tollerandone l'appartenenza a movimenti o partiti per cui un adulto finirebbe ad Alcatraz: Club WEB DuBois, marxista: Club Progressive Labour, marxista cinese; Youth Socialist Alliance, trotzkista; Young People Socialist League, socialista; May Second Movement, contro la guerra in Vietnam; Democratic Society, coalizione liberalradicalsocialista. Mezzo milione di filocomunisti appena controbilanciati dal mezzo milione di iscritti al partito democratico e i trecentomila iscritti al partito repubblicano. Non dimenticano, i politici, che un terzo della popolazione americana è sotto i venticinque anni e che al tempo della Dichiarazione d'Indipendenza metà della popolazione americana era sotto i diciott'anni: i giovani hanno sempre comandato in questo Paese e comanderanno ancora di più alle elezioni presidenziali del 1970 quando sotto i venticinque anni vi saranno ben cento milioni di americani. Salendo sul palco Hubert Humphrey sgambetta come un grillo. Agita le braccia corte, sorride con tutti i suoi denti, urla al microfono: «È sempre un piacere e un onore per me trovarmi con gli amici del 4H! Voi siete il meglio del meglio! Voi date idee al mondo intero! Io ho fede nella vostra generazione! Permettetemi, amici, di considerarmi uno di voi...». I teenager si grattano l'acne e meditano sulla opportunità di concedere tale permesso. Non sono di manica larga: a Jacqueline Kennedy, cui guardano come a una specie di monaca nazionale molto chic, non hanno ancora concesso il permesso di risposarsi. «Se lo facesse sarebbe morta per noi». E inviarono lettere di fuoco ai giornali quando seppero che era stata a cena con Marlon Brando: «Vogliamo sperare che Jackie avesse qualche buona causa da discutere con lui».

Ho lasciato Chicago con più complessi di prima e sono tornata a New York dove avevo appuntamento con un'altra esperta in teenager: la signorina Joy Chute, scrittrice, e già funzionario del Dipartimento di polizia, sezione giovanile. La signorina Chute è gentile, con un sorriso veramente materno, e vive insieme a un gatto nero in una casa estremamente ordinata. Mi ha offerto una tazza di tè fatto con molta cura e mi ha subito ricordato che la gioventù è un'età poco allegra, che crescere è assai doloroso, che essere un teenager è molto difficile: specialmente in America e con la polizia. Il numero dei *teddy boys* è diminuito, di bande non ve ne sono quasi più perché si estinsero con la morte di James Dean e l'avvento del musical *West Side Story*, due avvenimenti che ebbero un effetto altamente educativo. Tuttavia è rimasto il sospetto verso i teenager, l'intolleranza verso i teenager, e in alcuni quartieri basta che tre o quattro teenager stiano fermi a un angolo perché subito un poliziotto piombi su loro, li interroghi e magari li arresti per un temperino. Qualcuno, è ben vero, non ha proprio un temperino: ha un grosso coltello con cui pugnala senza ragione i vecchi che vanno a comprarsi il latte. Ma queste cose son sempre successe e non devono compromettere l'opinione sui teenager la cui maggioranza è perbene e lavora nei Peace Corps, in difesa dei Diritti civili. La signorina Chute è indulgente coi teenager i quali studiano più di quanto studiassero i loro genitori, sono più intelligenti e più liberi da ipocrisie vittoriane. Quanto al boyfriend, dice, è una necessità sociale in una società afflitta dal benessere economico e dal culto della popolarità. Lo standard di vita è aumentato, con esso le feste le occasioni gli inviti che una ragazza non può affrontare da sola: o ci rimette in popolarità. Insomma oggi si diventa teenager assai prima, perché si impara assai prima a fumare, a guidare, a flirtare: ma la colpa non è dei teenager, è della pressione economica.

Tutto ciò mi ha riempito d'amore e di comprensione verso i teenager. Ho salutato la signorina Chute con un lungo sospiro, ripetendo con lei che la gioventù è un'età poco allegra, crescere assai doloroso, e mi sono pentita dell'atteggiamento tenuto a Chicago. Ma poi sono successe due cose. La prima è un documento di sedici pagine pubblicato dalla Lega dei genitori di Denver, Colorado, e diffuso dalla Associazione genitori d'America nel Kansas, nel Texas, nel New Jersey, nel North Carolina, nel Minnesota. Esso dichiara fra l'altro che i teenager non devono rincasare dopo le undici di sera o, in occasioni speciali, dopo l'una del mattino; che i teenager non devono avere l'automobile e solo in casi speciali possono chiederla in prestito ai genitori; che i teenager non devono bere alcolici né fumare la marijuana; che i teenager non devono picchiare i genitori e, se un teenager si comporta male, un genitore deve poterlo rimproverare senza ricorrere alla polizia. La seconda è l'autista che mi ha portato a casa. L'autista era negro, sui quarant'anni, aveva un volto intelligente e piangeva. Piangendo mi ha raccontato d'avere due figlie teenager, una di sedici e una di quattordici anni. Quella di sedici non fa che tornare a casa dopo le tre del mattino, a volte ubriaca, e se uno vuole rimproverarla deve chiamare lo sceriffo perché le faccia una ramanzina. Questa faccenda dello sceriffo è molto antipatica: la scorsa notte lui s'è arrabbiato e ha deciso di fare da sé. L'ha aspettata insieme a una cinghia e le ha tirato due belle cinghiate. La figlia ha detto: «Te ne pentirai». Stamani è andata alla polizia, ha mostrato i lividi, e ha denunciato il padre per maltrattamenti e brutalità. La polizia ha mandato a chiamare l'autista e gli ha detto che la legge protegge i teenager, la legge impedisce di picchiare i teenager, anche uno schiaffo, e chi picchia i teenager finisce in galera. Ci sarà un processo e forse finirà in galera.

Soltanto per la cura del proprio corpo le ragazze americane spendono duecentosessantaquattro miliardi di lire all'anno e i ragazzi settantacinque miliardi. L'importanza che hanno nel costume del Paese può essere riassunta in questa frase: «Un tempo erano le teenager che sognavano di assomigliare alle mamme, ora sono le mamme che vogliono assomigliare alle teenager».

# Vitamine e capelloni

Per conoscere i teenager d'avanguardia, ammesso che uno ci tenga, bisogna fermarsi a New York. Ma è un incarico deprimente. La maggior parte dei teenager ignora perfino chi fosse Greta Garbo, «quella cantante mi faccia pensare quella cantante buffa e senza seno che morì fucilata per spionaggio in Olanda», e ciò ti fa sentire più vecchio di mia nonna. Ma ormai ho incominciato e, un po' perché non sta bene lasciare le cose a metà, un po' perché i genitori mi sollecitano con tanta insistenza attraverso lettere di insulti e freddi cablogrammi, ho deciso di andare in fondo a questa faccenda. Per andare in fondo ho preso un taxi e mi son messa a girare la città: interrogando scrupolosamente teenager, parrucchieri per teenager, fabbricanti di vestiti per teenager, editori per teenager, direttori di sale da ballo per teenager, preti per teenager, e altra deprecabilissima gente. Poi ho lanciato un appello e ho invitato a casa cinque teenager intelligenti, onde sostenessero un dibattito su ciò che avevo visto e sentito. Tale puntata si compone delle due generose fatiche alle quali devo tuttavia una premessa. È opinione comune che gli Stati Uniti influenzino in modo definitivo i costumi europei e in particolare italiani; infernali scoperte come il jukebox, il chewingum, le rivendicazioni femminili, la scomposizione dell'atomo, la bomba che ne deriva, ci vengono dall'America. Dall'America ci viene perfino l'uso della parola teenager di cui tutti conoscono il significato. È lecito quindi supporre che anche le mode dei teenager americani, più avanti descritte, rischino d'esser copiate dai teenager italiani, noti per la loro incorruttibilità e candidatura al paradiso. L'autrice si scusa in precedenza e declina ogni responsabilità sugli effetti deleteri di tali informazioni.

Come spendono i soldi. Anzitutto in cosmetici: si truccano e si profumano assai più degli adulti. Il computer Zia Bessie, specializzato a Boston in queste ricerche, ha stabilito che ogni anno le ragazze spendono duecentosessantaquattro miliardi e mezzo di lire in creme, ciprie, sottociprie, rossetti, ombretti, rimmel, smalto per unghie, lacca per i capelli. I ragazzi, invece, settantacinque miliardi e mezzo di lire in deodoranti per le ascelle e pei piedi, acqua di colonia, sciampo, lacca per i capelli. Malgrado ciò non risulti dal loro aspetto, che è spesso desolante e molto sudicio, i teenager americani dedicano il trentacinque per cento dei loro averi alla cura del corpo. Solo il cinque per cento, in compenso, alla cura dello spirito: libri e giornali. Il nove per cento lo mettono in dischi, il sette per cento in vestiti, il dieci per cento in benzina e cinematografo, l'undici per cento in articoli sportivi, il ventitré per cento in spuntini. A tavola infatti fanno la dieta ma poi gli vien fame e ricorrono agli spuntini. Lo spuntino fondamentale è una polpetta insipida, cotta alla griglia e chiusa in un panino gommoso. Va sotto il nome di hamburger e viene servita con le french fries che non sono francesi fritte ma patate fritte a tocchetti. Mangiano anche quelle. Dopo quelle mangiano dolcetti, gelati, granturco bollito. I teenager americani sono generalmente grassi e malgrado i cosmetici hanno una pelle molto brutta che rimane tale quando diventano adulti.

Come guadagnano i soldi. Facendo i babysitter. Cioè sorvegliando i bambini quando i genitori dei bambini vogliono andare al cinematografo, al ristorante, o a una festa. La maggior parte dei babysitter sono maschi e non femmine. A fare il babysitter si guadagnano dalle 945 lire alle 1260 lire all'ora: il prezzo resta tale anche se il bambino è figlio di una sorella, di un fratello, o comunque di un membro della famiglia. Per fare il babysitter basta avere dodici anni e infatti ogni mese muoiono, solo a New York, dai dieci ai venti neonati affidati a simili balie. I teenager che non fanno i babysitter si impiegano dopo scuola nei magazzini o nei drugstore dove sono molto ricercati poiché liberi da protezioni sindacali. I teenager che non lavorano prendono i soldi dai genitori. Un teenager americano non dispone mai di meno di cento dollari al mese, il salario di un negro nel Sud.

Come si pettinano. Più che pettinarsi i teenager mettono in testa ciò che non mangiano: latte, maionese, succo di ananasso, arancio, limone, sale o zucchero sciolti nell'acqua, tè molto forte e burro. Dice che serve a nutrire il capello ma così nutrito il capello puzza tremendamente e questa è la ragione per cui i teenager americani passano gran parte della vita a lavarsi la testa. Sempre secondo il computer Zia Bessie, il quarantasette per cento se la lava una volta al giorno, il quarantatré per cento almeno tre volte la settimana. Dopo il lavaggio li imbevono di lacca che non chiamano lacca ma polyvinylpyrrolidone, incredibile come riescano a pronunciar bene questa parola, polyvinylpyrrolidone, e li avvolgono in rulli; soprattutto se sono ragazze. Al mattino i rulli non vengono tolti: restano lì dove sono. Restano lì anche a scuola, o per strada. Restan di regola fino al venerdì sera: quando li tolgono per andare a una festa. Ma allora fissano riccioli e ciocche col nastro adesivo: alle guance e alle tempie. Lo spettacolo è atroce perché così incerottati i teenager sembrano feriti appena usciti dall'ospedale: ma disgusta meno dei rulli, accettati senza riserve da chiunque in America. Su una nave che fa crociera nel Mar dei Caraibi il capitano permette alle signore di presentarsi a tavola coi rulli «perché una eventuale proibizione offenderebbe i teenager». In una scuola del New Jersey il direttore dichiara che «se proibisse i rulli le classi sarebbero vuote». I teenager americani hanno un assoluto dominio sui propri capelli che portano lunghi. Lo stile più diffuso si chiama Ronette e arriva sotto le spalle. Subito dopo il Ronette viene il Mod che consiste in una pettinatura liscia, alla paggio, uguale pei ragazzi e le ragazze. I veri avanguardisti però prediligono lo Hullaballoo che è una specie di Mod spettinato e inventato da Jerry, il parrucchiere di Mister Kenneth che è il parrucchiere di Jacqueline Kennedy. Oltre a Jerry vi sono a New York diciotto istituti di bellezza per teenager, specializzati nel non-tagliare i capelli. Tagliarsi i capelli è per un teenager il più assurdo dei masochismi. Si tagliano solo, e di un centimetro appena, per offrirli alla fidanzata come pegno d'amore. Il pegno d'amore vien chiuso dentro un medaglione che la ragazza mette subito al collo. Sostengono i sociologi che i capelli lunghi dei teenager sono una reazione al militarismo e in particolare alla guerra nel Vietnam: la prima cosa che accade a una recluta infatti è quella d'essere rasata a zero. Sostengono gli storici che quando una generazione è sull'orlo del collasso si fa crescere, per aggrapparsi a qualcosa, i capelli. Sostengono i sessuologi che la testa è il centro dell'attenzione sessuale e nasconderla sotto i capelli è più sexy che andare a torace scoperto o inguainare le gambe in un paio di calze nere. Il giudizio ha sconvolto Hefner, direttore di Playboy e filosofo del sesso americano. In un recente editoriale Hefner s'è chiesto, umiliato, «se i teenager non sappiano per caso qualcosa che noi non sappiamo».

Come si vestono. I ragazzi veramente d'avanguardia vestono come Sonny Bono, cantante pop art. Il Sonny Bono Look consiste in un paio di pantaloni a strisce, in una camicia senza colletto ma coi volants alle maniche, infine in una pelle di pecora con un buco nel mezzo per infilarci la testa. Le ragazze, d'avanguardia e no, stanno invece vivendo un periodo di incertezza drammatica. La ragione è che tutte le donne in America hanno adottato il Baby Look di Courrèges: abito fino a metà coscia e stivali bianchi col fiocchettino. Con questo criterio i magazzini hanno aperto sezioni dedicate «alle giovani fra i tredici e i sessant'anni» e Judy Bee, una ditta newyorkese che fabbrica esclusivamente per le teenager, ha venduto quest'anno alle mamme mezzo milione di vestiti disegnati per le figlie. «È una vergogna» m'ha detto una figlia. «Un tempo erano le teenager che sognavano di assomigliare alle mamme, ora sono le mamme che vogliono assomigliare alle teenager. Dice che vogliono esser nostre sorelle ma io non so cosa farmene di una sorella. Voglio una mamma, io, non una sorella.» Per distinguersi dunque dalle madri e le zie, le teenager stanno lanciando la moda degli abiti lunghi fino alla caviglia. Si chiamano *granny dresses*, vestiti della nonnina, e sono la copia esatta di quelli che le pioniere indossavano andando coi carrozzoni alla conquista del West: includono perfino la cuffia. La moda scoppierà a New York quest'estate ma in California, in Arizona, in Florida, insomma dove fa caldo, le teenager li portano già. Li portano soprattutto per strada e a scuola dove prima si andava rigorosamente in blue jeans. L'unico guaio è che le poverine non sanno camminarci: inciampano continuamente. E così si storcono caviglie, si rompono polsi, e finiscono all'ospedale.

Come si divertono. In particolar modo col mooning: sport che è stato inventato da un gruppo di mascalzoni della università di Yale. Esso consiste nel raggiungere in automobile un'altra automobile e, se questa ha un finestrino aperto, gettarvi un paio di mutande sporche. Chiunque vi riesca guadagna venti punti. Se le mutande sporche cadono su una vecchia signora, il fortunato guadagna trentasette punti. Chi mette insieme, in un anno, mille punti ha diritto a un premio che qui è illecito riferire. Lo sport presuppone ovviamente il possesso di un'automobile ma ogni teenager ha l'automobile, magari usata. Presuppone anche la licenza di guida ma la licenza di guida in America si ottiene a sedici anni e in alcuni Stati a quattordici. Ciò spiega perché in America muoiono tante persone per incidenti stradali.

Come pregano. La maggior parte non prega. Una inchiesta Gallup ha confermato i risultati di Zia Bessie informandoci che solo il ventidue per cento dei teenager credono in Dio, il trentanove per cento si dichiarano agnostici, e il resto non ci crede per niente. Al Greenwich Village ho interrogato nove ragazzi fermi all'angolo di Bleecker Street e soltanto uno mi ha detto di credere in Dio. Con questa motivazione: «Ci credo per abitudine, per comodità, e per una forma di sicurezza». La percentuale che crede evita di andare in chiesa. Molti ragazzi mi hanno spiegato: «Ci vuol altro per alleviare i problemi della coscienza e poi in chiesa si incontrano i genitori. È deprimente». In considerazione di ciò esistono chiese separate per teenager: dove il rito o la messa durano molto meno. Queste chiese si trovano specialmente in California. Esistono anche riti separati per teenager: cui i genitori non vengono ammessi. L'idea è di un gruppo di economisti. Essi sostengono che chi spende a modo suo prega a modo suo.

Cosa leggono. Più che leggere vanno al cinematografo. I film che hanno avuto maggior successo fra i teenager sono, nell'ordine: *Agente 007 Missione Goldfinger, Tom Jones, My Fair Lady, Becket e il suo re, Ciao Pussycat, Questo pazzo, pazzo, pazzo, pazzo mondo.* Dopo essere andati al

cinematografo leggono «Playboy», il mensile con le fotografie delle ragazze nude. Così ritagliano le fotografie delle
ragazze nude e le appendono a scuola dove i maestri si
arrabbiano. Oltre a «Playboy» leggono «Mad», una rivista
satirica a fumetti. Poi i libri di Ian Fleming. I periodici per
teenager sono letti soprattutto dalle ragazze. Ne esistono
a decine e ogni mese in America vengono venduti ventun
milioni di copie per una cifra totale di quarantasette miliardi di lire. La Bibbia delle teenager è un mensile che
si chiama «Seventeen», Diciassette. Stampa un milione e
212.000 copie e riceve centomila lettere la settimana: in
massima parte contro i genitori. «Seventeen» dà consigli
sul sesso, sul modo di vestire, sul modo di sopportare la
mamma e il papà. Però sono molto seguiti anche i consigli di «Fifteen», «Sixteen», «Keen Teen», «Teen Screen»,
«Teen Talk», «Teen World», «Teen Life», «Modern Teen»
che, a numeri alternati, pubblicano sempre la stessa copertina: Elizabeth Taylor o Jacqueline Kennedy. Le due eroine
hanno preso il posto di Elvis Presley e James Dean, ormai
dimenticati. Un altro mensile di successo è «Ingenue», Ingenua. Alla sua direttrice, Sylvie Schuman Reice, si deve
un bestseller dell'anno: *Il libro degli appuntamenti dell'ingenua*. Esso insegna i settantacinque modi per procurarsi
un appuntamento, per baciare, per praticare il necking e
il petting, per strappare la promessa di matrimonio, per
ricominciare daccapo quando tutto è finito. Il *livre de che-
vet* della teenager americana è attualmente *Candy*: storia di
una ragazza che nessun genitore vorrebbe avere per figlia,
nessuna zia per nipote, nessun fratello per sorella, nessun
marito per moglie.

Cosa ballano. A eccezione del twist, che è completamente
decaduto, tutti i balli che non richiedono strofinamento dei
corpi: e ciò spiega perché di cantanti come Frank Sinatra
non voglion nemmeno sentir parlare. L'unica teenager d'A-

merica che prendesse sul serio Sinatra era, fino a poco fa, la diciannovenne Mia Farrow che voleva sposarlo e a questo scopo andò in crociera con lui. I teenager americani ballano non per ragioni sentimentali bensì per fare ginnastica. La miglior ginnastica è il frug, poi il monkey, poi il freddie, poi lo stop: variazioni del rock and roll applicate all'hullygully. La moda delle mode è il jerk che si balla a mezzo metro di distanza l'uno dall'altro, guardandosi ostinatamente in faccia, ruotando a piacimento il torso le braccia e il collo, infine mantenendo immobili i fianchi e le gambe. Per il jerk non è necessario avere la dama o il cavaliere: i ragazzi possono ballarlo fra loro e le ragazze fra loro. Questo, anzi, è un costume che va prendendo sempre più piede. Il jerk è stato lanciato da Sonny Bono, il cantante pop art, e a questo punto è necessario chiarire chi sia Sonny Bono del quale sappiamo soltanto come si veste. È un trentunenne il cui volto sollecita ricerche accurate sull'evoluzione della razza umana che Darwin fa derivare dal pesce. Darwin magari ha ragione ma i pesci, guardando Sonny, potrebbero aversela a male. Infatti gli occhi dei pesci sono molto più umani e poi i pesci cantano meglio: non fanno le stecche di Sonny. Sonny porta i capelli lunghissimi e arricchiti da una grande frangia che sfiora il grande naso. Si muove con gesti molli, rizzando il mignolo con insistenza, le donne gli piacciono e infatti ne ha sposata una bellissima che si chiama Cher e canta quasi male quanto lui. Il vero nome di Sonny è Salvatore Bono, di origine calabrese. La sua canzone preferita è *Non ridere di me*. Sonny ha soldi da buttar via e fa collezione di fuoriserie.

Cosa suonano. La chitarra elettrica. Essa sostituisce la tromba degli anni Quaranta. Nel 1965 i teenager americani hanno comprato un milione e sessantacinquemila chitarre elettriche, quasi il doppio dell'anno precedente, e solo a New York per Natale ne son state vendute 230.000:

per il 1966 la Electric Fender Instruments prevede che la vendita aumenterà del 183 per cento. La stessa ditta sostiene che ben sette milioni di teenager americani suonano la chitarra elettrica il cui prezzo varia fra le 110.000 e le 190.000 lire. La ragione per cui i teenager americani amano tanto la chitarra elettrica è che la chitarra elettrica fa molto fracasso, soprattutto con l'amplificatore che si paga a parte e costa trentamila lire. La ragione per cui le chitarre elettriche sono vendute con tanto entusiasmo ai teenager è che molti teenager restano fulminati suonandola. Ogni anno in America due o trecento teenager muoiono autogiustiziati grazie all'invenzione della chitarra elettrica.

Ed eccoci ai cinque scelti per il dibattito. Questi, ammettiamolo, sarebbe un vero peccato se morissero fulminati da una chitarra elettrica. Li cercavo intelligenti e lo sono: al punto che li saluterò perdonandogli tutto, come spendono i soldi, come si pettinano, come si divertono, come ballano, tutto. Mi dispiacerà perfino di averli presi un po' in giro con la mia inchiesta perché grazie a loro avrò ricordato la verità più importante, più drammatica, cui non pensiamo mai: quando scoppia una guerra sono loro che vanno per primi a crepare. Irritanti, scoraggianti, sinistri, diventan di colpo simpatici. Guardiamoli dunque prima di ascoltarli. Il ragazzo col nasone e le gambe lunghe è Dan. Sedici anni, da grande non ha ancora deciso ciò che farà. Il ragazzo magro con la pipa è Dennis. Diciassette anni, studia filosofia e farà lo psicologo. La ragazza magrolina con la pelle sciupata e gli occhi appassionati è Linda. Diciassette anni, segue un corso di cultura politica e vuol darsi alla carriera diplomatica. Il ragazzo miope con la cravatta e il vestito italiano è Ray. Diciotto anni, studia medicina e farà lo psichiatra. Il ragazzone con la giacca a vento e la faccia da attore è Bergen: diciannove anni, studia sociologia ma non crede che farà il sociologo. Siedono sul tappeto con aria insie-

257

me ironica e compunta. In una mano hanno la sigaretta e nell'altra la bottiglia della Coca-Cola. Dinanzi a loro è il magnetofono. Io ho appena finito di rinfacciargli le cose che ho raccontato a voi.

IO. Sono cose che ho visto e sentito, sono cose che voi conoscete. Mi interessa il vostro giudizio.

DAN. Le definirei manifestazioni di ostilità: verso i genitori, verso gli adulti, verso la società che ci ha partorito. Ma soprattutto verso i genitori. Essi esercitano su di noi tutto il potere che gli è consentito e rappresentano, ai nostri occhi, l'autorità. Ribellarsi a loro significa ribellarsi all'autorità: il che è abbastanza normale nei giovani. I giovani sono soggetti a emozioni violente e l'emozione più violenta ci è data dal controllo che l'autorità esercita su di noi. Non dimentichi che viviamo in un Paese abbastanza libero, con tradizioni storiche di disubbidienza, e perciò non abbiamo i freni di altri teenager.

BERGEN. So che in Spagna, ad esempio, i teenager danno del lei ai genitori e hanno paura del padre come di Franco. Quando si ribellano diventano anarchici e tirano le bombe. Noi non abbiamo terrore di nessuno e al momento di ribellarci non tiriamo le bombe: facciamo sciocchezze come quelle di cui lei ci accusa. È la stessa cosa, in fondo. Ribellarsi fa parte della nostra età che è un'età infelice perché è un'età in cui si è combattuti tra le forze dell'infanzia e le forze della maturità. A volte ci trattano da bambini e lo siamo, a volte ci trattano da adulti e lo siamo: ciò ci rende nervosi.

LINDA. Noi teenager americani siamo teenager particolari perché il nostro livello economico è superiore a quello di ogni altro Paese. Siamo teenager ricchi e quindi diversi: neanche i genitori possono capirci. I miei genitori erano immigrati ebrei, molto poveri: io sono figlia del loro successo economico, ho quindi vissuto esperienze e maturato convinzioni che creano un abisso fra noi. Un bambino che cresce senza aver fame, guardando la televisione, non può essere uguale a un bambino che cresce con la fame e giocando coi sassolini per strada. E spesso è un bambino più intelligente. Il nostro torto è d'essere più nutriti e più intelligenti dei nostri genitori.

DENNIS. A volte mi chiedo se i nostri genitori non siano gelosi di noi. Sul piano sessuale, ad esempio. Quando essi erano giovani il sesso era un argomento di cui non si parlava: noi invece ne parliamo fino all'esasperazione, ne facciamo il nostro problema fondamentale. Ciò li rende gelosi e si vendicano con piccole prove di autorità come pretendere di farci rincasare a mezzanotte. Non gliene importa nulla che si vada a dormire presto per svegliarci freschi la mattina, vogliono che non si faccia all'amore nelle automobili al buio. Loro non potevano farlo e in tal modo si prendono la rivincita. Considerano il coprifuoco di mezzanotte come un antifecondativo sociale che anche a loro toccò.

RAY. Io più che gelosia lo chiamerei rimpianto. Hanno il rimpianto di non aver vissuto in un mondo come il nostro e d'essere stati così sciocchi da non ribellarsi. Altrimenti perché ci imiterebbero, perché andrebbero dove noi andiamo, perché accetterebbero le mode che noi lanciamo? Te ne accorgi alle feste dei teenager. A un certo punto la mamma del ragazzo o della ragazza che ha dato la festa cerca sempre di intervenire. E di partecipare. È patetico. Quasi tutte le mie amiche si lamentano di questo: della mamma che si veste come loro, balla come loro, parla come loro, cerca insomma di avere in extremis ciò che non ebbe al momento giusto.

259

BERGEN. Andiamoci piano con questi discorsi perché quando noi avremo figli ci comporteremo come i nostri genitori e butteremo in faccia ai nostri figli il rispetto che avevamo per i nostri genitori. In fondo siamo come loro.

RAY. Noi abbiamo il problema di compensare la nostra insicurezza, la difficoltà d'esser nati in un mondo così complicato e che diventa sempre più complicato. Ma era così complicato pei nostri genitori? Io non credo perché non erano aggrediti da tante ideologie in conflitto fra loro. Riuscivano perfino a pregare, loro. Noi invece non preghiamo più: perché non crediamo più. E ci sentiamo avviliti, perduti, senza nulla cui appoggiarci: quella base chiamata fede. Dev'essere il progresso che ci ha messo tanti dubbi.

DAN. Io non credo che ciò abbia a che fare col progresso o la tecnologia. Sono il più giovane di voi, più di voi sono figlio della tecnologia, e il bisogno d'aver fede lo sento fino ad aver fede. Non certo la fede che ti fa alzare gli occhi al cielo per cercarvi Dio sebbene spesso lo faccia. E se quello significa credere in Dio, bè, allora ci credo. E vado ancora in chiesa: con tutta la mia incertezza.

BERGEN. Io no, non ci vado. E non prego. Non credo nel Dio che m'è stato dato dai miei genitori e non sento neppure il bisogno di interrogare l'esistenza di un essere divino. Trovo una soddisfazione completa nel vivere quella che credo sia una vita buona, morale, e non ho bisogno di sollecitazioni esterne come la fede in Dio per capire cosa è buono e morale. Io ho fede nell'umanità, non in un essere divino.

LINDA. Anch'io. Io sono ebrea, non ho mai avuto una educazione religiosa, e non l'ho mai sollecitata. Non ho mai avuto neppure dubbi. A volte invidio la gente che ha dubbi: fanno compagnia. A volte invidio anche i cattolici, per via del prete. I cattolici sono quelli che hanno meno bisogno dello psichiatra o dello psicanalista perché il loro psichiatra, il loro psicanalista è il prete. Conosco ragazze che dicono: «Sono stata a confessarmi». Oppure: «Dio mi ama». Dev'essere bellissimo. Ci si deve sentire meno soli.

DENNIS. Io, sai, sono sempre stato critico sull'argomento. Ho sempre pensato che certe leggi imposte dalle religioni hanno provocato più danno che bene all'umanità e non ho mai avvertito l'opportunità di accettarle. Io la religione l'ho sempre rifiutata senza crisi dolorose. Se vuoi, più che ateo sono agnostico. Scusa, Ray.

RAY. Perché? Io ho dubbi perché sono più confuso di voi. Mia madre è ebrea, mio padre è cattolico, nessuno dei due credeva abbastanza da inculcarmi una fede, nessuno dei due era abbastanza ateo da togliermi il bisogno di una fede, e così non ci capisco più nulla: sono combattuto tra Freud e la Chiesa, la ragione e i sentimenti. Ho fatto parte perfino di un club tipicamente americano che cerca di aiutare i teenager a risolvere i loro problemi. Era un club religioso e parlavano di Gesù come di un vittorioso giocatore di baseball. Ero felice con loro. Rivolgevo piccole preghiere a Gesù, gli chiedevo piccoli favori e tutto sembrava risolto. Ma poi... Poi scoprii che v'erano cose più preoccupanti, forse. La guerra, ad esempio. Ragazzi, ma non ci pensate alla guerra?

DAN. Se ci penso! È il punto che rende unica la nostra generazione. È il più grande dilemma di noi teenager: ma questa guerra, gli adulti, la faranno sì o no? Perché, se la fanno, tocca a noi andarci. E dove scappiamo? Oggi non puoi più scappare, non c'è più un posto dove scappare. Al tempo di Hitler si scappava in Svizzera, oppure in America, oppure in Australia: ma oggi? Abbiamo ereditato un mondo dove ogni fuga è impossibile, siamo topi in trappola. E ci sentiamo paralizzati, impotenti, alla mercé di qualcosa ma non so cosa. La morte, forse. In questo senso la nostra generazione è tragica. Dopotutto non siamo noi i responsabili di tanta paura.

BERGEN. Io sono più vecchio di voi e rischio di andar nel Vietnam prima di voi. Odio la guerra. Odio ammazzare ed essere ammazzato. Odio l'idea di mandare il mondo a pezzi: ma la scelta dov'è? Se mi chiamano devo andare. La minaccia chiamata comunismo esiste. Non è che io abbia paura del comunismo nei suoi aspetti teorici o nelle sue applicazioni pratiche: ho paura del comunismo come potenza imperialistica. E allora preferisco combatterlo nel Vietnam anziché sulla porta di casa mia.

LINDA. Io non so cosa dire ma credo che Bergen abbia ragione.

RAY. Io quando sento le sirene o il rombo di tanti aerei che passano insieme incomincio a tremare. Se poi penso a una guerra nucleare cado a sedere: le gambe non mi reggono più. E lì resto, immobile, incapace di muovere un dito: è perfino eccessivo, ridicolo. Ma se mi chiamassero per questo Vietnam credo che andrei. In un pessimo stato ma credo che andrei. Badate: sono abbastanza obiettivo da riuscire a vedere i due aspetti della faccenda, da capire che in Cina si sta tentando qualcosa di nuovo anche se non abbiamo ancora capito se hanno torto o ragione. Ma quell'Ho Chi Minh non mi piace. Mi lascia perplesso e ostile, e bisogna rispondergli, penso.

DAN. Ecco i discorsi più mortificanti che uno sia costretto ad ascoltare. Tutte le volte che c'è una guerra la gente dice:

ci siamo stati costretti, non v'era scelta. Castronerie. È da quando gli uomini hanno imparato a uccidersi che dicono queste castronerie. E più perfezionano il modo di uccidersi, più rinunciano a ragionare: mai uno che si sieda tranquillo e dica discutiamone un po'. Ma perché devi andare a combattere questi comunisti nel Vietnam? Io mi chiedo cosa succederebbe se tutti incrociassero le braccia e dicessero come me: no. No: perché non v'è alcun bisogno di ammazzarsi per risolvere le cose. Io il comunismo non lo capisco: però non vedo perché debba ammazzare questo signor Mao Tse-tung o perché mi debba far ammazzare da questo signor Mao Tse-tung per il semplice fatto che non ci comprendiamo. Dal momento che mi hanno messo al mondo io ci voglio stare. E non voglio che mi mettano un fucile in mano, e mi rifiuto, e rifiutandomi me ne frego di questo comunismo, e vorrei che i ragazzi dei paesi comunisti ragionassero come me e dicessero io me ne frego di questo capitalismo, alla guerra andateci voi, io vo a pescare con Dan.

DENNIS. Io nel capitalismo mi ci trovo benissimo. Questo è forse un ragionamento egoista dal momento che molta gente ci si trova malissimo ma credo nell'individuo, credo nella spinta economica che lo induce a fare le cose da solo, nella scelta libera e rinnovata del proprio governo. Allo stesso tempo sono consapevole che il mondo cambia, che succede qualcosa di nuovo nel mondo, che non si può fare a meno delle rivoluzioni: l'America non sarebbe l'America se non ci fosse stata la Rivoluzione francese. Ma è davvero necessario il fucile o il coltello o l'atomica per fare le rivoluzioni? Sono con Dan. Quando mi arriverà la cartolina bestemmierò come un pazzo e griderò no. Non ho alcun desiderio di morire per il mondo. Non voglio aiutare né l'America né il comunismo a morire per il mondo. Morire con le bandiere in mano non è servito granché nel passato. Si è sempre morti per qualcosa e tutto continua come prima. Sicché è follia sparare a un altro o lasciare che un altro spari a te. Se il nostro sistema è buono, perché non dimostriamo pacificamente che la democrazia è una gran cosa? Se il loro sistema è buono, perché non dimostrano pacificamente che il comunismo è una gran cosa? Può darsi che ci troviamo d'accordo.

RAY. Ragazzi, non andiamo nel Vietnam a raccontargli quant'è bello il capitalismo. Andiamo per salvare la nostra pelle.

DAN. La pelle la salvano quelli che restano a casa. La gente come Lyndon e Ho Chi Minh dice che bisogna andare e poi manda noi. Bè, alla tenera età dei miei sedici anni io ho qualcosa da dire a Lyndon e a Ho Chi Minh. Ho da dirgli vecchi miei, ci dite sempre che siamo il domani, la classe dirigente del domani, la speranza del domani: se siamo tanto preziosi, lasciateci vivere.

DENNIS. Ragazzi, piantiamola. Abbiamo parlato finora dell'amore, della vita: e all'improvviso eccoci a parlare di guerra, cioè di morte. Come se tutto ciò che abbiamo detto prima fosse inutile. Bertrand Russell ha osservato una volta che è meglio vivere in ginocchio che morire in piedi. Guardiamo se è possibile vivere in piedi senza morire in ginocchio.

Parte sesta

# Lettere al direttore
## (1967)

# L'AFTRA mi protegge

New York, marzo

Caro direttore,
  è doloroso ma devo spiegarti perché non sei più il mio direttore. Il mio vero direttore sono ormai trentasei direttori che dipendono da un presidente che si chiama Mel Brandt, più un primo vicepresidente, un secondo vicepresidente, un terzo vicepresidente, un quarto vicepresidente, un quinto vicepresidente che si chiama Jack Costello ma non è parente di Frank Costello il gangster. È successo così. Tu sai che non vado pazza per la televisione. Soprattutto non vado pazza per apparire in televisione. L'idea d'essere vista sopra uno schermo mi rende nervosa, mi fa sentire indecente, e v'è un solo mezzo per vincere tale complesso: pagarmi. La televisione americana, di solito, paga assai bene. E il *Tonight Show* paga benissimo. Il *Tonight Show* è lo spettacolo televisivo più popolare d'America. Va in onda ogni sera in ogni Stato dell'Unione, con un certo Johnny Carson che intervista la gente più assurda, attori, cantanti, prestigiatori, scrittori, campioni sportivi, vedove celebri, famosi assassini, e li paga ciascuno con un minimo di dollari trecentoventi. Un prezzo garbato se pensi che si trattava di star lì soltanto dodici minuti a parlar di un mio libro appena uscito quaggiù, *If the Sun Dies*, e così andai, parlai, descrissi al popolo degli Stati Uniti la necessità di cercare altri Soli se il Sole muore, tornai a casa con la precisa coscienza di non averli convinti granché ma di aver intascato trecentoventi dollari, vale a dire la somma

che pago al mese per un microscopico appartamento in Manhattan. Riscattata, purgata. Finché giunse l'assegno. Un assegno di venti dollari soli. Naturalmente pensai a un errore. E in tal convinzione chiamai il *Tonight Show*, dissi loro che avevo avuto l'assegno ma c'era un errore. Risposero che non c'era errore: dei trecentoventi, novanta li avevano presi le tasse. «Novanta?!» «Eh, sì.» «Capisco. Ma il resto? Trecentoventi meno novanta fa duecentotrenta. Duecentotrenta meno venti fa duecentodieci. Chi ha preso quei duecentodieci?» «Bè, i sindacati.» «Che sindacati?!» «Il sindacato dei performer, insomma degli attori. In particolare, l'American Federation of Television and Radio Artists detta AFTRA.» «Ma io non sono un performer, io non appartengo all'AFTRA.» «Sì, invece.» «Guardi, si sbaglia.» «Non ci sbagliamo: lei ha firmato perfin la domanda per essere ammessa.» «Io?! Quando?» «Prima d'entrare in scena.» In realtà, il mio ricordo è confuso, qualche secondo prima di entrare in scena qualcuno mi aveva porto dei fogli dicendo: «Firmi qui, svelta. Si tratta di una trascurabile formalità». E io in preda al panico, alla vergogna di apparir su uno schermo per soldi, pensando che si trattasse davvero di una formalità, avevo firmato. A occhi chiusi. «Ma duecentodieci dollari! Oltre due terzi del mio onorario! È pazzesco!» «Ah! Lei è stata fortunata, carissima. A una signora inglese son rimasti solo sei centesimi. Lo chieda all'AFTRA.»

Il direttore dell'AFTRA, signor Michael Sage, fu gentilissimo. Ebbe la bontà di informarmi che per apparire in uno spettacolo, qualsiasi spettacolo, bisognava appartenere a un sindacato dello spettacolo, e il miglior sindacato che un performer potesse desiderare era l'AFTRA dove iscriversi costava appunto duecentodieci dollari. «Ma io non sono un performer, signor Sage. Io sono un giornalista, uno scrittore.» Pazientemente il signor Sage mi spiegò che molti giornalisti, molti scrittori, erano anche performer, che insomma una attività non escludeva l'altra: pensassi a Peter Ustinov, a Clare Boothe Luce. «Bè, io non voglio essere né Peter Ustinov né Clare Boothe Luce. Io voglio soltanto i miei duecentodieci dollari.» Il signor Sage sospirò, sempre più paziente: non sarei stata né Peter Ustinov né Clare Boothe Luce, sarei stata me stessa. E certo l'emozione d'avere scoperto la vera me stessa, il talento che nascondevo in me stessa, le virtù di un performer, mi impediva di valutare gli immensi vantaggi di appartenere all'AFTRA. Impossibile continuare il discorso. Mi avrebbe scritto una lettera. E l'indomani mi scrisse la lettera. Due fogli amichevoli e pieni in cui cominciava chiedendo notizie sulla mia salute, continuava narrandomi i negoziati che l'AFTRA stava facendo su congressi di Washington, Chicago, Los Angeles, e concludeva chiedendomi altri venti dollari tondi. Come sapevo, infatti, i duecentodieci dollari si limitavano all'iscrizione che decadeva senza un contributo mensile. Che gli inviassi quindi altri venti dollari tondi insieme al mio nome legale, il mio nome d'arte, la mia data di nascita, il nome di mio marito o mia moglie, il nome dei miei bambini, la mia data di matrimonio per controllare (suppongo) che si trattasse di bambini legittimi, il numero della mia polizza di assicurazione sulla vita.

La mia risposta, lo ammetto, fu assai violenta. Debuttava dicendo che non avevo polizza di assicurazione, non avevo moglie, non avevo marito, non avevo bambini, non avevo un nome d'arte, avevo solo da porgli una domanda: qualcuno m'aveva detto che i sindacati sono una cosa la quale serve a difendere i lavoratori dai capitalisti, ad esempio, facendoli guadagnare di più. Ammesso e non concesso che fossi un performer, in qual modo il sindacato dei performer mi difendeva dai capitalisti: sottraendo con la frode i soldi che mi davano i capitalisti? E chi mi difendeva dai sindacati che mi difendevano dai capitalisti?

C'era forse un sindacato cui potevo denunciare gli abusi del mio sindacato? «Signor Sage, non le manderò i venti dollari. Perché se è vero che appartengo all'AFTRA, io esco dall'AFTRA. E siccome esco dall'AFTRA rivoglio i duecentodieci dollari che non ho mai accettato, mai, di versare.» La risposta alla risposta fu ancora più violenta. Diceva: «Se ella non paga i venti dollari, ella vien meno a un impegno firmato e questo sindacato si vede costretto ad agire nei suoi confronti per vie legali, inoltre a confiscarle i duecentodieci dollari dell'iscrizione». Direttore, ho pagato i venti dollari.

Li ho pagati con l'assegno che ritenevo scritto per errore. Il mese prossimo invece li pagherò in moneta. Appartengo ormai all'AFTRA. E ogni giorno mi giungono opuscoli, letterine, disposizioni dell'AFTRA. Su carta di riso, con uno stemma dove si vede un microfono, un'antenna televisiva e un violino. Le letterine incomincian così: «Dear fellow Aftran...» Caro compagno Aftran... Stamani me n'è giunta una dal presidente, Mel Brandt. Mi informava che stiamo avviandoci verso uno sciopero: «Se i capitalisti che sfruttano i buoni performer non la smettono subito, noi entriamo in sciopero. V'è una febbrile attività nel comitato dello sciopero, Strike Committee: devi dare, compagno, il tuo contributo». Ho chiesto che contributo, sono senza lavoro, nessuno mi ha più chiamato dopo il *Tonight Show*: neanche come ballerina di fila nei teatrini del Village. Mi hanno detto: meglio, così hai tempo di lavorare per l'AFTRA. Direttore, mi spiego? Non posso più lavorare per te. Devo lavorare per l'AFTRA. Come è giusto dal momento che sono un performer, sia pure disoccupato. Non posso più prendere ordini da te, al massimo posso accettarli da Antonello Falqui e da Romolo Siena, gente così.

E con ciò ti saluto.

Intanto a New York continua a far freddo e la lotta tra Bob e Lyndon si fa sempre più sorda. Anche considerato che Ted si è messo a lavorare per Bob come Bob lavorava per Jack. Lyndon diventa sempre più vecchio, più stanco. È imbruttita anche Lynda, sua figlia. Forse perché George non si fa più vivo con lei. Forse perché si è messa a fare la giornalista. Poverina. Lavora, sai, lavora. Scrive cose che nessuno legge, viaggia. Con la guardia del corpo. Alloggiando nelle suites imperiali. Tu non mi hai mai pagato le suites imperiali. Ti meriti in fondo di avermi perso. Affettuosamente tua,

*Oriana Fallaci*

# La CIA starnutisce nel mio telefono

New York, marzo

Caro direttore,
   debbo confessarti che i miei rapporti con la CIA non
sono affatto migliorati. Anzi, sono molto secchi. Si riduco-
no a un clic che fa il mio telefono ogniqualvolta mi occupo
dell'assassinio di Dallas. Sai, neanche qualcuno ascoltasse
le mie conversazioni e le registrasse su nastro. Una volta,
oltre al clic, ho udito anche uno starnuto. Parlavo con un
amico e ho udito lo starnuto. Gli ho detto: «Caro, hai il
raffreddore?». Mi ha detto: «No, sei tu che hai il raffreddore». Gli ho detto: «No, io non ho il raffreddore». Mi ha
detto: «Allora perché hai starnutito?». Gli ho detto: «Sei
tu che hai starnutito». Mi ha detto: «Io non ho starnutito.
Se nemmeno tu hai starnutito, bè, ha starnutito la CIA».
Il «New Yorker», figurati, ci ha fatto perfino la vignetta su
questa mia storia che conoscono tutti. Solo che al posto
della CIA ci ha messo l'FBI. Non era l'FBI, con l'FBI io
non ci ho nulla. Era la CIA. Perché il risentimento tra me
e la CIA dura da oltre tre anni, cioè dal giorno in cui mi
vidi negare una borsa di studio per venire in America. Ma
non a spiare, a studiare.
   La borsa di studio era offerta (ora lo so) da una delle
fondazioni finanziate dalla CIA. Ne avevano usufruito anche il primo ministro polacco Piotr Jaroszewicz e il primo
ministro del Tanganika Julius Nyerere. Per darmela, tuttavia, volevano sapere se ero comunista. Per stabilire se ero
comunista volevano sapere se credo in Dio, perché alla

CIA chi non crede in Dio è automaticamente un comunista. La domanda era posta in fondo a un questionario insieme ad altre domande indiscrete: «Ha qualche malattia contagiosa? Segue una dieta speciale? Crede in Dio?». Risposi che il problema di credere in Dio era un problema assai complicato, comunque personale, e non me la sentivo di parlarne con loro. Si arrabbiarono come pazzi. Mi ritirarono l'offerta della borsa di studio. Mi persi quei bei dollaroni che (ora lo so) venivano dalla CIA.

Ora, non c'è nulla di straordinario nel fatto che la CIA ascolti le mie conversazioni al telefono. Sono conversazioni innocenti, in qualche caso tenere, è anzi giusto che la CIA le ascolti, così non si annoia e capisce quanto può essere carina una donna italiana quando dice le cose carine a un uomo. Poi, via, siamo gente di mondo. Sappiamo benissimo che se abitassi a Mosca le stesse conversazioni le ascolterebbe la KGB, insomma la CIA sovietica, se abitassi a Londra le ascolterebbe l'Intelligence Service. Viviamo un'epoca assai poliziesca, il 1984 previsto da Orwell è già incominciato senza discriminazioni di confine o di lingua. Ma, ecco, se la CIA nutre sospetti sul fatto che io non voglia parlare di Dio ciò significa che mi considera antiamericana: il peccato più peccaminoso che esiste in America, l'unico per cui finisci all'inferno. E io, direttore, non voglio andare all'inferno. Poiché non sono antiamericana, lo sai. Dell'America mi piacciono i western, i ponti, i biondi, la Costituzione, sebbene sia spesso dimenticata, il roast beef che qui lo cuociono bene, non bruciato di fuori e crudo di dentro, ma d'un bel rosa unito dalla buccia all'interno. Mi piace. E poi mi piace il garbo delle telefoniste che qui non sono villane, mi piace il sorriso con cui i poliziotti del Kennedy Airport mi dicono tutte le volte che torno a New York: «Welcome home», benvenuta a casa. Capisci? Sanno benissimo che la mia vera casa non è a New York, è a Firenze, eppure quando rientro mi dicono:

«Welcome home». All'aeroporto di Roma o Milano non me lo dice nessuno, non mi sorride nessuno. Mi guardano anzi come se fossi un'intrusa o una criminale il cui delitto non è stato ancora scoperto. Mi sbattono il timbro sul passaporto con tale disprezzo che anziché un timbro sembra uno schiaffo. Sugli occhi. Una resta mortificata, depressa. Una pensa: ho forse sbagliato aereo, son forse sbarcata in un Paese che non è il mio Paese? E al momento in cui si accerta che no, è il suo Paese, le vien voglia di regalarlo a un museo. Deve fare uno sforzo per passar la dogana e affrontare l'Italia di questi anni. Si sente più a casa tra gli americani. Non so se mi spiego: io l'America la digerisco, sia pure a fatica. Digerisco, figurati, perfino la CIA: ma dove lo trovi un servizio segreto così poco segreto, un servizio che affida lo spionaggio ai bambini, ai ragazzi dei college? Quei ragazzi coi capelli lunghi, quelle ragazze con la minigonna, non di rado con idee di sinistra, pieni di fermenti, di sogni, che poi si fanno arrestare per una questione di rubli. Non so, a me sono simpatici. V'è in loro qualcosa di fresco, di nuovo. Di irresponsabile. E io fra un irresponsabile e un farabutto preferisco un irresponsabile. C'è sempre speranza che cresca, che cambi, ti pare? Comunque, ora che la CIA ha stabilito contatti telefonici diretti con me, ho deciso di servirmene a mio vantaggio. Tutte le sere, quando sento il famoso clic, rivolgo il mio saluto augurale alla CIA e le spiego le ragioni per cui ci terrei tanto che ripensassero alla loro decisione di anni fa e mi dessero finalmente quella borsa di studio. Se hanno avuto dei fondi anche alcuni sindacati italiani, perché non dovrei averli io? Perché dovrei essere l'unica esclusa da una così vasta e meritoria distribuzione di fondi? Questo è il mio dolore: aver saputo che la CIA ha un bilancio di cinquecento milioni di dollari all'anno che distribuisce a chiunque, come confetti, tranne che a me. Non è giusto, gliel'ho già spiegato al telefono.

E ora ti saluto. A New York fa freddo. Bob Kennedy s'è tagliato un po' di ciuffetto, in seguito a una polemica esplosa alla tv, cosa non farebbe quel Bob per diventare presidente. Ma è ancora un po' capellone e un anonimo gli ha mandato due dollari perché torni dal parrucchiere. Maximilian Schell è a New York e si dice che il suo prossimo romanzo d'amore sarà con Jackie: è più *à la page* dell'abbandonata Soraya. L'ho invitato a bere un drink, gli ho chiesto che ci fosse di vero, ha risposto: «Purtroppo devo partire». Ma, quando torna, vuole che gliela presenti. Lo strangolatore di Boston è stato ripreso. Era italiano, chi l'avrebbe detto. Su di lui circola ora una garbata storiella. Lo strangolatore di Boston suona un campanello e va ad aprire un marito. Americano. «Chi è?» domanda il marito. «Lo strangolatore di Boston» risponde lo strangolatore di Boston. Il marito lo fa passare e poi grida alla moglie in cucina: «Mary, è per te». Affettuosamente tua,

*Oriana Fallaci*

# Mi hanno chiesto un uovo

New York, aprile

Caro direttore,

hai perfettamente ragione, non faccio che raccontarti disgrazie, accidenti, ma è colpa mia se in questo Paese me ne succedono di tutti i colori? Ieri, per esempio. Mi telefona un tale e dice buongiorno, come sta, sono un collaboratore del professor Bentley Glass che insegna alla facoltà di biologia qui a Stony Brook, leggo sempre i suoi scritti, conosco l'appassionato interesse che ella ha per la scienza, può dedicarmi qualche minuto? Benissimo, rispondo, mi dica. Bè, dice lui, anzitutto mi chiedo se ella ha seguito i lavori del Novantanovesimo Congresso annuale della American Association della School Administration tenuto in febbraio ad Atlantic City sul tema "Ciò che l'uomo può diventare". No, rispondo, non li ho seguiti. Bè, dice lui, peccato, le manderemo il rapporto, intanto debbo spiegarle lo scopo di questa telefonata che fa parte di una serie di telefonate a un gruppo di individui selezionati. Davvero?, rispondo con falsa modestia giacché, capisci, fa un certo effetto sentirsi dire che sei stato messo in un gruppo di individui selezionati anche se ignori il genere di selezione, e: «In cosa posso servirla?». Bè, dice lui, vorremmo sapere se ella sarebbe disposta a darci un uovo. Un uovo?!, balbetto. Ed è chiaro che penso a un uovo di Pasqua, le collette pei bambini poveri eccetera. Ma lui: «Sì, un uovo. Un uovo suo». Al che mi arrabbio, convinta che sia un imbecille che vuol divertirsi, gli strillo: «Io non sono una

276

gallina, signore, le uova le chieda a sua moglie o a sua zia»,
e attacco il telefono.

Dopo un poco, lui mi richiama. Tutto imbarazzato,
mortificato. Dice che lo ascolti per cortesia, lui è proprio
un collaboratore del professor Bentley Glass, lo perdoni
per essere stato brutale, non è ancora abituato a far certe
richieste, può spiegarsi meglio? Va bene, rispondo freddamente, si spieghi. Bè, dice, sintetizzando la cosa possiamo
dire che l'uomo nasce da un uovo: cioè si forma dall'uovo
della mamma fertilizzato dallo spermatozoo del babbo.
Che scoperta, rispondo, questo lo sanno perfino i bambini, e allora? Allora, dice, un recente studio condotto dal
professor Bentley Glass su uova tolte da ovaie di topoline
e fertilizzate in bottiglia con semi di topolini ha accertato
come sia possibile ottenere in laboratorio un embrione di
topolino che poi diventa un baby-topolino. Bè, rispondo
sempre più freddamente, anche il professor Petrucci in
Italia ha fatto qualcosa del genere, anche uno scienziato di
Tokyo, sì o no? Sì, dice lui, ma non al punto in cui siamo
arrivati noi di Stony Brook. Noi possiamo non solo appli-
care quel procedimento agli umani, possiamo congelare alla temperatura dell'elio liquido le cellule riproduttive, poi
decongelarle fra venti o cinquanta o cent'anni e produrre
bambini quando il babbo e la mamma, cioè gli individui
selezionati, sono morti da un pezzo. E ricalca la voce su
selezionati. La produzione può avvenire sia trasferendo
l'uovo fecondato nel grembo di una madre adottiva, sia
lasciando l'uovo in bottiglia. A occhio e croce, la tecnica
immaginata da Aldous Huxley nel suo *Il mondo nuovo*.

Spaventoso, rispondo, a ogni modo io che c'entro? C'entra, continua il collaboratore del professor Bentley Glass,
alla stessa maniera in cui c'entrano gli individui selezionati
cui vorremmo chiedere in via sperimentale il dono di un
uovo o di semi maschili. Individui sani, moderni, proiettati
verso il futuro, come lei. Individui capaci di mantenere un

segreto, come lei. Individui inoltre che comprendano un fatto sostanziale: donare un uovo non è diverso da donare il sangue alla Banca del sangue. Senta, rispondo, se vuole il mio sangue io glielo do sebbene ne abbia pochissimo, peso quarantasei chili, sono anemica da morire, e da quando mi occupo dell'assassinio Kennedy ho una faccia gialla che non le dico. Ma l'uovo, ecco, l'uovo, non vorrei sembrare egoista, ma l'uovo io non glielo do. «Non le piacciono forse i bambini?» chiede indignato. Mi piacciono eccome, rispondo, però fatti all'antica, con lo stesso sistema di Adamo ed Eva quando misero al mondo Caino e Abele: in altre parole, l'uovo mi serve. Oh, fa lui, questa è una obiezione prevista dal professor Glass, la troverà nel rapporto: Aren't the age-old ways of making babies good enough? Il vecchio sistema per fare bambini non è forse buono? Bè, risponde il professor Glass, numerose ragioni possono essere date per spiegare quanto il nuovo sistema sia desiderabile. Anzitutto una di immediata necessità scientifica: solo studiando lo sviluppo di un embrione in bottiglia i medici possono capire le anormalità prenatali. Poi il problema dell'adozione: dal momento che l'uovo fertilizzato può essere trasferito nel grembo della madre adottiva, non è forse meglio partorire un figlio adottivo che adottare un figlio già nato e magari già grande? Infine, il vantaggio di poter mettere al mondo bambini quando siamo morti da cent'anni, duecento. Guardi, rispondo, siamo già nei guai coi bambini che nascon dai vivi: se ci mettiamo anche i bambini che nascon dai morti, come risolviamo l'aumento della popolazione terrestre? Ma non capisce, esclama, che questo è l'unico modo per controllare l'aumento della popolazione terrestre? Poi diventa suasivo. Supponiamo, dice, che ora lei non abbia tempo di mettere al mondo bambini o ritenga di non doverlo fare per non contribuire all'aumento della popolazione terrestre: cosa le impedisce di avere un figlio ad esempio nel 2067 quando la società sarà più organizzata? Giusto, rispondo, ma io non lo vedrò. Via, esclama, non faccia la sentimentale. Giusto, rispondo, ma il padre? Che padre?, dice. Il padre, rispondo, posso sceglierlo ora? No, dice, il padre no. A quello ci pensa il professor Bentley o colui che fra cent'anni, duecento, occuperà il posto del professor Bentley. Sulla base di ricerche chimiche ed elettroniche che stabiliscano la giusta affinità. Possiamo solo assicurarle che la scelta cadrà su un padre degno.

Direttore, mi spiego? Sarà che succedono tutte a me, però vivere in questo Paese diventa ogni giorno più complicato. Pensa che il mio padrone di casa vuol mettermi il ritrattofono. Il ritrattofono è un telefono che quando parli non solo parli, ma vedi anche la persona con cui parli. E l'altro vede te. L'apparecchio è composto da un normale ricevitore e da un piccolo video nel quale è installata anche una camera da presa, grande quanto mezza lira. Lo costruisce la Bell System Telephone Company e per parlare basta pigiare un bottone su cui è scritto on, poi un bottone su cui è scritto video, poi un bottone che apre la camera da presa, poi comporre il numero pigiando altri bottoni, infine sistemarsi a circa venti centimetri dallo strumento. La Bell System lo ha già sperimentato a Washington, a Chicago, a New York. Il prezzo di una conversazione di tre minuti fra New York e Washington è di otto dollari, fra Washington e Chicago è di dieci dollari e cinquanta centesimi, fra Chicago e Washington è di tredici dollari e cinquanta centesimi, mentre il prezzo di una normale conversazione in città è di cinquanta centesimi. Ho risposto al padrone di casa che la spesa è davvero modesta ma il ritrattofono io non lo voglio, mi basta il telefono. Ha replicato che sono una buona inquilina e merito il ritrattofono: basta con il telefono, mezzo preistorico di comunicazione. Direttore, sono depressa. Ti rendi conto di cosa significa?

Significa che ogni qualvolta suonerà il telefono io dovrò correre a pettinarmi, truccarmi, vestirmi se sono spogliata.

Ma se mi chiamano quando sono nel bagno? Qui c'è il telefono anche nel bagno, e dimmi cosa succede se quando sono dentro la vasca sollevo distrattamente il ricevitore, rispondo. Oppure se mi chiamano quando sono a letto, e magari dormo. Ti par giusto che chiunque possa vedermi a letto, spettinata, scomposta, eccetera? Non solo. Tu sai il mio vecchio trucco. Quando chiama qualcuno di cui non m'importa o con cui non voglio parlare io cambio la voce e rispondo: «Ha sbagliato numero». Oppure: «Non c'è». Ma se quello mi chiama e mi vede, come faccio a dirgli che io non sono io o che io non ci sono. Togliendomi dal campo di presa della macchina da presa, dirai. Ma ciò non equivale ad ammettere che ci sono o che ho un aspetto indecente? Bè, ti saluto. A New York c'è la neve, è caduta il primo giorno di primavera. Cassius Clay ha battuto Zora Follys senza insultarlo mai, anzi quando Zora è caduto al tappeto lo ha aiutato a rialzarsi e lo ha consolato accarezzandolo su una spalla, poi dandogli un bacino. Sulla guancia. L'ho visto io, coi miei occhi. Ero al Madison Square Garden seduta fra Sugar Robinson e Ursula Andress con Belmondo. Il biglietto costava cinquanta dollari e Ursula era vestita d'argento. Si aggrappava alla mia spalla anziché a quella di Belmondo. Che cose. Io non ci capisco più nulla. Presto vedremo i pesci fare il nido sugli alberi e gli uccelli nuotare sott'acqua. E sarà la fine del mondo. Affettuosamente tua,

*Oriana Fallaci*

# Come si fuma una banana

New York, aprile

Caro direttore,
ciò che sto per dirti ti allarmerà un poco, forse ti scandalizzerà, dunque cerca di prenderla nel miglior modo possibile e metterti in testa che non puoi farci nulla: il vizio è vizio e poi bisogna andare di pari passo coi tempi, vivere la propria era, adeguarsi. Direttore, ho deciso di fumare anch'io le banane. Anzi le bucce delle banane che, come certo sai, contengono un olio di amilacetato il cui effetto è paragonabile a quello della marijuana. Però è meglio della marijuana che costa un mucchio di soldi e a fumarla non sai cosa ti capita, mi spiego? Voglio dire non solo le banane costano poco, ti offrono il grande vantaggio di non farti finire in prigione. Puoi scendere all'aeroporto di Fiumicino con una banana in borsa, o anche due, portarle a un amico da Londra, da dove ti pare, e nessuno ti ferma, nessuno ti dice: «Ci segua, prego, in questura». Lo ha ammesso perfino il Federal Bureau of Drug Abuse in un comunicato speciale da Washington: «Non c'è nulla che possiamo fare per impedire il fumo della banana, il possesso delle banane, il trasporto delle banane da Stato a Stato, da nazione a nazione. Non possiamo legalmente intervenire in questa faccenda fuorché riservarci di pubblicizzare il danno che può derivare dal fumo delle banane e ammesso che il danno esista. La situazione è al di là del nostro controllo». Se non ci credi, leggi «The Wall Street Journal» del 30 marzo, pagina uno, colonna tre. Certo conosci la serietà del gior-

nale e ciò che esso dice suona esattamente così: «Non solo la banana è legale, non può essere resa illegale. I commercianti internazionali di banane e tra questi la United Fruit Company hanno il potere di bloccare ogni misura restrittiva contro le banane. E quale legislatore oserebbe dare il suo nome a una legge per il controllo della banana?». Nessuno, direttore. Tanto più che le banane fanno molto bene ai vecchi e ai bambini, sia mangiate crude che cotte flambé. E se un vecchio o un bambino compra una banana per fumarsi la buccia anziché mangiarsi la polpa cruda o flambé, tu per proibirlo che fai? Vendi le banane pelate?

Ma torniamo a me, a come è successo. È successo anzitutto con quella notizia su «The Wall Street Journal», che leggo con scrupolo ogni mattino. La notizia diceva che Mervin Garson, marito di Barbara Garson, autrice della commedia *MacBird*, aveva pubblicato la storia dell'amilacetato sul «Village Voice», il quotidiano dei giovani che sono all'avanguardia di questo Paese e si sforzano di condurlo su posizioni di sinistra o almeno di centro-sinistra. Così ho preso un taxi e sono andata da Mervin che è un giovanotto simpatico, coi capelli rossi. Gli ho detto buongiorno, caro Mervin, come va, sono una collega, vengo da un Paese di centro-sinistra, vorrei chiederti un'informazione. Subito Mervin m'ha interrotto con un grande sorriso e m'ha chiesto: «Vuoi la ricetta?». Bè, ho detto, sì: «The Wall Street Journal» si tiene un poco sul vago per ciò che riguarda l'uso della scoperta, insomma l'estrazione dell'amilacetato. «The Wall Street Journal,» ha risposto Mervin «appartiene a Wall Street, è un covo di reazionari, a cui interessa soltanto che il popolo mangi banane per arricchire la Banana Distributors Company, non che i giovani all'avanguardia di questo Paese trovino felicità nella buccia delle banane.» Allora gli ho chiesto: Mervin, dimmi Mervin, la buccia delle banane dà sul serio la felicità? «Prova e vedrai,» ha sussurrato Mervin mettendomi in mano una copia del «Berkeley Barb», organo della ribelle università di Berkeley in California, poi una copia del «Columbia Daily Spectator», organo della non meno ribelle università di Columbia a New York. È a Berkeley infatti e alla Columbia che il fumo delle banane è incominciato. «Leggi» ha aggiunto. Io ho letto e diceva: «Si prende una banana. Ma fresca. Si pela la banana. Si mette da parte la buccia della banana. Si mangia la polpa della banana. Se ti piace. Se non ti piace, la butti via. Si torna alla buccia della banana. Si raschia il bianco di banana che è rimasto attaccato alla buccia. Si mette la buccia raschiata nel forno. Se hai il forno. Se non hai il forno, la posi sul termosifone. La si secca bene. La si sbriciola quando è seccata. Si fa una sigaretta e si fuma». Nient'altro, Mervin?, ho chiesto stupita. Nient'altro, ha risposto Mervin mettendomi in guardia però da coloro che negano l'effetto della banana. Tra questi, il New York Bureau for Addictive Diseases, ufficio delle malattie causate da droga, il quale insinua: «Dubitiamo che le banane contengano sufficiente amilacetato, cioè che possano essere usate davvero come allucinogeno. L'effetto è in realtà psicologico. Lo si può ottenere anche con le bucce di mela». La United Fruit, per esempio, ha detto Mervin, credeva al Bureau for Addictive Diseases ed ha emesso una dichiarazione così formulata: «Per quel che ne sappiamo, non v'è nulla di vero nella teoria della banana». Però subito dopo ha incaricato i suoi esperti in banane di analizzare tre o quattro banane nel laboratorio di Boston e il referto chimico è stato: «La teoria della banana non è priva di fondamento. Temiamo che la farmacologia clandestina sia febbrilmente al lavoro per sviluppare e perfezionare l'uso della banana come allucinogeno».

Ho ringraziato Mervin e sono andata dal mio ortolano a comprare le banane. Cercavo di darmi un contegno ma ero nervosa. Per non indurre l'ortolano in sospetto ho comprato un mucchio di frutta che non serve a nulla, mele, pere, uva, ananas delle Hawaii, poi ho pagato alla svelta e senza guardare l'ortolano negli occhi. Non so perché, ma mi sembrava che egli capisse, sapesse. Le banane qui ormai hanno una pessima reputazione. A casa ho subito aperto il «Berkeley Barb» e il «Columbia Daily Spectator» e mi son messa a fare quel che le ricette dicevano. Ho seccato le bucce, ho fabbricato la sigaretta, l'ho accesa. Ho immediatamente vomitato l'inferno. Sembrava di aspirare il puzzo di benzina oleosa che esce dagli scappamenti degli aeroplani quando c'è un guasto e precipitano. La testa ha preso a girarmi, sono svenuta. Quando mi sono riavuta ho chiamato Mervin, piuttosto adirata, e Mervin ha risposto di non scoraggiarmi: «La prima volta succede così, ci vuole pazienza». Ha anche aggiunto che se la banana io non la tolleravo, potevo provare coi peperoncini del Messico o con la noce moscata che tuttavia non è una novità: una recente relazione dell'ONU, Sezione Droga, riferisce che in molte università la LSD è sostituita con la noce moscata «la quale ha l'effetto di espander la mente». Ho provato la noce moscata e anche i peperoncini del Messico ma entrambi erano troppo forti per me, il fumo piccante mi brucia la gola: son tornata alle banane. Mervin non ha torto: ci vuole pazienza, la banana è meglio della marijuana. Non a caso la Banana Distributors Company ha venduto nel mese di marzo e nella sola New York ben ottomila scatole di banane da ottanta chili l'una, e le sue azioni sono salite in Wall Street del venticinque per cento. Oggi chi vuol diventare ricco non punta più sulla General Motors, punta sulla Banana Distributors. Con gli effetti politici che puoi immaginare: tutti i paesi caldi, minacciati dal comunismo, esportano banane. Vietnam compreso.

E con ciò ti saluto: in stato di euforia, anzi di estasi. A New York è arrivata finalmente la primavera e con essa il sindaco di Firenze, Piero Bargellini. Deve ringraziare gli americani dei soldi che hanno dato a Firenze e sono finiti a Roma, poi prendere la cittadinanza onoraria di Long Branch, New Jersey, dove gli hanno dedicato una strada che pronunciano Berghillain Street. Bargellini è pazzo. L'ho portato a spasso per New York, gli ho chiesto un giudizio sulla città, e m'ha risposto che New York è una città meravigliosamente serena, silenziosa, distensiva, pulita, una città dove le automobili passano con squisitezza e la gente è garbata. Per non reagire con parolacce, dopotutto è il mio sindaco, l'ho subito abbandonato in Times Square e sono andata al mio sindacato, cioè l'AFTRA. L'AFTRA è in sciopero, alla televisione non c'è quasi nessuno che ci racconti cosa succede nel mondo, e per tappare i buchi non fanno che darci documentari sull'Unione Sovietica: il nuovo amore degli americani. Avresti dovuto vedere quel documentario su Leningrado. Quando è giunto il momento di parlare su Caterina II, il commentatore ha spiegato che la zarina ammirava assai Montesquieu le cui idee influenzarono tanto la Costituzione americana; quando è giunto il momento di parlare su Alessandro II ha spiegato che lo zar liberò sessantamila schiavi due anni prima che Lincoln togliesse i ceppi ai negri; quando è giunto il momento di parlare di Lenin non ha pronunciato neanche una volta la parola dittatura. E il consumo di whisky è calato, chi è *à la page* beve vodka. Ci capisci qualcosa? Io no. A volte mi par di sognare. Devono essere queste banane. Affettuosamente tua,

*Oriana Fallaci*

# Visita medica all'americana

New York, giugno

Caro direttore,
ti scrivo dal letto, dove giaccio ammalata da una settimana, a esperimentare le meraviglie della Medicina Moderna che a New York raggiunge vette davvero sublimi: non a caso è qui che si sostituisce il cuore vero con il cuore artificiale, ci si accinge a guarire il cancro, a ridare la vista ai ciechi, altre incredibili cose che voi in Italia non vi immaginate nemmeno. Essere malati a New York è una grande esperienza. La più eccitante del mondo dopo la roulette russa. Ora te la racconto incominciando da giovedì scorso quando mi prese quel febbrone a trentotto e temevo proprio di non rivedere più te e la mia patria. Dunque mi piglia il febbrone a trentotto e chiamo il dottore. «Pronto,» dico «vorrei parlare con il dottore.» «Perché?» mi chiede una segretaria sorpresa. «Perché sto male» dico. «Se sta male, vada in ospedale» risponde. «Ma io non voglio andare in ospedale,» dico «voglio vedere il dottore.» «Gli appuntamenti del dottore,» risponde «sono completi fino a metà luglio. Salvo casi di assoluta emergenza.» «Questo,» dico «è un caso di assoluta emergenza, sto per morire.» «Quando è così,» risponde «si vesta e venga qui. Vedremo di dedicarle un minuto.» «Lì?!» «Certo. Non vorrà mica che il dottore si disturbi fino a casa sua!»
Barcollando scendo dal letto, mi vesto, cerco un taxi che naturalmente non trovo e a piedi, con pena, raggiungo l'ufficio del dottore dove un'infermiera afferra un formu-

lario stampato, lo infila nella macchina da scrivere, si mette a interrogarmi su cose stranissime, professione, religione, stato civile, hobbies, persona da notificare in caso di morte, genere e luogo di sepoltura in caso di morte, infine mi consegna al dottore il quale mi avverte che ha pochissimo tempo, mi guarda appena e mi dice: «Ma lei sta male!». «Eh, sì» rispondo. «Ci ha un bel febbrone!» «Eh, sì» rispondo. «Farebbe bene a correre a casa e mettersi a letto!» «C'ero» rispondo. «Ci torni» ribatte. Poi scrive una ricetta e mi spinge verso la porta. Senza dirmi quello che ho e perché ce l'ho. «Dottore,» imploro «che ho?» «Non si preoccupi» dice. «E questa ricetta cos'è?» «Pillole» dice. «Che pillole?» «Si fidi di me.» Sicché io mi ritrovo a letto ignorando quello che ho, ma insieme a una boccettina sulla quale è scritto "Pillole per Miss Fallaci". Come sai in America sono molto discreti, non ti informano mai sulle medicine che prendi, tu le prendi e basta. Io però le prendo da circa dodici ore e non mi sento meglio per niente: anzi, la febbre è salita a trentanove e due, e venerdì sono tutta un dolore, mi scoppia la testa, mi fa male la pancia, a malapena riesco a sollevare il telefono. «Pronto, potrei parlare con il dottore?» «Perché?» «Perché sto peggio.» «Il dottore non c'è. La farò richiamare.» Mi richiama, indovina quando, sabato sera. Festosamente, da un posto dove si ode fracasso di bicchieri e di musica.

«Pronto! Sono il dottore! Come va, come va?» «Male,» dico, «malissimo. Mi duole la pancia.» «Verso l'alto o verso il basso?» «Verso l'alto, direi.» «In direzione del diaframma?» «Il diaframma dov'è?» «Bè, il diaframma è tra lo stomaco e l'intestino.» «Sì, allora in direzione del diaframma, dottore.» «E si estende al fegato?» «Io che ne so, dottore?» «Si tasti il fegato.» «Senta, dottore, non potrebbe tastarlo lei?» «E come faccio, scusi, per telefono?» «Dottore, chi le dice di tastarlo per telefono? Venga a tastarlo qui.» «Non c'è alcun bisogno di tastarlo lì. Questo può farlo da sé. Via, coraggio. Lo sa dov'è il fegato?» «Credo di sì.» «Il fegato è a destra. Trovato?» «Mi pare.» «Pigi. Fa male?» «Credo di sì.» «Come sarebbe a dire, credo di sì?» «Non so se ho tastato il fegato, dottore.» «Quante storie. Continui a prendere le pillole. Domani richiamo.» L'indomani ho la febbre a quaranta, sto davvero morendo, e gli amici mi offrono nomi di altri dottori che puntualmente chiamo e puntualmente mi offrono di recarmi al loro ufficio ma, quando rispondo che ho la febbre a quaranta, non posso dottore, incominciano a visitarmi per telefono. Il mio letto sembra ormai un centralino che squilla ogni cinque minuti per trasmettere voci che ingiungono di tastarmi il fegato, lo stomaco, il cuore, guardarmi la lingua allo specchio, osservarmi anche le tonsille, tossire, e quando rispondo ma senta non potrebbe farlo da sé, si offendono come se li insultassi. Uno esclama: «Signorina mia, a New York ci sono dieci milioni di abitanti, ogni giorno se ne ammala almeno un milione, di questi tempi anche due, si figuri se un medico può recarsi a casa a vederli!». «Ma dottore, per telefono...» «Cos'ha contro il telefono? A New York chiunque si cura per telefono!» Un'amica che viene ogni tanto ad assistermi, portarmi le arance, è della stessa opinione. Siamo nel 1967, mi spiega, l'era del telefono, per telefono si fanno gli affari, le interviste, l'amore: che c'è di straordinario nel fatto che un malato si curi per telefono? «E se un malato è bizzarro, antiquato, ci tiene a vedere un dottore?» «Bè, allora va in ospedale.»

Lunedì, la febbre è ormai a quaranta e sette, mi decido per l'ospedale. L'amica telefona all'Ospedale Presbiteriano che, a quanto sembra, è il migliore. «Pronto, Ospedale Presbiteriano? Vorrei prenotare una camera.» «Benissimo, dica.» «Privata, oggi stesso.» «Impossibile, siamo al completo.» «Fino a quando?» «Settembre. Provi il Metodista.» «Pronto? Ospedale Metodista? Vorrei prenotare una camera.» «Impossibile, siamo al completo.»

«Fino a quando?» «Agosto. Provi al Luterano.» Ma anche l'Ospedale Luterano è al completo. Anche il Battista. La situazione è favorevole soltanto all'Ospedale Anglicano che potrebbe accettarmi verso metà giugno. «Che dici? Prenoto per metà giugno?» chiede l'amica aggiungendo che le pare una buona data, una data assai ragionevole, e si offende quando le rispondo con una bestemmia. Il fatto è che intanto la febbre è salita a quarantuno, io quasi non sento e non vedo, me ne sto lì appisolata a sognare sogni pazzeschi nei quali vedo un vecchio dottore coi baffi, la barba e il calesse, guidando il calesse viene a trovarmi, si china sopra il mio letto, mi solleva il polso e lo tasta, mi batte col dito sopra i polmoni e mi fa dire trentatré, chiede un cucchiaio, me lo posa sulla lingua e mi guarda la gola, poi si dedica al fegato, all'intestino, e infine mi guarisce. Da tal sogno mi sveglio solo quando suona il telefono ed è il mio dottore, anzi i miei dottori che mi ingiungono di autoascultarmi, pigiarmi, dar loro una diagnosi, insistere con le pillole, finché passa la febbre, e «quando la febbre è passata, si alza, si veste, viene qui in ufficio dove vediamo cos'è, anzi cos'era».

È stata Heckel, la mia cameriera negra, a dirmi cos'è. Anzi cos'era. Il mercoledì Heckel viene a pulirmi la casa. Perché la pago quattro dollari l'ora. Come cameriera Heckel è un disastro, ma come medico è un vero portento. Entra, infatti, ed esclama: «Baby, cosa hai mangiato? Questo è un caso di avvelenamento». Dopodiché scaraventa le pillole nel gabinetto, mi dà una bella purga, mi prepara un buon brodino, e mi fa un paio di esorcismi servendosi di una medaglietta con l'immagine di san Francesco che prega. Mi sono sentita subito meglio, in meno di sei ore la febbre è scesa a trentasette e uno. Ho potuto perfino mandare all'inferno il dottore, anzi i dottori che continuavano a disturbarmi telefonando. Domani, se Heckel me lo permette, mi alzo: capisci a cosa alludo quando parlo di grande esperienza, di esperienza eccitante. Se ti ammali a New York i casi sono due: o muori, il che accade nella maggior parte dei casi, o vivi. Il che accade in pochissimi casi, però quando accade ti lascia lo spirito talmente temprato che non hai più paura di nulla, diventi un uomo anche se sei una donna. Specialmente nell'attimo in cui ti giunge il conto, anzi i conti. I conti sono arrivati e in totale ammontano a duecento dollari tondi. Ogni visita fatta per telefono costa dieci dollari esatti, e poi c'è la visita fatta all'ufficio: quella ne costa trenta.

Quello che non capisco, direttore, ci credi, è la notizia che stamani ho letto sul «New York Times». La notizia viene dalla American Psychiatric Association e rivela che la più alta percentuale di suicidi in America si riscontra fra i medici. Dal maggio del 1965 al febbraio del 1967, trentatré medici ogni centomila si sono ammazzati: una cifra superata soltanto dagli psichiatri che negli ultimi cinque anni si sono ammazzati nella misura di cinquantaquattro e negli ultimi vent'anni nella misura di duecentotré. Il dottor Samuel Aaronson che insegna all'Albany Medical College ha dichiarato al «The Journal of the American Medical Association» che tali suicidi sono dovuti al *surmenage*, e infatti la maggior parte di quei cadaveri sono stati trovati col telefono in mano.

Ciao, ti saluto. A New York c'è un bel sole caldo e nella posta ho trovato un cartoncino dell'American Medical Association con cui mi si informa che il mio ultimo esame del cancro è risultato negativo. Qui ogni sei mesi bisogna farsi fare l'esame del cancro, onde prevenirlo nel caso ci sia. La medicina moderna è davvero fantastica, in questo Paese. Ma come fate in Italia? Affettuosamente tua,

*Oriana Fallaci*

Appendice

# È severamente proibito dar fuoco all'albergo

*Guida breve sull'arte di vivere in albergo ad uso dei viaggiatori, dei fuggiaschi e delle persone colte*

Questo dizionario non pretende d'essere completo, infallibile e utile. Chi lo ha scritto è convinto, anzi, che sia scandalosamente incompleto, decisamente fallibile e perfettamente inutile. Nella vita, infatti, non serve dare consigli: si impara sbagliando, da sé. Tuttavia esso è, anche, il risultato di un estenuante lavoro svolto per voi durante il convegno nazionale degli albergatori italiani. Il convegno, organizzato dalla FALAT, è avvenuto nei giorni scorsi durante una crociera a bordo dell'*Homeric*, una nave della Home Lines. Gli albergatori erano oltre quattrocento. Essi si sono imbarcati a Le Havre, hanno visitato Lisbona, Tangeri e Palma di Maiorca, hanno partecipato a cocktails, pranzi ufficiali e feste da ballo, e hanno perfino discusso sugli importanti problemi della industria alberghiera. Da queste discussioni, ufficiali, e da altre discussioni, non ufficiali ma ugualmente ascoltate, dalle interviste, dalle battute, dalle polemiche, è tratto questo vademecum che non vuole, naturalmente, recare offesa a nessuno.

293

# A

**Albergo** - Quando litighi coi familiari o con l'amica e sbatti l'uscio urlando «me ne vado»; quando perdi la chiave di casa e nessuno, per quanto ti ami, è disposto a ospitarti una notte: quando sei travolto da una passione e non disponi della garçonnière: quando commetti l'imprudenza di viaggiare per conoscere il mondo o quando sei costretto a viaggiare per guadagnarti la vita; quando sei esule, fuggiasco o sfrattato, ricordati che non v'è altra soluzione su questo pianeta all'infuori di ciò che chiamano albergo. Perciò impara e rispetta i seguenti comandamenti.

*Primo* - Non chiedere a bruciapelo una camera perché è come chiedere a una ragazza di passare insieme il week-end senza sposarla: a quel modo rispondono no. Affronta l'argomento alla larga, seducili con lo sguardo infelice e quando l'hai avuta (la camera) distribuisci considerevolissime mance.

*Secondo* - Non suicidarti in albergo, si infastidiscono molto. Non lasciare cadaveri in albergo, ti scoprono subito. Non morire in albergo: ti mandano all'inferno.

*Terzo* - Non rubare le scarpe altrui. Non entrare nel letto altrui. Non far mettere le consumazioni al bar sul conto altrui.

*Quarto* - Non imprecare se lo scaldabagno non funziona, se il telefono non risponde, se il cameriere non viene, se il tuo passaporto va perduto, se il letto della camera accanto cigola indecorosamente, tutto questo è normale.

*Quinto* - Non lasciare bambini, biancheria sporca, dentiere, lettere compromettenti, amanti noiosi di cui non riuscivi a disfarti: te li restituiscono.

*Sesto* - Non allontanarti senza pagare il conto se n'hanno a male e un bel giorno, per strada, ti riconoscono. Poi devi pagare lo stesso.

**Albergatore** - Colui che può stare in albergo senza rispettare i comandamenti che scrisse per chi vive in albergo.

**Americani** - Se in ascensore un uomo si toglie il cappello, ciò non significa che sei una donna molto importante o che l'albergo è pieno di persone educate. Significa che quell'uomo è americano. In ascensore tutti gli americani si tolgono il cappello: perché ci fa caldo.

**Ascensore** - Il cliente chic non va in ascensore. Va a piedi. In tal modo evita incresciosi luoghi comuni come: «Non viene mai questo ascensore. Non funziona questo ascensore. È una indecenza questo ascensore». In tal modo ha diritto a uno sconto.

## B

**Baby** (Pignatari) - Le ragazze nobili non scendono mai in un albergo dove sta il Baby. Nell'albergo dove sta il Baby ci vanno solo le ragazze che hanno un marito perché il Baby non desidera affatto sposarsi.

**Bambini** - I bambini non si portano in albergo e nemmeno la nurse. In caso di assoluta necessità, si porta la nurse e si lascia a casa il bambino. Gli albergatori ritengono che i bambini abbassino il tono dell'albergo. L'unica bambina che possa dare tono a un albergo è Eloisa che vive al Plaza di New York ma è una invenzione letteraria di Kay Thompson.

**Barman** - Al barman non si può chiedere in prestito più di un salmone per volta (diecimila lire). Il barman è un amico, è un fratello, è uno psicanalista, è un biglietto da visita ma non è la Banca d'Inghilterra. Al massimo può aver risparmiato qualche mattone di mance: ma ciò non ci autorizza a riprenderle. Il cliente peggiore è quello che finge di aver conosciuto il barman a Biarritz. Se il barman è un poseur può sempre rispondere: «Le mie vacanze le passo in Florida, monsieur».

## C

**Camere** (comunicanti) - Quando si vogliono due camere comunicanti non si dice arrossendo: «Vorrei due camere possibilmente al medesimo piano» altrimenti credono che siate fratello e sorella e ve le danno davvero al medesimo piano ma in due corridoi molto lontani così siete costretti a girare in vestaglia facendo una pessima figura. Si dice con voce ferma: «Vorrei due camere comunicanti».

**Cameriera** - Il vero signore non seduce la cameriera. Il vero signore sposa la cameriera, come Rockefeller, o perlomeno promette che la sposerà.

**Cameriere** - La vera signora non si innamora del cameriere, specialmente se è ammalata di cuore. Altrimenti i giornalisti si impadroniscono della faccenda come accadde a Shirley Comparini e lei è costretta a sposarselo, portandolo poi in Inghilterra. Ciò da fastidio all'albergatore che per istruire un cameriere completo impiega almeno due anni.

**Camping** - Non si va al camping. Si va in albergo. Come sostengono gli albergatori, il camping è immorale, promiscuo, abusivo, scomodo, selvaggio, dannoso al paesaggio e poi ci si sporca perché non c'è la stanza da bagno.

**Cani** - I cani non vengono accettati volentieri in un albergo se non si è Maria Callas o i duchi di Windsor. Chi desidera portare un cane in albergo deve prima: 1) rinunciare a un trono; 2) farsi sposare da un re; 3) seguire un corso accelerato di canto e litigare col Metropolitan; 4) innamorarsi di Onassis.

**Categoria** - Chi va in un albergo di seconda o terza categoria non deve nasconderlo. Deve dire: «Sono stato in un alberghino niente niente, ma carino vedessi carino, pulito vedessi pulito, ti-giuro-che-ci-siamo-divertiti-da matti».

**Cliente** - Non è vero affatto che il cliente ha sempre ragione: di regola il cliente ha torto. Il cliente più insopportabile è il vecchio cliente in quanto avanza diritti come una moglie che non ammette il gusto del tradimento. I clienti si cambiano come le donne.

## D

**Discrezione** - Quando si è in missione segreta, o si è ricercati per qualche delitto o si è in vacanza con un celebre divo, non si entra in albergo dicendo: «Mi raccomando, discrezione». Altrimenti il portiere fraintende e telefona al giornale o alla polizia con le seguenti parole: «Badate, qui c'è la tale, ma mi raccomando, discrezione».

## E

**Extra** - Voce del verbo sorprendere ovvero il conto non torna. Vedi tasse, riscaldamento, aria condizionata, prima colazione, seconda colazione, tè, caffè, acqua minerale, sandwiches, stiratura, lavanderia, sigarette, telefono, bar, birra, servizio, extra. Il buon cliente si vede dagli extra. Il buon cliente non dice: «Con questi extra andavo a New

296

York». Il buon cliente sta zitto, fa il bucato nel bagno, stira la biancheria di nascosto col ferro portatile e la mattina si fa il caffè con l'acqua calda del lavandino vergognandosi come un ladro per la sua tirchieria.

## F

**Facchino** - Quando il facchino ha portato le valigie non si dice: «Non ho più spiccioli», poiché egli potrebbe rispondere: «Me li dia interi». Non si dice neppure: «Le dispiace se le do questi spiccioli» poiché gli dispiace moltissimo. Il facchino è un vero signore e da tale rischia trattarvi. Quando il duca di Bedford regalò la sua camicia strappata a un facchino, il facchino gliela restituì ricucita dicendo: «Cinquecento lire per il rammendo, signore».

**Figlia** (dell'albergatore) - Il metodo più elegante per dimostrare all'albergatore che siete rimasto soddisfatto del soggiorno è sposarne la figlia. Le figlie degli albergatori sono sempre nubili, esperte in faccende domestiche e in viaggio di nozze non fanno spendere una lira in albergo perché vanno negli alberghi degli amici di papà. Quando il papà muore, ereditano l'albergo. I figli degli albergatori invece sono sposati. Ma a volte divorziano come Nick Hilton, figlio del grande Hilton ed ex-marito di Elizabeth Taylor. Sposare Nick non è neppure una questione di gratitudine. È una questione di buonsenso.

**Fuoco** - È severamente proibito dar fuoco all'albergo. Niente irrita un albergatore come un cliente che dà fuoco all'albergo. Se un cliente ha intenzione di dar fuoco all'albergo dovrà prima avvertire gli altri clienti di indossare, per quella notte, il pigiama perché lo spettacolo della gente che scappa senza il pigiama è davvero volgare.

## G

**Giornalista** - È quel tale, o quella tale, che in albergo fa interminabili telefonate interurbane e internazionali urlando racconti insopportabilmente drammatici a stenografi sordi. Quando non telefona, scrive a macchina. Di solito scrive a macchina da mezzanotte in poi impedendo il sonno ai vicini. Chi odia i giornalisti può sfruttare la situazione ricorrendo a una vendetta raffinatissima. Chiama il portiere e il portiere, con molto garbo, trasferisce il giornalista nel guardaroba o nel gabinetto al pianoterreno dove può scrivere a macchina senza svegliare nessuno.

# H

**Humour** - L'importante, anche in albergo, è avere senso di humour. Chi si arrabbia perché non lo svegliano facendogli perdere l'ultimo aereo o perché il cameriere entra in camera mentre stava impiccandosi per dispiaceri amorosi, dimostra di non avere senso di humour. Una volta, in un albergo milanese, una signora americana fu assassinata da un cameriere per furto. Il direttore disse: «È stato uno spiacevole incidente». Costui aveva un notevole senso di humour.

# I

**Inglesi** - Se il vicino della camera accanto entra nel bagno e caccia un urlo di orrore, non crediate che abbia visto un vampiro. Il vicino è un inglese e ha visto il bidet.

# L

**Ladri** - In albergo non si rubano i lenzuoli, i tappeti persiani, i paralumi, le immagini sacre, i barometri e le pompe antincendio: perché gli albergatori fanno un mucchio di storie. Non si rubano nemmeno gli asciugamani, i gioielli, i cucchiaini d'argento, le stampelle e i posacenere: è ritenuto cheap. Invece si possono rubare: la carta da lettere, le bottiglie dimenticate di whisky, le mogli degli altri e i mariti delle altre. Però, anche qui, bisogna stare attenti a non farsi scoprire altrimenti si provocano complicazioni.

**Lusso** - Non si va negli alberghi di lusso dove vanno Soraya, Farah Diba, Krusciov e Liberace perché si spende troppo e poi non è chic. Poi non c'è privacy. Ma se le circostanze della vita vi conducono senza scampo in un albergo di lusso, evitate nel Mark Hopkins di San Francisco l'appartamento toccato a Krusciov dove il water closet è laminato d'oro zecchino. Ciò è imbarazzante.

# M

**Maître** - Non si chiedono ai maître le bistecche di balena, anche se sono in menu. Egli risponde: «Sono esaurite, signore». Non gli si chiede cos'è «le filet majesteux du boeuf sacrifié au caprice de Cleopatra avec les patites reines de beauté». È doveroso sapere che si tratta di carne ai ferri con patate.

**Michelin** (guida) - Se l'albergatore ci trova il suo nome: «Non per nulla, io sono sul Michelin». Se non ce lo trova: «Chi vuoi che guardi il Michelin».

# N

**Non c'è più posto** - Pazienza.

# O

**Olimpiadi** - Non andare a Roma per le Olimpiadi. Ti ricordi l'Anno Santo?

# P

**Portiere** - L'importante è restare simpatici al portiere e fargli credere che si è figli illegittimi di un sovrano in esilio. Se lui ti squadra dall'alto in basso perché attacchi il francobollo su una cartolina illustrata, subito chiedigli: «Ha il numero del duca di Norfolk? Ho perso il mio notes». Ricordati inoltre che lui sa tutto. Il portiere di notte conta meno ma lui sì che sa tutto.

**Polizia** - Non sbuffare se «La dichiarazione di soggiorno deve essere fatta per iscritto mediante scheda conforme all'annesso modello munita della firma del dichiarante e in essa si deve indicare: a) le proprie generalità complete; b) la data e il valico di ingresso nello Stato; c) lo scopo della venuta in Italia; d) la nazionalità e il luogo di provenienza; e) quanto tempo si tratterrà; f) il luogo dove ha preso abitazione; g) se e quali beni immobili, rustici, urbani possegga; h) se e quale professione o industria o commercio o lavoro eserciti o intenda esercitare nello Stato...» (Dal Testo unico di Pubblica sicurezza approvato con regio decreto il 6 maggio 1940 e tuttora in vigore). Una volta Hildegarde Neff che voleva venire in Italia con David Cameron chiese: «È vero che se non siamo sposati ci arrestano?».

**Prenotazione** - Pensa che gli inglesi prenotano anche il pollo alla rosticceria e gli americani il posto al cimitero. Sicché, anche se sei italiano, devi prenotare l'albergo con una lettera confermata da un telegramma confermato da una telefonata confermata dal tuo arrivo: tanto la camera non te la danno lo stesso.

# Q

**Questa è l'ultima volta che mi vedete** (pago ma...) - Non si dice.

# R

**Resto** (del conto) - Si dice «tenga pure» se è sotto le diecimila. Se è sopra, dirlo denota la tua timidezza.

**Reputazione** - Il modo più sicuro per salvare la reputazione di una ragazza nubile quando dorme con uno scapolo perché i letti singoli sono tutti esauriti, è il cosidetto «bundling»: di moda nel New England circa un secolo fa. Si piglia la ragazza e la si fascia come una mummia. Poi si sigillano le fasciature e la si butta nel letto dello scapolo avendo cura di mettere una lampada alla finestra affinché tutti sappiano e possano controllare. In mezzo al letto, però, si rizza un'asse alta non meno di trenta centimetri onde «togliere il desiderio di peccare». Questa legge, come il Testo unico di Pubblica sicurezza approvato con Regio decreto il 6 maggio 1940, è tuttora in vigore in America. Lì però nessuno la osserva.

# S

**Scuola Albergatori** - È una scuola originale: dove i ragazzi studiano e non sparano ai professori. Procura soprattutto camerieri italiani che, dopo quelli cinesi, sono i più apprezzati nel mondo. È un onore? Insomma.

**Stagione** (alta e bassa) - Siccome la stagione alta costa molto di più di quella bassa, tu non cercare mai quella bassa: tanto c'è sempre quella alta e paghi quella alta. Una volta un cliente cercò di chiarire l'enigma ma finì malissimo: gli successe press'a poco quel che è successo al poliziotto Ignazio Melone dopo che fece la contravvenzione al questore Marzano. Scoprirono che aveva anche strozzato la nonna.

**Sedici bis** - Significa diciassette. (Camera numero).

# T

**Tasse** - Tasse di esercizio, tasse di soggiorno, tasse di servizio, tasse di lusso, tasse IGE, eccetera. Quando vai in albergo ricordati che le tasse non hanno niente a che fare con la tariffa che non ha niente a che fare col conto che non ha niente a che fare con la cifra che credevi di pagare. Questo argomento è indelicato.

**Tedeschi** - Se nel tuo albergo c'è un signore molto gentile che non urla, non brontola, non ruba, non spara e risparmia anche le mosche, costui non è un santo ma un tedesco ex-capitano della Wehrmacht. Ciò non ti autorizza a prenderlo a spinte per vendicarti o a commetterci insieme peccato per perdonarlo dei suoi trascorsi.

## U

**Uscita** (di servizio) - È proibito uscire dall'uscita di servizio se non si hanno titoli nobiliari, il diamante Tiffany al mignolo, e almeno un cappotto di cincillà foderato di visone selvaggio. È anche proibito se non si è attesi, proprio dinanzi all'uscita di servizio, da meno di quarantasette fotografi, ventitré giornalisti e tredici poliziotti dislocati dal sindaco ove tu sia una diva colpevole di bigamia, una celebre assassina, la fidanzata di un imperatore. Ovvero ciascuno ha l'uscita che si merita.

## V

**Viaggi di nozze** - Non è spiritoso recarsi in viaggio di nozze insieme al neonato per cui è stata regolarizzata l'unione: perché lo capiscono tutti. È spiritoso recarsi in viaggio di nozze in un albergo dove si è stati con qualcuno che non era vostro marito: ciò è anche, però, fonte di continui ricatti.

## W

**Waldorf Astoria** - Non si va al Waldorf Astoria se non si prende l'appartamento nella suite dei duchi di Windsor o nella tower di Dimitri Mitropoulos: perché non dà tono. Allora è meglio prendere un aereo a reazione e recarsi a dormire al George V.

## Z

**Zanzare** - Non è vero che le zanzare sono creature di Dio. Quando l'albergatore dice così, schiacciagli una immaginaria zanzara sulla guancia sinistra.

*Oriana Fallaci*

# Bibliografia

Bradbury, Ray, *Cronache marziane*, Mondadori 1954

Cartier, Raymond, *Le cinquanta Americhe*, Garzanti, Milano 1962

Cheever, John, *Il nuotatore*, Fandango Libri, Roma 2000

De Stefano, Cristina, *Oriana. Una donna*, Rizzoli, Milano 2013

Demaris, Ovid & Reid, Ed, *The Green Felt Jungle*, Trident Press, New York 1963

Gilbert, Eugene, *Advertising and Marketing to Young People*, Printers Ink Books, New York 1957

Gunther, John, *Inside Usa*, Harper & Brothers, New York 1947

Huxley, Aldous, *Il mondo nuovo*, Mondadori, Milano 1933

Kant, Immanuel, *Critica della ragion pura*, Laterza, Bari 1910

MacLaine, Shirley, *Non cadere dalla montagna*, Sperling & Kupfer, Milano 1990

Orwell, George, *1984*, Mondadori, Milano 1950

Schuman Reice, Sylvie, *The Ingenue Date Book: Everything Every Teen-Age Girl Wants and Need to Know About Boys, Dating, Love and Sex*, Dell Publishing, New York 1965

Schwarz-Bart, André, *L'ultimo dei Giusti*, Feltrinelli, Milano 1960

Southern, Terry (pseudonimo di Maxwell Kenton) & Hoffenberg, Mason, *Candy*, Olympia Press, Parigi 1958

Verne, Jules, *Dalla Terra alla Luna*, in *Viaggi fantastici*, BUR Rizzoli, Milano 2011

Zavattini, Cesare, *Le cronache di Hollywood*, Editori Riuniti, Roma 1996

Zola, Émile, *La cuccagna*, Sansoni, Firenze 1966

# Indice dei nomi

# Indice

Finito di stampare nel febbraio 2019 presso
Grafica Veneta – via Malcanton, 2 – Trebaseleghe (PD)
Printed in Italy